VERRADERLIJKE TROUW

Iris Johansen

Verraderlijke trouw

Uitgeverij Luitingh ~ Sijthoff

Voor meer informatie: kijk op **www.boekenwereld.com**

© 2002 by Johansen Publishing LLLP
Originally published by Bantam Books. All rights reserved
© 2003 Nederlandse vertaling
Uitgeverij Luitingh ~ Sijthoff B.V., Amsterdam
Alle rechten voorbehouden
Oorspronkelijke titel: *No One to Trust*
Vertaling: Marianne Lakens Douwes
Omslagontwerp: Karel van Laar
Omslagfotografie: Image Store

ISBN 90 245 4831 4
NUR 332

I

Belim-gevangenis
Belim, Colombia
Er kroop een kakkerlak over haar arm.

Elena Kyler rilde toen ze hem wegveegde. God, wat haatte ze die beesten. Deze cel krioelde ervan, maar ze waren tenminste niet zo erg als de ratten...

Hou daarmee op. Deze cel is het leven niet. Ga weg vanhier. Denk aan iets moois. Vader Dominic had haar altijd voorgehouden dat dat de enige manier was om het ondraaglijke te verdragen. Maar deze situatie was niet echt ondraaglijk. Ondraaglijk zou het zijn als ze opgaf en die hufter zou laten winnen. Ze ging dus niet aan iets moois denken. Ze wilde iets waaraan ze waarde hechtte niet in deze smerige cel brengen.

Ze trok de deken dichter om zich heen. Wat was het koud. Overdag was het warm, maar zodra de zon onderging werd het kil. De cel was vochtiger dan de hutten waarin ze haar hadden vastgehouden op weg hierheen, en de deken die ze haar gegeven hadden was dun en versleten. Ze had de hele nacht niet geslapen.

Hou op met dat zelfbeklag.

Er zou hier weleens meer kans kunnen zijn. Deze bewakers leken inschikkelijker en ze kenden haar niet. Ze moest voorbereid zijn. Het moment zou komen.

Ze gooide de deken van zich af en begon aan de warming-up die voorafging aan haar vaste programma. Sinds ze haar hadden gepakt had ze iedere dag vier uur getraind en ze was nu zelfs sterker dan daarvoor. Zonder wapens moest dat ook wel. Om op krachten te blijven had ze de magere rantsoenen die ze haar gaven tot de laatste kruimel opgegeten, en de rest van de tijd had ze gebruikt om plannen te maken voor haar ontsnapping.

Ze zou er klaar voor zijn.

'Is hij er?' vroeg Ben Forbes meteen toen hij John Logans kantoor binnenkwam. 'Heb je Galen te pakken kunnen krijgen?'

'Hij is er. Of beter gezegd hij zal hier binnen een paar minuten zijn.'

Logan leunde achterover in de leren directiestoel. 'Maar hij zei me je te waarschuwen dat hij niet van plan was de klus te nemen. Hij zei dat hij genoeg had van al dat gedonder in Colombia.'

'Wie niet,' zei Forbes vermoeid. 'Maar het houdt niet op en iemand zal er iets aan moeten doen.'

'Zeg dat tegen Galen. Hij heeft bij zijn laatste ophaalklus daar twee man verloren. Hij houdt er niet van mensen te verliezen. En hij werkt ook niet graag met de DEA. Hij zou niet eens voor dit gesprek gekomen zijn als jullie elkaar niet al zo lang kenden.'

'Niet zo lang als jullie twee,' pareerde Forbes. 'Kun jij je invloed niet aanwenden?'

Logan schudde zijn hoofd. 'Galen gaat zijn eigen weg en je kunt beter niet proberen hem op andere gedachten te brengen, want dan is het gauw over met de vriendschap.'

Niemand wist beter dan Forbes dat Sean Galen een buitenbeentje was. Hij was alles geweest: van huurling tot smokkelaar met een veelvoud aan andere duistere carrières tussendoor. Maar, buitenbeentje of niet, hij was zonder twijfel de beste in alles wat hij deed. 'Ik heb hem nodig, Logan.'

'Hij incasseerde meer dan een miljoen dollar voor het ophalen van die topman van Folkers Koffie. Kun je daar tegen opbieden?'

'Vergeet het maar,' zei Galen, die in de deuropening was verschenen. 'Tenzij hij plotseling omkoopbaar is geworden. En dat is niet waarschijnlijk.' Hij slenterde de kamer in. 'Hoe is het met je, Ben?'

'Kon beter.' Hij schudde Galens hand. 'Maar het zou al helpen als je zou willen meewerken.'

'Ik ben net terug van een zwaar karwei. Ik heb vakantie.' Hij ging in de bezoekersstoel zitten. 'Logan en ik gaan vissen.'

'Dat gaat je vervelen,' zei Forbes. 'Ik heb iets veel boeienders voor je.'

'Ik kan op dit moment best een beetje verveling gebruiken.' Galen grijnsde. 'Mijn moeder zei altijd al dat ik niet goed met anderen kan spelen. En al helemaal niet met rijksambtenaren. Die willen altijd de baas spelen.'

'Zal ik weggaan?' vroeg Logan.

'Waarom zouden we je uit je eigen kantoor jagen?' vroeg Galen. 'Dit gaat niet lang duren.'

Logan leunde achterover in zijn stoel. 'Oké. Doe maar alsof ik er niet ben.'

Dat zou niet eenvoudig zijn, dacht Forbes. John Logan was een reus van een kerel en bepaald niet iemand die zichzelf op de achtergrond stelde. Maar om een positie als de zijne in de zakenwereld te bereiken was dat ook wel nodig. Het was vreemd om Galen en Logan samen te zien. Ze waren zo verschillend als steen en kwikzilver. Toch was de nauwe band tussen hen bijna zichtbaar. Forbes had geruchten gehoord dat Logan, voordat hij een succesvolle tycoon werd, betrokken was geweest bij sommige van Galens uiterst dubieuze ondernemingen. Deze ervaringen hadden duidelijk een band met Galen gesmeed die de druk van de tijd had weerstaan. Zou hij daar gebruik van kunnen maken? 'Praat gerust mee, John. Ik weet dat je dat afkickcentrum in Los Angeles fors ondersteunt.'

Logan schudde zijn hoofd. 'Je staat er alleen voor.'

Forbes zuchtte en wendde zich weer tot Galen. 'Je zou je geen zorgen hoeven te maken over samenwerking met de regering. Geen DEA-interventie.'

Galen trok zijn wenkbrauwen op. 'Jij bent DEA.'

'Ik werk voor mijzelf in deze zaak.'

'Dat zal Uncle Sam niet leuk vinden.'

'Jammer. Het hoort bij de afspraak. Het is de eerste kans in tien jaar die ik heb om Chavez te pakken.'

De gezichtsuitdrukking van Galen veranderde niet, maar Forbes kon een nieuwe klank in zijn stem horen. 'Chavez?'

'Rico Chavez. Het Chavez-kartel. Ik geloof dat je enige ervaring met ze hebt opgedaan.'

'Twee jaar geleden.'

'Dat is toen je twee van je mensen verloor, is het niet? Je was bezig William Katz, die koffiebaas, vrij te krijgen van de bende rebellen die hem vasthielden voor losgeld. Maar Chavez heeft zijn mannen gestuurd om ze te helpen. Dat had je niet van hem verwacht.'

'Normaal gesproken zijn het de rebellen die de drugsbaronnen daar beschermen. Dus je gaat achter Chavez aan?'

'Ik zit al jaren achter hem aan. Een paar keer had ik hem bijna. Deze keer zou ik een kans kunnen hebben als jij me helpt.'

Galens ogen vernauwden zich. 'Je wilt dat ik hem vermoord?'

'Nee, ik wil hem hier in de vs hebben, waar we hem kunnen vervolgen. Ik wil niet alleen dat hij hierheen komt, ik wil ook weten wie hier de distributie voor hem doet.'

'Chavez komt niet naar de vs. Hij blijft daar waar hij veilig is.'

'Tenzij hij een goede reden heeft om hierheen te komen.'

Galen schudde zijn hoofd. 'Je maakt geen kans.'

'Misschien toch wel. Ik kreeg twee maanden geleden een telefoontje van een vrouw die Elena Kyler heet. Ze zei dat ze bij een groep rebellen in het zuiden van Colombia zat. Ze wilde dat ik haar hielp om daar weg te komen, en ze wilde bescherming als ze terug was in de vs. Ze zei dat ze in het bezit was van bewijsmateriaal dat Chavez belastend genoeg zou vinden om hem uit Colombia te verdrijven.'

'Wat voor bewijs?'

'Dat wilde ze niet zeggen. Ze vroeg me haar te ontmoeten in een huis buiten een klein dorp dicht bij Tomaco waar we het zouden bespreken.'

'Valstrik. Chavez wil jouw scalp, Ben.'

'Ik ben niet achterlijk. Ik heb nagevraagd bij mijn informanten onder de rebellen en er is een Elena Kyler. Haar vader was Frank Kyler, een Amerikaanse huurling die meer dan dertig jaar geleden naar Bogotá kwam. Hij trouwde met Maria Lopez, een linkse vrijheidsstrijdster van de Colombiaanse Nationale Bevrijdingsbeweging. Ze hadden twee kinderen, Elena en Luís. Maria is vier jaar na de geboorte van Elena vermoord door regeringssoldaten. Blijkbaar zijn Elena en haar broer opgevoed door hun vader, die zeven jaar geleden is gedood. Zowel Elena als Luís waren lid van een rebellengroep in de heuvels.' Hij stopte even. 'De heuvels die om de cocavelden van Chavez liggen. Er is dus een connectie.'

'Je klampt je vast aan een strohalm.'

'Dat zal ik weten als ik haar spreek. Ze wil dat ik haar ontmoet en voorbereid ben. Dat is alles wat ze vroeg. Het is de gok waard.'

'Een gok met je leven.'

Hij lachte bitter. 'Misschien is het dat waard. Als we Chavez eruit krijgen zal een van de grootste leveranciers in Colombia wegvallen. Dat zou een hoop kinderen kunnen redden. Jij hebt net zo'n hekel aan drugsdealers als ik, Galen.'

'Maar ik ben meer realist dan jij. Het zou niet meer zijn dan een vinger in de dijk. Het is een verloren gevecht.'

'Deze keer niet.' Hij wachtte even. 'Ik heb een voorgevoel... Ik geloof haar.'

'Goed, haal haar dan zelf.'

'Dat is misschien een beetje moeilijk. Een van mijn informanten vertelde me dat ze op de vlucht was voor Chavez en dat ze is verdwenen.' Hij aarzelde. 'Het verhaal gaat dat ze is opgepakt en wordt vastgehouden in een gevangenis in Belim.'

'Een gevangenis?'

'Een staatsgevangenis, maar de bewakers zijn door Chavez omgekocht zodat hij er zijn speciale gevangenen onder kan brengen.'

'Dan heeft ze voor jou geen nut. Als ze ook maar enig bewijs heeft, zal Chavez haar martelen tot ze zegt wat het is.'

'Chavez zit in een belangrijke meeting met de Delgado-familie in Mexico. Ze heeft mogelijk even de tijd. Ik heb gehoord dat hij zijn vuile werk graag zelf doet.'

Galen zuchtte. 'Niet zeggen. Niet zomaar een ophaalklus; je wilt dat ik haar uit die gevangenis haal en bij jou aflever.'

'Dat zou nodig kunnen zijn.'

'Vergeet het maar. Organiseer maar een DEA-inval.'

'En de regering moord en brand laten brullen omdat we misbruik hebben gemaakt van onze positie als gasten in hun land?' Hij aarzelde en voegde er toen schoorvoetend aan toe: 'Bovendien, er zijn misschien wel informanten in het bureau.'

'Dat doet pijn, hè?' zei Galen. 'Ja, natuurlijk zijn er informanten. Waar zoveel geld omgaat is corruptie de gewoonste zaak van de wereld. Jij bent van alle mannen bij de DEA die ik ooit heb ontmoet, de enige die ik volkomen vertrouw.' Hij glimlachte. 'Je bent een overblijfsel uit een voorbije tijd. Een onaantastbare. De Eliot Ness van de drugswereld.'

'Ik voel me niet onaantastbaar,' zei Forbes grimmig. 'Ik voel me smerig. Ik ben al te lang met dit spel bezig. Ik wil eindelijk iets goeds zien gebeuren. Doe het voor mij, Galen.'

'Een gevangenis?' Galen schudde zijn hoofd. 'Een te groot risico. Ik wil niet nog een man aan die schoft verliezen. Ik ga vissen.'

'Denk erover na. Het zou een geweldige uitdaging zijn en een kans om een lange neus naar Chavez te maken.' Forbes draaide zich om om te vertrekken. 'Ik bel je over een paar uur. Er is waarschijnlijk niet veel tijd. Ik weet niet hoe lang die meeting van Chavez zal duren.' Hij stopte bij de deur en keek over zijn schouder naar Galen. De uitdrukking op diens gezicht vertelde hem niets. Nou, hij had gedaan wat hij kon. Hij had alle argumenten aangedragen, van kinderen redden van een overdosis drugs tot wraak op een oude tegenstander. Of het genoeg was? Galen was een van de taaiste kerels die hij ooit was tegengekomen en zo onberekenbaar als een vaatje explosieven. Hij kon niets anders doen dan afwachten.

'Wat denk je ervan?' vroeg Logan toen de deur zich achter Forbes sloot.

'Wat ik ervan denk?' herhaalde Galen. 'Ik denk dat iemand hem erin laat lopen. Ik denk dat Chavez er genoeg van heeft zo'n rechtschapen man als Forbes achter zich aan te hebben en dat hij een hinderlaag aan het voorbereiden is.'

'Forbes is niet stom.'

'Maar wel wanhopig. Hij wil dit te graag. Hij zit al meer dan vijfentwintig jaar in de drugsbestrijding en dat is de ondankbaarste baan van de wereld. Na al die jaren wil Forbes bevestigd zien dat zijn werk niet voor niets is geweest.' Hij liep naar het raam en staarde over de baai. 'De malloot.'

'Je mag hem.' Logan glimlachte. 'En ik denk dat je hem bewondert. Je hebt altijd iets met Don Quichot gehad.'

'Dat betekent nog niet dat ik hem ga helpen met een aanval op die verdomde windmolens van hem.'

'Hoe is de situatie in Colombia op dit moment?'

'Niet beter dan die de afgelopen veertig jaar is geweest. De linkse rebellen vechten tegen de regering, de paramilitairen vechten tegen de rebellen en beschermen de dorpen én soms de drugskoeriers. De drugsbaronnen zitten op hun tronen, kopen iedereen om en regelen waarschijnlijk het hele zaakje.'

'En Chavez is het hoofd van die drugsgroep?'

'Een van de leiders. Na het uiteenvallen van het Cali-drugskartel zaten ze zonder leider. De drugshandel spreidde zich uit over verschillende groepen, wat net zo winstgevend was en veiliger. Tegenwoordig gaat het erom dat je je gedeisd houdt en gebruik maakt van het internet. Alles blijft onder tafel. Het enige heldere feit is dat er in dat hele land vrijwel niemand is die je kunt vertrouwen. Omdat vrijwel iedereen corrupt is.'

'Het klinkt een beetje verdacht dat die Elena Kyler Forbes zou kiezen voor hulp.'

'Dat is het enige deel in het verhaal dat me logisch voorkomt. Forbes heeft promotie na promotie afgewezen omdat hij geen bureaubaan wil die het hem onmogelijk zou maken persoonlijk achter drugsleveranciers aan te gaan. De DEA respecteert hem en laat hem zijn eigen show leiden. En zijn eerlijkheid is legendarisch bij de guerrilla's en de paramilitaire groepen in de bergen.' Hij glimlachte zuur. 'Geloof me, ze weten wie omkoopbaar is en wie niet. Hij zou voor Elena Kyler de voor de hand liggende keuze zijn. Als ze tenminste echt is.'

'Wat ze natuurlijk niet is.' Logan stond op en volgde Galen naar het raam. 'Het water ziet er nogal ruw uit. Misschien is dit geen goede week om te gaan vissen.'

'Wat mij betreft ziet het er goed uit. In godsnaam, weet je hoeveel ophaalkarweitjes ik in Colombia heb gedaan? Dat rotland heeft meer ontvoeringen dan welk land ter wereld ook. Dit is mijn zaak niet, Logan. Verdorie, Forbes kan me niet eens betalen.'

'Je hebt genoeg geld.'

'Uit de mond van een miljardair als jij klinkt dat bijna belachelijk.' Logan lachte. 'Ja, hè? Nou, ik heb het harder nodig dan jij. Ik heb een gezin te onderhouden.' Zijn glimlach verdween. 'Het punt is dat je wilt gaan.'

'Om de donder niet.' Hij fronste zijn wenkbrauwen. 'Het is mijn zaak niet. Het is een pak leugens. Het is te toevallig dat Chavez in Mexico is. Dat zogenaamde bewijsmateriaal is waarschijnlijk nep. De vrouw is zo goed als zeker omgekocht om Forbes daarheen te lokken.'

'Dus Elena Kyler zit niet in die gevangeniscel in Belim?'
'Wil je soms een zielig beeld van haar schetsen en zo mijn beschermersgevoel opwekken? Hou toch op.' Hij keek Logan recht in zijn ogen. 'Die zit zich waarschijnlijk vol te spuiten in een luxe flat, betaald door Chavez. Elena Kyler zit echt niet in die cel in Belim.'

Belim
Het is alleen maar mijn lichaam, zei Elena tegen zichzelf. En ik ben niet mijn lichaam. Ik ben geest en hart en ziel.
'Goed zo.' De bewaker drukte haar tegen de harde betonnen vloer terwijl hij diep in haar drong. 'Lekker hoertje. Je vindt het fijn, hè?'
'Ja.' Ik ben niet mijn lichaam. Ik kan deze bezoedeling verdragen. Het was niet zo erg als toen ze was verkracht, omdat ze het deze keer zelf zo had gewild. 'Ik vind het fijn, je bent een stier, Juan.'
Sluit je af. Ga naar een andere plek! Net zoals ze bij die verkrachting had gedaan. Nee, dat moest ze niet doen. Ze moest klaar zijn.
Ik ben niet mijn lichaam.
'Jezus.' Hij kromde zich met een hese schreeuw terwijl hij in haar klaarkwam.
Het moment van de grootste zwakte.
Nu.
Ze kwam omhoog met een schreeuw en sloeg haar armen om zijn nek. 'Juan!'
Hij hijgde. 'Ik was goed voor je. Ik heb je laten klaarkomen, hè?'
Haar armen spanden zich om zijn nek. 'Wat een man ben je...'
Ze trok hem naar beneden. 'Kom hier...'
'Je houdt me te strak vast.' Maar er klonk zelfvoldane tevredenheid in zijn stem. 'Geef me een ogenblik en ik ben weer kl–'
Ze gaf een ruk en brak zijn nek.
Hij verslapte boven op haar. Jezus, wat was hij zwaar. Ze duwde hem van zich af, sprong overeind, trok hem in de schaduw aan het andere eind van de cel en wikkelde hem in een deken. Het had geen zin kleren aan te trekken. Zodra de andere bewaker kwam zou ze bij Juan moeten liggen en iets moeten beden-

ken om de man de cel binnen te lokken. Hij zou nu wel gauw komen. Ze hadden een munt opgegooid om uit te maken wie haar het eerst zou nemen en hij was erg teleurgesteld geweest.

Ze kroop tegen de muur van de cel en probeerde haar beven te bedwingen. Ze voelde zich gewond en gekneusd en geschonden. En smerig. Lieve god, wat voelde ze zich smerig. Ze drong haar tranen terug.

Ik ben niet mijn lichaam.

Ik ben niet mijn lichaam.

'Over twintig minuten zie ik je op het vliegveld,' zei Galen kortaf toen Forbes de telefoon opnam.

'Doe je het?' zei Forbes.

'De privéhangar. We nemen Logans privéjet en zijn piloot. Ik heb hem gezegd dat hij verdomme wel wat meer kon bijdragen dan lippendienst. We landen op een vliegveld buiten Medellín en daar staat dan een jeep klaar om ons naar Tomaco te brengen. Je meldt je niet bij je superieuren. Je praat met niemand tenzij ik het goedvind. Ik heb de leiding. Op het moment dat je Washington erbij roept, verdwijn ik uit beeld. Begrepen?'

'Daar praten we later wel over.'

Galen probeerde zich te beheersen. 'Luister eens, Forbes. Ik heb de pest in. Ik heb het gevoel dat ik te pakken genomen word omdat ik idioot genoeg ben om met je mee te doen. Dit is dus niet het moment om woordspelletjes met me te spelen. Ik weet dat je graag zelf de touwtjes in handen houdt en misschien doe je je werk goed. Maar deze keer niet. Dit is mijn show, anders stap ik niet in dat vliegtuig.'

Forbes was een ogenblik stil. 'Ik heb haar iets beloofd, Galen.'

'Mijn manier.'

'Oké.' Forbes zuchtte. 'Jouw show.' Hij hing op.

Galen stopte zijn telefoon in zijn zak en liep naar de deur. Het was geen geringe overwinning. Forbes was koppig en had het zelfvertrouwen dat paste bij zijn jaren in het veld. Galen had het vermoeden dat hij ook een vleug ouderwetse hoffelijkheid had. Dat zou weleens de reden kunnen zijn waarom Chavez een vrouw had uitgekozen om als lokvogel te dienen.

Als het om een valstrik ging. De balans sloeg nadelig door voor wat betreft de betrouwbaarheid van Elena Kylers verhaal. Maar in Galens leven waren vreemdere dingen gebeurd dan het scenario dat Forbes had beschreven.

Galen zou de zaak moeten behandelen als een valstrik. Dat was de enige manier om Forbes in leven te houden.

En zijn eigen huid te redden.

'Herhaal dat heel langzaam, Gomez.' Rico Chavez' hand klemde zich om de telefoon. 'Ze is ontsnapt?'

'Gisteravond. Ze heeft twee bewakers in de gevangenis gedood en is in het uniform van een van hen ontsnapt.'

'Stommeling. Heb je op de cipiers vertrouwd in plaats van op je eigen mensen?'

'Juarez, de gevangenisdirecteur, vond het geen goed idee dat onze mensen de gevangenis zouden gaan runnen. Hij zei dat dat een verkeerde indruk zou wekken.'

'Hij wordt er goed genoeg voor betaald, dus wat hij wel of niet leuk vindt is niet ons probleem. Waarom heb je haar in de gevangenis gestopt in plaats van haar naar het kamp te brengen?'

'We waren dicht bij Belim en ik dacht dat een paar dagen in die cel haar murw zouden maken.'

'Vind haar.'

'We zitten haar al op het spoor. Men heeft een vrouw die aan haar signalement beantwoordt in de richting van de bergen ten zuiden van Belim zien gaan. Ze ontkomt ons niet. Het is tenslotte maar een vrouw.'

'Ik vraag me af of die twee bewakers dat ook dachten voor ze hen vermoordde,' zei Chavez lijzig.

Gomez besefte dat hij had geblunderd. 'Ik laat niets aan het toeval over. Ik meld me zodra we weten waar ze is.'

Idioot.

Chavez' knokkels waren wit toen hij ophing. Het kostte hem moeite de hoorn los te laten. Hij had Gomez gewaarschuwd voorzichtig te zijn, maar de man had geen idee waar Elena Kyler toe in staat was. Hij was de enige die haar aankon. Als hij niet had besloten naar die meeting met de Delgado's te gaan zou deze ramp nooit gebeurd zijn.

Nou ja, het maakte niet uit. Nog twee dagen en dan zouden de onderhandelingen zijn afgerond en kon hij vertrekken. Hij liep naar de spiegel en streek de revers van zijn smoking glad. Hij vond de voorkeur van de Delgado's voor formele kleding bijna even vermoeiend als hun gebrek aan ambitie. Het zou weer een avond van drinken en gokken worden en hij werd geacht met die blonde, die ze beschikbaar hadden gesteld om hem te amuseren, naar bed te gaan. Het was altijd een blonde, meestal groot, met ronde vormen – en zacht.

Het was die zachtheid die hem het meest tegenstond. Een man was een jager, een veroveraar, en hij kon niet genieten van zijn macht als de vrouw niet meer was dan een mak schaap. Een vrouw moest sterk en slim zijn en over genoeg kracht beschikken om hem te amuseren.

Zoals Elena Kyler.

Hij kon haast niet wachten om hier weg te gaan en de jacht te openen.

'Je hebt aan die telefoon gehangen sinds we zijn opgestegen,' zei Forbes. 'Mag ik vragen wie je gebeld hebt?'

'Jose Manero, onder anderen.'

'Manero?'

'Hij is een van de belangrijkste informatiegoeroes in de wereld. Hij heeft me voorzien van info voor ieder karwei in Zuid-Amerika en de vs. Hij heeft de beste contacten in de handel en heeft mollen bij vrijwel iedere drugstransactie in Colombia.'

Forbes fronste zijn wenkbrauwen. 'Ik heb nog nooit van hem gehoord.'

'Zo heeft hij het graag. Jij bent DEA. Ik reken erop dat je zijn naam voor je houdt. Ik ben ook bezig geweest een team bij elkaar te krijgen.' Galen streepte de laatste naam op zijn lijst door. 'Het zal wel vierentwintig uur duren voordat het hele team in Colombia is, maar dat is vast vroeg genoeg. Ik heb een contact in Mexico-stad gebeld en Chavez is daar nog. Mijn contact zal me waarschuwen als hij vertrekt.' Hij staarde naar zijn gekrabbelde notities. 'De Belim-gevangenis zal niet moeilijk zijn. Die is nauwelijks groter dan een rijtje cellen in een politiebureau en de bewakers zijn net zo corrupt als hun directeur. Ik zou liever steekpenningen gebruiken dan explosieven. Maar explosieven werken snel en omkopen vraagt soms tijd en handigheid. We zullen zien of –'

'Ik denk niet dat je je zorgen hoeft te maken over Belim.'

Galen keek hem aan. 'Ik dacht dat we het daarover hadden.'

'Ik heb net mijn eigen contact in Belim gebeld.'

Galen kneep zijn lippen samen. 'Ik heb je gezegd niemand te bellen zonder met mij te overleggen.'

'Het was niet officieel en jij was bezig.' Forbes ging haastig verder. 'Twee nachten geleden was er een hoop opwinding bij de gevangenis. Twee bewakers zijn gedood. Elena Kyler is ontsnapt.'

'O, juist.'

'Je enthousiasme is overdonderend,' zei Forbes. 'Dit zal het veel makkelijker voor ons maken. Het is nu niet meer dan een eenvoudige ophaalklus. We gaan naar Tomaco en wachten tot ze naar ons toe komt.'

'Naar jou toe komt zul je bedoelen. Ik stap eruit. Ik heb je gewaarschuwd, Forbes.'

Forbes verstijfde. 'Ik heb niets gedaan dat – oké, ik heb je instructies niet gevolgd. Het zal niet meer gebeuren. Geen uitzonderingen. Oké?'

Galen gaf geen antwoord.

'Alsjeblieft.'

Galen staarde hem aan en haalde zijn schouders op. 'Je hebt me nu waarschijnlijk toch niet meer nodig.'

Forbes grinnikte plotseling. 'Je bent teleurgesteld. Je graaft al die informatie op en maakt al die plannen en nu krijg je de kans niet ze te gebruiken. Pech gehad, Galen.'

'Ik pas me wel aan.' Hij gooide zijn pen neer. 'En het is misschien niet zo simpel als jij denkt. Ze kan gepakt zijn voor ze Tomaco bereikt. Het is zo'n honderdtwintig kilometer van Belim. Of misschien is het een andere kronkel in de plannen van Chavez om de cirkel rond jou kleiner te maken. Het kan ook nog zijn dat ze zo bang is geworden dat ze ervandoor gaat en je nooit meer iets van haar hoort.'

'Ze gaat er niet vandoor'. Hij staarde in de duisternis aan de andere kant van het vliegtuigvenster. 'Jij hebt niet met haar gesproken. Ik heb nooit iemand gehoord die zo vastberaden klonk. Ze is onderweg, Galen. Ik vóél het gewoon.'

Ze had modder in haar mond.

Elena spuugde het uit en bleef kruipen. De regen van afgelopen nacht was goed en slecht geweest. De natte aarde liet sporen na, maar bedierf de lucht voor de honden. Als ze geen fouten maakte moest ze in staat zijn haar achtervolgers te ontwijken.

Ze zou geen fouten maken. Ze had ze twee dagen lang van zich af kunnen houden en ze zou ze blijven ontwijken. Ze zou er de tijd voor nemen, en luisteren en bewegen zoals haar vader haar had geleerd. Dicht bij de grond blijven. Ze konden je niet zien als je op de grond lag. De rivier was maar een paar kilometer voorbij deze heuvel en die zou haar luchtspoor nog verder wegspoelen.

Ze stopte om te luisteren. Ze moest even wachten voor ze iets anders kon horen dan het geluid van haar eigen hart en van haar zware ademhaling.

Een keffende hond, ver weg. Mooi zo.

Maar misschien had Gomez mannen vooruit gestuurd om de oversteekplaats in de rivier te bewaken. Iedereen wist dat dit de enige plek binnen zeventig kilometer was die ondiep genoeg was om over te steken. Ze moest erop voorbereid zijn om om hen heen te moeten trekken. Nee, ze was zo moe dat ze niet logisch meer kon denken. Voorbereid zijn was alleen maar defensief. Ze zou moeten aanvallen. Haar vader had altijd gezegd dat als er op je gejaagd werd, het enige wat je kon doen was zelf de jager te worden en het gevaar volledig te elimineren.

Ze sloot haar ogen. Meer dood. Meer bloed aan haar handen.

Hou op met zeuren. Chavez zou het volledig eens zijn met de filosofie van haar vader. Hij zou geen moment aarzelen om haar te doden nadat hij had gekregen wat hij wilde. Was Chavez teruggekomen en had hij zich gevoegd bij de meute die achter haar aan zat? Wat zou die schoft genieten van de jacht. De gedachte joeg een rilling van pure woede door haar heen die ieder gevoel van spijt verdreef. Als het moet gebeuren, doe het dan. Begin na te denken over waar ze zullen proberen je in de val te laten lopen.

Ze opende haar ogen en haalde het pistool te voorschijn dat ze van de bewaker had afgenomen. Ze begon weer vooruit te kruipen, haar ellebogen zakten weg in de modder. Haar blik door-

zocht de bossen bij de rivier. Zijn jullie daar? Wachten jullie op me?
Word jager, elimineer het gevaar.

Tomaco
Het huis was een vervallen haciënda met drie slaapkamers, een kilometer of acht buiten Tomaco. Na een voorafgaand onderzoek gaf Galen Forbes toestemming om naar binnen te gaan.
'Ik ben niet onder de indruk. Niet het beste onderkomen dat ik ooit heb gehad,' zei Galen terwijl hij met zijn vinger over de stoffige tafel veegde. 'Je stelt me teleur, Forbes. Voor een man van mijn gewicht had je op zijn minst voor vrouwelijke bediening kunnen zorgen. Zei ze dat ze je hier zou ontmoeten?'
Forbes knikte. 'Ze wilde niet de kans lopen dat onze aankomst iemand in het dorp zou opvallen. Ze zei dat hier de afgelopen zes jaar niemand heeft gewoond.'
'Hoe weet ze dat? Dit is behoorlijk ver van de bergen waar de rebellen zich ophouden.'
'Ik heb het niet gevraagd. Welke slaapkamer neem jij?'
'Geen van de drie. Jij ook niet.' Hij draaide zich om en liep naar de deur. 'Ik heb mijn jongens gezegd een paar slaapzakken in de jeep te leggen. We kamperen in het bos en houden van daaruit het huis in de gaten. Mijn moeder heeft altijd gezegd dat frisse lucht goed voor me is.'
'En je gelooft niet dat Elena Kyler me niet in de val lokt in dit huis.'
'Heb ik dat gezegd?' Hij ging naar buiten en klom in de jeep. 'Spring erin, dan verstoppen we dit fraaie voertuig in de struiken voor we uitladen en een kamp opzetten. Als compensatie voor het feit dat ik je van een dak boven je hoofd beroof, zal ik het beste al fresco-maal maken dat je ooit gegeten hebt. Ik ben een heel bijzondere kok.'
Forbes klom in de passagiersstoel. 'Ik neem aan dat je moeder je dat ook heeft verteld.'
Galen startte de jeep. 'Hoe raad je het zo?'

Het was na middernacht toen Forbes met een schok wakker werd. Er was iets mis.

Een geluid?

De slaapzak van Galen was leeg.

Verdomme.

Hij gooide de dekens opzij en sprong op.

Het huis.

Hij rende door het bos. Een tak sloeg hem in zijn gezicht.

Voor zich zag hij de oprit van het huis.

Twee mannen die aan het vechten waren. Galen lag boven. Een pistool lag naast hem op de grond.

Galen kreunde, zijn hoofd sloeg achterover toen de vuist van de man uitschoot en hem op de kin raakte.

De man maakte gebruik van zijn tijdelijke zwakte om opzij te springen en naar het pistool te grijpen.

Forbes kwam naar voren en schopte het pistool weg.

Galen benutte het moment van verwarring bij zijn tegenstander en schopte in de zijkant van zijn nek.

De man zakte in elkaar.

Galen zuchtte opgelucht en stond op. 'Snel.' Hij raapte het pistool op. 'En taai. Ze brak zowat mijn kaak.'

'Ze?' Forbes verstijfde. 'Is het een vrouw? Weet je het zeker?'

'Geloof me, zelfs in uitzonderlijke omstandigheden ken ik het verschil.'

Forbes floot tussen zijn tanden. 'Elena Kyler?'

'Daar ziet het naar uit.'

Forbes kwam een stap dichterbij om beter te kunnen zien. De vrouw droeg een zwarte spijkerbroek, een smerig wit shirt en een leren jack en was niet meer dan een vage figuur in het maanlicht. Ze leek van middelbare lengte en had kort, zwart haar.

'Ik voelde iets warms... Ze bloedt.' Galen knielde en trok het jack open. Het witte shirt was doordrenkt met bloed.

'Jezus, Galen. Moest dat nou?'

'Dat heb ik niet gedaan. Het is een meswond. Hij is gehecht maar is opengegaan. Als we niets doen kan ze doodbloeden.' Hij keek op naar Forbes. 'Jij mag het zeggen.'

'Wat?'

'Ze was goed. Er is een goede kans dat Chavez haar heeft gestuurd om je uit de weg te ruimen. Laat niemand je ooit vertellen dat vrouwen niet even dodelijk kunnen zijn als mannen.'

'Je ben gek. Waarschijnlijk heeft Chavez haar dit aangedaan.'
'Iemand heeft de wond gehecht. Hier opduiken met een steek-
wond zou ieder verhaal dat ze je vertelde een stuk geloofwaardi-
ger maken. Verdomme, je bent toch al bereid haar te geloven. Ze
heeft alleen de pech gehad tegen mij op te lopen voor ze jou vond.
Dus zeg het maar, stoppen we het bloeden?'
'Natuurlijk doen we dat.'
'Ik dacht al dat je dat zou zeggen. Ik hoop dat je er geen spijt van
krijgt.'
Hij opende haar shirt en drukte op de wond. 'Ga terug naar het
kamp. Ik heb een verbanddoos bij me. En breng die twee lan-
taarns mee. Ik zal proberen het bloeden te stoppen. Ik denk niet
dat er belangrijke organen zijn geraakt. Het lijkt al minder te
worden.'
'Oké.' Forbes haastte zich terug naar het bos.

'Je ben niet meer buiten westen,' zei Galen. 'Doe je ogen dus maar
open en praat tegen me.'
Geen antwoord.
'Zeg iets of ik open de wond een paar centimeter verder voor
Forbes terugkomt, en dan zijn we misschien niet meer in staat je
te redden. Dat zou zonde zijn.'
Ze opende haar ogen. Grote zwarte ogen die hem wantrouwig
aanstaarden.
'Mooi zo, we gaan vooruit,' zei Galen. 'Elena Kyler?'
'Ja.'
'Waar is Rico Chavez?'
'Weet ik niet.'
Hij tilde het kompres op. 'O jee, ik moet het hebben verschoven.
Kijk nou, al dat bloed.'
'Ik zeg je dat ik het niet weet.' Ze staarde hem aan. 'Ik zat in een
gevangenis in Belim. Hij kan hier in de buurt zijn. Hij kan ook
nog in Mexico zijn.'
'Het gevangenisverhaal klopt. Daarmee verdien je een beloning.'
Hij drukte het kompres weer aan. 'Denk erover na. Ik geef je een
paar minuten. Ik weet zeker dat je zijn verblijfplaats nauwkeuri-
ger kunt aangeven.'
'Was dat Ben Forbes die net wegging?'

'Je had kunnen zien wie hij was als je je niet dood had gehouden.'

'Hij zou alleen komen. Het had een val kunnen zijn.'

'Precies mijn idee.'

'Wie ben jij?'

'Sean Galen.'

'DEA?'

'Niet in mijn ergste nachtmerries.'

'Ik dacht ook al van niet. Ik heb jouw soort eerder gezien. Ik heb zij aan zij gevochten met huurlingen uit alle hoeken van de wereld. Mijn vader was er een. Jullie hebben allemaal dezelfde felheid.'

'Niet generaliseren. Ik ben uniek. Ik word ook verondersteld jouw redder te zijn. De incarnatie van Superman. Sneller dan een vliegende –'

'Hier is je verbanddoos. Als je het zo wilt noemen.' Forbes gooide het omvangrijke pakket naast Galen op de grond. 'Goeie god, het is een complete EHBO-post. En de uitrusting in die jeep is genoeg om het hoofd te bieden aan een belegering. Over voorbereid zijn gesproken. Wat was je – o, ze is wakker.'

Galen knikte. 'Klaarwakker. Het is Elena Kyler.'

Elena keek Forbes aan. 'Ben jij Ben Forbes? Je zou alleen komen.'

'Ik had wat hulp nodig. De toestand kan problemen opleveren. Ik heb woord gehouden. Hij is geen federaal agent. Heb je het bewijsmateriaal bij je?'

'Nee, we zullen het samen moeten gaan halen. Het is dichtbij.'

'Waarom ga je zelf niet en breng je het ons?' vroeg Galen.

Ze negeerde hem. 'Ik weet niet hoeveel tijd we hebben. Chavez zal inmiddels weten dat ik zestien kilometer hiervandaan de rivier ben overgestoken. Misschien besluit hij meer mannen te sturen en ze over de hele buurt te verspreiden.'

'En hoe weet Chavez dat?' vroeg Galen.

'Ik moest twee van zijn mannen doden om over de rivier te komen.'

'Wel, wel, die gevangeniscel was goed uitgerust.'

Ze negeerde Galen en wendde zich tot Forbes. 'Ik heb wat spullen uit een apotheek gepikt en wat kleren in een dorp dicht bij de rivier. Ik heb geen tijd voor deze inquisitie. Verbind me nou

maar en laten we dan gaan.'
'Jammer genoeg zou je dood kunnen bloeden als we dat deden,' zei Galen. 'Ik kan haar netjes dichtnaaien, Forbes. Je kunt een leuk babbeltje met haar houden terwijl ik dat doe. Dat leidt misschien af. Het kan uiteraard een beetje pijn doen.'
Ze beet op haar onderlip. 'Ga je gang.' Ze keek naar Forbes en stak toen langzaam haar hand uit. 'Blijf je bij me tot het voorbij is? Ik wil niet dat hij er te veel plezier aan beleeft.'
Hij glimlachte en zijn hand sloot zich om de hare. 'Ik blijf.'
Elena zuchtte opgelucht. Haar ogen gingen naar Galen. 'Doe het nou maar.'

2

Elena verdroeg de pijn zonder dat er een woord over haar lippen kwam, maar ze verloor haar bewustzijn toen Galen klaar was met hechten.

'Een taaie,' mompelde Galen terwijl hij de wond begon te verbinden. 'Heel taai.'

'Komt het in orde met haar?' vroeg Forbes.

Galen haalde zijn schouders op. 'Vooropgesteld dat ze geen infectie krijgt. Als het een troost voor je is, ik denk dat ze die wond zelf heeft gehecht. De steken waren knap slordig en onregelmatig. We kunnen haar beter naar het kamp brengen voor ze bijkomt.' Hij tilde haar op en begon richting bos te lopen. 'Denk erom dat je mijn verbanddoos niet vergeet.

'Je bent hier heel goed in. En die verbanddoos – sjouw je dat ding altijd mee?'

'Absoluut. Als ik eerste hulp nodig heb is dat gewoonlijk niet voor iets onbelangrijks. Zoals de padvinders zeggen: ik ben altijd voorbereid.'

'Jij komt uit Liverpool, hè? Hadden ze daar padvinders?'

'Iets dergelijks. Maar mijn moeder vond het nooit leuk als ik me met dat soort primitievelingen inliet.' Hij keek naar Elena. 'Zoals deze hier. Ze zou zich in haar graf omdraaien als ze wist dat ik iets te maken had met zo'n piranha.'

'Ik denk niet dat je je ergens zorgen over hoeft te maken,' zei Forbes droog. 'Een haai kan een piranha zo opslokken.' 'Echt waar? Zal wel pijn doen.' Ze hadden het kamp bereikt en hij legde Elena voorzichtig op zijn dekens. 'Weet je, ze ziet er tenger uit, maar ze is heel sterk. Zie je die schouders...?'

'Volgens mij zit je nog steeds over die rechtse van haar in.'

'Best mogelijk. Hoe oud denk je dat ze is?'

'Midden twintig, denk ik.'

Op dit moment ziet ze er jonger uit, dacht Galen. In haar slaap had ze een kinderlijke kwetsbaarheid. Toen Elena wakker was, was haar uitdrukking zo vol vitaliteit en kracht geweest dat hij zich alleen bewust was van het karakter achter dat gezicht. Nu zag hij dat haar olijfkleurige huid volmaakt was, haar jukbenen hoog en haar mond breed en goedgevormd. De wimpers die op haar wangen lagen waren heel lang en net zo donker als haar haar. 'Ze moet een hoop geleerd hebben in de afgelopen jaren. Sommige van haar grepen hadden me kunnen doden als ik ze niet had geblokkeerd. Ze is heel goed getraind.' Hij keek Forbes even aan. 'Jou zou ze in een paar seconden de baas zijn.'

'Ik kan op mezelf passen. Ik ben geen amateur.'

'Je bent een politieman. Maar geweld is niet jouw stijl. Je vertelde me dat ze vanaf haar kindertijd een guerrilla is geweest. Ze is een professional.'

Forbes haalde zijn schouders op. 'Dat ben jij ook. Het is een kwestie van keuze.'

'Maar ze zou hier niet zijn als ze die keuze niet al eerder had gemaakt.'

'Jij evenmin.'

'Je blijft ons maar met elkaar vergelijken.'

'Omdat je mij het gevoel geeft een buitenstaander te zijn. Het is alsof jullie tweeën tot een privéclub behoren.'

Galen glimlachte. 'Ik zou nooit zo grof zijn om jou buiten te sluiten.'

'Dat zou je om de donder wel.' Hij zweeg even. 'Geef haar een kans, Galen. Ze zou echt kunnen zijn.'

'En ze zou jou in een val kunnen lokken. Ze is handig. Ze bekeek je even en begon meteen te appelleren aan je beschermersinstinct. Ik werd plotseling de vijand die wreed was tegenover een hulpeloze vrouw.'

'Zou je haar echt pijn gedaan hebben?'

'Ik zou misschien een beetje onhandig zijn geweest. Ik moet meer weten. We kunnen ons niet veroorloven haar zonder meer te accepteren.'

'Ik denk dat je haar dat wel duidelijk hebt gemaakt.'

'Goed. Dan zouden we –'

'We moeten hier weg.' Ze keken beiden op haar neer en zagen dat haar ogen open waren. 'Hoelang ben ik buiten westen geweest?'

'Tien, vijftien minuten.'

'Dat gaat nog wel.' Ze ging moeizaam zitten. 'Hoop ik. Laten we gaan.'

'Waarheen?'

'Het is niet ver. Ik zal het jullie laten zien.'

'Waarheen?' herhaalde Galen.

Ze keek hem nijdig aan. 'Dat zul je weten als we er zijn. Denk je dat ik jou vertrouw?'

'Je vertrouwt Forbes.'

'Ik moest hem wel vertrouwen.' Ze draaide zich naar Forbes. 'We hebben een afspraak. Ik zal je geven wat je hebben wilt. Hou jij je aan jouw deel van de afspraak.'

'Galen weet wat hij doet.'

'Hij zou gekocht kunnen zijn. Chavez koopt iedereen.'

'Hij zal je hier weghalen, Elena.'

Ze balde haar vuisten. 'Hoe?' wilde ze weten, zich tot Galen wendend. 'Geen enkel dorp van hier tot Bogotá zal veilig zijn. Degenen die Chavez niet kan omkopen zullen bang voor hem zijn. Je kunt de regering niet vertrouwen, noch de paramilitairen of de rebellen.'

'Zelfs niet je eigen groep?'

'Mijn groep al helemaal niet,' zei ze bitter. 'Die wordt al jarenlang door Chavez gefinancierd.'

'Dan lijkt het me een goed idee die uit de weg te gaan,' zei Galen instemmend.

'Hoe?' vroeg ze opnieuw.

'Ik heb in het gebied hier een team klaarstaan. Als ik ze bel pikken ze ons op met een helikopter. Er wacht een jet op een vliegveld in de buurt van Medellín.'

Ze was even stil. 'Het klinkt simpel.'

'Dat zal het waarschijnlijk niet zijn.'

'Hij heeft het eerder gedaan, Elena,' zei Forbes. 'Hij kreeg Katz weg van die afgescheiden rebellengroep.'

'Katz...' Ze fronste. 'Daar heb ik over gehoord. Je hebt er een puinhoop van gemaakt. Je hebt je door Chavez laten verrassen.'

'Dat zal hem deze keer niet lukken.'

'Laten we het hopen.' Ze probeerde op te staan maar viel terug. Ze wendde zich tot Forbes. 'Help je me even overeind?'

Forbes bukte en hielp haar op. Ze wankelde en klemde zich aan zijn arm vast om niet weer te vallen.

'Je hebt nogal wat bloed verloren,' zei Forbes. 'We kunnen nog wel even wachten.'

'Nee, dat kunnen we niet. Ik ben niet zover gekomen om me nu te laten stoppen.' Ze haalde diep adem. 'Laten we gaan.'

'Als je me vertelt waar we naartoe gaan, kunnen we tenminste verder als je weer flauwvalt,' zei Galen.

'Ik val niet flauw.' Ze liep onzeker naar de jeep. 'Ik heb ergere wonden gehad dan deze. Niks aan de hand.'

'Zoals je wilt. Zet haar in de passagiersstoel, Forbes.' Galen rolde snel de slaapzakken op, gooide ze in de achterbak van de jeep en klom achter het stuur. 'De wegen zijn hier niet geweldig. Het zal een moeilijk tochtje voor je worden.'

'Het is helemaal een moeilijk tochtje voor me geweest. Maar het is bijna voorbij...' Ze leunde met haar hoofd achterover. 'Ga rechtdoor, en bij de eerste tweesprong rechtsaf.'

Bloed.

Chavez hurkte en raakte de donkerrode vlekken op de vloer van de apotheek aan.

Elena's bloed.

Ze was gewond en probeerde zichzelf te verzorgen. Als een opgejaagd dier was ze op zoek naar een schuilplaats.

Nee, als dat zo was geweest zou ze zich in de heuvels bij Belim hebben verstopt. Er was een reden waarom ze toch door was blijven lopen. Ze had een plan, een doel.

En hij wist wat dat doel was.

Hij stond op en wendde zich tot Gomez. 'Verspreiden. Sla geen stad of dorp in de omgeving over. Iemand moet haar gezien hebben. Ze is gewond en ze gaat te snel om voorzichtig te zijn. Misschien probeert ze Dominic te bereiken. Als je haar niet kunt opsporen moet je hem zien te vinden.' Hij glimlachte terwijl hij naar het bloed op zijn vingertoppen keek. Het eerste bloed, Elena. 'Geen excuses. Ik wil dat ze binnen vierentwintig uur gevonden wordt.'

De koplichten die de duisternis doorboorden flikkerden, verflauwden, vervaagden.

Niet flauwvallen, zei Elena tegen zichzelf. Nog maar even. Na al die jaren, nog maar een paar kilometer. Die kolossale palm- boom... 'Hier linksaf.'

'Ik dacht dat je ons verlaten had,' zei Galen terwijl hij de bocht maakte. 'Weet je zeker dat je niet –'

'Hou je mond.' Ze was nu even niet tegen hem opgewassen. Van- af het moment dat ze Galen zag toen ze haar ogen opende, had ze geweten dat hij een man was met wie ze rekening zou moeten houden. God, ze wou dat Forbes hem niet had meegebracht. Ze kon alleen maar hopen dat hij niet omgekocht was. Forbes ver- trouwde hem, maar dat betekende niet dat zij zich dat ook kon veroorloven. Toen ze zich er bewust van werd dat het tijd was om te vertrekken, had ze maanden gewacht voordat ze koos voor Forbes. Ze had onderzoek gedaan, vragen gesteld, naar ieder ver- haal over hem geluisterd. Ze wist nu dat hij een degelijke en eer- lijke man was en vermoedde dat hij zijn eigen portie wanhoop had. Ze wist alles van wanhoop. Ze had er jarenlang mee geleefd. Galen was geen wanhopige man. Hij was hard en taai en zijn ui- terlijk gaf niets prijs. Hij zou moeilijk te doorgronden zijn en nog moeilijker te hanteren.

Misschien zou ze geen van beide hoeven te doen, bedacht ze ver- moeid. Hij moest hen hier maar uitkrijgen, daarna had ze niets meer met hem te maken.

'De volgende rechts.'

'Dit is een goed verborgen plek,' zei Forbes. 'Maar de weg kron- kelt als een slang rond de helling van deze berg. Krijgen we hier een helikopter naartoe, Galen?'

'Daar zorg ik wel voor.'

Het huis.

Haar hart sprong op toen het licht van de koplampen weerkaat- ste in de ramen. 'Hier. Stop hier.'

Galen stopte de jeep een kleine honderd meter van het uit klei opgetrokken huis.

'Wacht hier,' zei ze. Ze begon uit de jeep te klimmen. 'Ik ben zo –'

'Dat dacht ik niet.' De loop van Galens .45 pistool drukte plot- seling tegen haar slaap. 'Laten we even wachten en zien of er wat onplezierigs gebeurt.'

'Er gebeurt niets.' Haar stem trilde. 'En je zult me moeten neer-schieten als je me wilt verhinderen dat huis binnen te gaan. Ik heb te lang gewacht om –'

'Elena?' In de deuropening van het huis stond een man met zijn hand boven zijn ogen om ze te beschermen tegen het licht van de koplampen. 'Ik was ongerust, ik had je dagen eerder verwacht.'

'Ik had wat problemen.' Ze gaf Galen een kille blik terwijl ze uit de jeep stapte en naar de man liep. 'Ze zijn nog niet voorbij.'

'Je bent er. De rest regelen we wel.' Hij nam haar in zijn armen en drukte haar tegen zich aan voor hij naar de jeep keek. 'Zijn ze betrouwbaar?'

Ze knikte. 'DEA. Zij gaan ervoor zorgen dat we hier wegkomen.' Ze wendde zich tot Forbes. 'Je kunt uit de jeep komen. Niemand zal je iets doen. Dit is Vader Dominic.'

'Een priester?' Galen kwam achter het stuur vandaan.

'Ja.'

'Nee,' zei Dominic op hetzelfde moment.

'Onder andere,' zei Elena. 'Hij is ook leraar. Hij zorgt goed voor de mensen in deze heuvels.'

'Hoe maakt u het?' zei Dominic in de richting van Galen en For-bes. 'Ik ben Dominic Sanders.'

'Is alles in orde?' vroeg Elena hem.

Hij glimlachte. 'Prima.' Hij draaide zich om en liep in de richting van de keuken. 'Introducties komen later. Jullie kunnen zo te zien allemaal wel een kop koffie gebruiken.'

Ze knikte. 'Bel je helikopter, Galen. Zorg dat hij hier bij het eer-ste ochtendlicht is.'

'Ik denk dat we eerst nog wat zaken te regelen hebben. Je hebt een overeenkomst met Forbes.'

'O ja, zijn deel. Maak je geen zorgen, het is hier.'

'Laat zien.'

Ze keek hem een ogenblik aan en wendde zich toen nadrukke-lijk tot Forbes. 'Ik zal het je laten zien. Kom mee.'

'Ga maar, Forbes.' Galen volgde hen naar binnen. 'Je vindt het toch niet erg als ik meeloop?'

'Dat vind ik wel erg.' Ze gooide een deur open aan het eind van de korte gang. 'Maar dat kan je niets schelen, hè?' Ze stak de olielamp naast de deur aan. 'Niet hard praten, anders snij ik je hart uit je lijf.' Ze bewoog naar het bed aan de andere kant van de kamer. 'Het is oké, Barry. Je hoeft niet bang te zijn.'

'Mama?' De kleine jongen wierp zich in haar armen. 'Dominic heeft me niet verteld dat je zou komen.'

Haar armen klemden zich om hem heen. God, hij voelde zo goed. Warm en veilig en prachtig. 'Hij wist het niet. Hoe is het met je?'

'Goed. Ik leer op Dominics keyboard te spelen. Hij zegt dat ik daar nu oud genoeg voor ben. Ik ken één liedje. Ik zal het –' Hij duwde haar van zich af en trok zijn neus op. 'Je ruikt niet lekker.'

'Dat weet ik.' Ze veegde zachtjes de zwarte krullen van zijn voorhoofd. 'Daarom zeg ik altijd dat je iedere avond in bad moet. Ik heb daar de laatste tijd niet de kans voor gekregen. Maar het is een beetje onbeleefd om het tegen me te zeggen.'

'Ik bedoelde niet –' Er kwamen rimpels op zijn voorhoofd. 'Ik heb je toch niet verdrietig gemaakt?'

'Nee, jij maakt me nooit verdrietig.' Ze knuffelde hem. 'Ga maar weer slapen, lieverd.'

'Ben je morgenochtend nog hier?'

'Ja, en misschien is er dan een verrassing voor je.'

'Een cadeautje?'

'Een avontuur.' Ze kuste hem op zijn voorhoofd. 'Een prachtig mooi avontuur zoals je nog nooit hebt gedroomd.'

'Wie zijn dat?' Barry keek langs haar naar Forbes en Galen.

'Vrienden.' ze stopte hem in en stond op. 'Je ziet ze morgen wel. Welterusten.'

'Trusten.' Zijn ogen vielen al dicht. 'Trusten, mama.'

'Jouw kind?' vroeg Forbes toen ze de slaapkamerdeur sloot en met hen naar buiten ging. 'Hoe oud is hij?'

'Vijf.'

'Hij is prachtig.'

'Ja, dat is-ie.' Haar gezicht straalde. 'Vanbinnen en vanbuiten.'

'Je hebt door hem zo te knuffelen vast je hechtingen beschadigd,' zei Galen.

'Ik heb niets gevoeld.'

'O, volgens mij voelde je daarbinnen allerlei emoties, zei Galen. 'Ik neem aan dat je wilt dat we hem meenemen?'

'Er is geen twijfel aan dat hij met ons mee gaat.' Ze stopte even. 'Hij is de prijs. Hij is de magneet die je wilde, Forbes.'

Forbes fronste zijn wenkbrauwen. 'Ik begrijp je niet.'

'Barry is de zoon van Rico Chavez.'

'Wat?'

'Je hebt me goed verstaan. Iedere bloed- of DNA-test zal het bewijzen.'

'Wacht even. Je hebt Chavez' zoon gestolen?'

'Ik heb niets gestolen. Hij is míjn zoon. Tot twee maanden terug wist Chavez niet eens dat hij bestond.' Haar mond verstrakte. 'Maar dat zal hem er niet van weerhouden hem van me af te pakken.' Haar blik ontmoette die van Forbes. 'Of om achter hem aan te gaan.'

'Ik heb gehoord dat hij een vrouw en kinderen heeft,' zei Galen.

'Dat is zo. Drie mooie kleine meisjes. Zijn maîtresse in Bogotá heeft ook een meisje. Na haar geboorte is hij door een specialist onderzocht en kreeg hij te horen dat er iets mis was. Dat hij wellicht niet in staat was zonen te verwekken. Hij was woedend. Het schaadde zijn zelfbeeld. Hij ziet zichzelf als een veroveraar en een veroveraar hoort zonen te hebben.' Ze zweeg even. 'Toen ontdekte hij dat hij al een zoon had.'

'Hoe?'

'Dat doet er niet toe. Het enige dat voor jou van belang is, is dat hij hem naar de Verenigde Staten zal volgen. Ik heb iets dat hij nergens anders kan krijgen.'

'Daar hebben we alleen jouw woord voor,' zei Galen.

'Wat heb je te verliezen? Je zou hier niet zijn als je niet van plan was geweest een deal met me te sluiten, Forbes. Breng ons naar de vs, geef ons bescherming en wacht af. Chavez zal komen.'

'Misschien.'

'Wacht.' Forbes fronste nadenkend zijn wenkbrauwen. 'Het klinkt logisch dat Chavez een zoon en opvolger zal willen hebben. Hij heeft de reputatie uitzonderlijk macho te zijn. Er zit misschien wel iets in. Als het waar is.'

'Hij zal komen,' herhaalde Elena.

'En wat wil jij daarvoor in ruil?'

'Bescherming. Het Amerikaanse staatsburgerschap en genoeg geld om behoorlijk rond te kunnen komen tot ik een vak heb geleerd en ons zelf kan onderhouden.'

'Je zou altijd bij de mariniers kunnen gaan,' suggereerde Galen.

'Of les gaan geven op een karateschool.'

Ze negeerde hem. 'Ik vraag niet veel. Als je het goed aanpakt kun je hem pakken. Dat is toch wat je wilt?'

Forbes knikte. 'Dat is wat ik wil.'

'Neem ons dan mee.'

'Ik moet erover nadenken,' antwoordde Forbes.

'Denk snel. Chavez zal je niet veel tijd geven.'

'Elena.' Dominic stond in de deuropening. 'Kom binnen. Eet een sandwich en neem een kop koffie.'

'Ik kom.' Ze draaide zich om en liep terug. 'Voordat ik iets eet moet ik me wassen en andere kleren aantrekken. Zoals Barry zei, ik stink. En maak Dominic niet van streek. Hij is erg gevoelig voor signalen en hij begint zich zorgen over me te maken.'

'Misleide ziel,' mompelde Galen, terwijl hij haar naar binnen volgde. 'En een beetje in de war over zijn roeping. Is hij nou priester of niet?'

'Hij zegt van niet. Hij wil niet dat ik hem Vader noem, maar zo heb ik hem leren kennen. Ik kan blijkbaar niet op een andere manier aan hem denken.' Ze keek Galen kil aan. 'Hij is de vriendelijkste, zachtaardigste man hier op aarde en je zult hem op geen enkele manier kwetsen. Begrijp je me?'

Galen glimlachte. 'Volkomen. Ik zal proberen mijn aangeboren grofheid te beheersen. Ik ben er zeker van dat je het me zult zeggen als ik in de fout ga.'

'Daar kun je op rekenen.'

Dominic was een man van achter in de veertig met grijzend haar en de helderste, meest alerte blauwe ogen die Galen ooit had gezien. Hij was gekleed in werkkleding en soldatenlaarzen, en zijn conversatie was even veelzijdig als geestig. Hij was duidelijk een gecultiveerd man en Galen kon zich goed voorstellen dat hij onderwijzer was. Maar hij leek op geen enkele priester die Galen ooit had ontmoet, besloot hij na vijfenveertig minuten met Dominic.

'Je bent verward.' Dominic glimlachte. 'Je hebt me zitten bestuderen als een insect onder een microscoop en je vindt het niet leuk dat je de soort niet kunt identificeren.'

'Ik ben nieuwsgierig. Dat is een nagel aan mijn doodskist. Maar er is me, onder bedreiging met god weet wat verteld, dat ik je niet mag ergeren.'

Hij zuchtte. 'Elena. Ze is een beetje al te beschermend.'

'Ben je echt een priester?' vroeg Forbes.

'Dat was ik toen ik jonger was. Mogelijk ben ik voor de kerk nog steeds een priester. Voor zover ik weet ben ik nooit uit het ambt gezet.' Hij schudde zijn hoofd. 'Maar jaren geleden kwam ik tot de conclusie dat ik de leer niet blindelings kon volgen. Ik ben veel te eigenzinnig. Ik moet doen wat ik denk dat goed is en dat wordt beschouwd als zonde en ijdelheid. Dus ben ik in mijn hart niet langer priester, en het gaat toch om hart en ziel.'

'Maar je was priester toen Elena en jij elkaar voor het eerst ontmoetten?'

'Ja, ik werkte bij de rebellen in de bergen. Ik kwam van Miami, vol geloofsijver en kracht, met de intentie de hele wereld op mijn schouders te nemen. Hier was heel wat om op je schouders te nemen. Armoede, dood, drugs, oorlog. In de loop der jaren verloor ik veel van m'n geloofsijver.' Hij glimlachte. 'Maar ik slaagde erin vol te houden. Je had altijd nog de kinderen, zoals Elena.'

'Je hebt haar als kind gekend?'

'Ik kende alle rebellen. Ze was tien toen ik naar Colombia kwam. Haar broer Luís was dertien en haar vader, Frank Kyler, leefde toen nog. Frank en ik werden vrienden. We waren het niet vaak met elkaar eens, maar ik mocht hem. Het was moeilijk om hem niet te mogen.' Hij grijnsde. 'Hij dacht, net als ik, dat wat hij deed goed was, dat ze hem nodig hadden. Ik respecteerde dat, hoewel ik voelde dat hij zich vergiste. Je moet daarheen gaan waar je nodig bent.'

'En nu ben je nodig om voor Elena's zoon te zorgen?'

'Elena zorgde de eerste drie jaar zelf voor hem. Ze ging op jacht en we kweekten onze eigen groente en we konden ons net redden. Toen besloot ze dat dit geen leven was voor de jongen, dus liet ze hem bij mij achter en ging naar Medellín om geld te verdienen. Het was niet gemakkelijk voor haar, gezien de manier waarop ze was opgegroeid. Ze had niemand om haar te helpen en ze weigert zelfs om te praten over die maanden in de stad. Ze deed van alles, van bedienen in een restaurant tot telefoonverkoop om ons te ondersteunen en om voldoende opzij te leggen om ons het land uit te krijgen. Ze kwam zo vaak als ze kon naar huis.' Hij schonk meer koffie in. 'En het was geen corvee om voor Barry te zorgen. Hij is een heel bijzonder kind. Sommige kinderen hebben een soort uitstraling. Barry heeft dat.' Hij ging zitten. 'Mijn enige klacht is, dat hij een beetje te ernstig en te oud voor zijn leeftijd is. Ik denk dat dat te verwachten was omdat hij zelden de kans krijgt met andere kinderen te spelen. Elena was bang dat dat niet veilig zou zijn.'

'Je bent hier honderden kilometers van Chavez' territorium vandaan.'

'Dat was niet genoeg om de zorgen bij Elena weg te nemen. Die jongen is haar hele leven. Ze zou nooit risico's nemen.'

'Het was te gevaarlijk om geld te verdienen met het enige beroep waarvoor ze getraind was en al het andere betaalde een schijntje. Ze had geen geld, geen papieren, en geen enkele mogelijkheid om Barry te beschermen tegen zijn vader als die erachter kwam waar hij was. Ze spaarde iedere peso waar ze de hand op kon leggen om hem hier weg te krijgen toen Chavez van het bestaan van de jongen hoorde. Toen dat gebeurde had ze geen andere keuze dan snel te handelen.'

'Als ze gebroken heeft met haar guerrillagroep, hoe wist ze dan hoe Forbes kon bereiken?'

'Ze had jarenlang over hem horen praten. Hij is een soort legende. Ik had het contact met de groep onderhouden en heb voorzichtig wat informatie ingewonnen.'

Galen keek in zijn koffiekop. 'Denk jij dat hij de zoon van Chavez is?'

'Ik weet dat hij dat is. Ik ken alle omstandigheden rondom de geboorte van de jongen.' Hij glimlachte. 'Je bent erg wantrouwig. Je gelooft haar niet.'

'Ik geloof dat hij haar zoon is. Iedereen kan zien hoeveel ze van dat kind houdt. Maar ze zou kunnen gokken op een vrije overtocht en een leuk spaarpotje in Amerika voor de jongen. Het leven hier is zwaar.' Zijn ogen zochten het gezicht van Dominic. 'Of het zou toch nog een val kunnen zijn. Hoewel het scenario behoorlijk ingewikkeld begint te worden. Als jij nep bent, ben je erg goed.'

Dominic lachte. 'Ik denk dat je spijkers op laag water zoekt, Galen. Zou het niet overdreven zijn om een priester in het plan te betrekken? Trouwens, iedereen ziet zo dat ik waardeloos zou zijn bij het bedenken van smoesjes. Daar ben ik niet slim genoeg voor.'

'Je bent slim genoeg om leraar te zijn,' zei Galen.

'Dat is ongecompliceerd en heeft niets met list en bedrog te maken. Ik beloof je dat ik geen brandende kaars voor het raam zal zetten om Chavez te laten weten dat je hier bent.'

Galen lachte. 'Een kaars voor het raam? Je bent niet bepaald met je tijd meegegaan. Misschien ben je toch echt.'

Dominics ogen glinsterden. 'Of misschien heb ik dat juist gezegd om je dat te laten geloven. Nog koffie?'

'Nee.' Galen stond op. 'Ik denk dat ik beter even naar onze Elena kan gaan kijken. Ze blijft te lang weg. Waar is de badkamer?'

Dominic trok zijn wenkbrauwen op. 'Ik verzeker je dat ze niet door de achterdeur is weggeglipt.'

'Maar misschien is ze flauwgevallen en heeft ze haar hoofd gestoten. Ze heeft door die wond nogal wat bloed verloren.'

'Wond?' De glimlach verdween van Dominics gezicht. 'Ze heeft me niet verteld dat ze gewond is.'

'Ik heb het gehecht. Ze is in orde. Waar is de badkamer?'

'Naast de kamer van Barry. Ik wijs je –'

'Blijf maar hier, ik ga wel.' Galen was al halverwege de gang.

Ze reageerde niet op zijn eerste klop en hij opende onmiddellijk de deur.

Ze zat op de wc met niets anders aan dan een spijkerbroek en staarde naar de beha in haar handen. 'Ga weg!'

'Zo dadelijk.' Hij nam de beha uit haar handen en trok de bandjes over haar armen. 'Ik dacht dat je misschien problemen had.'

Ze verstrakte. 'Ik heb je hulp niet nodig. Ik kan dit zelf.'

'Maar mijn hechtingen hadden kapot kunnen gaan.' Hij maakte de haakjes op haar rug vast. 'Ik hou er niet van als mijn inspanningen teniet worden gedaan.' Hij pakte het blauwe katoenen shirt dat over het handdoekenrek hing, trok het haar aan en begon het dicht te knopen. 'Waarom heb je Dominic niet geroepen om je te helpen? Vond je dat iets te intiem?'

'Doe niet zo stom. Hij heeft Barry ter wereld geholpen. Ik wilde hem niet ongerust maken. Ik neem aan dat je hem hebt verteld dat ik gewond ben?'

'Ja, dat heb ik.' Hij maakte het laatste knoopje vast. 'Hij is een aardige vent. Ik hoop niet dat je hem in het verderf stort.'

'Je weet niet waar je het over hebt. Ik zou hem nooit iets aandoen.'

'Niet opzettelijk. Komt hij met ons mee?'

'Ja. Daar heb je zeker ook iets op tegen?'

'Dat heb ik niet gezegd.'

Ze keek van hem weg. 'Je praat alsof Forbes een besluit heeft genomen. Neemt hij ons mee?'

'Hij heeft niets gezegd. Ik denk het wel. Hij is een goeie vent, een oprechte, keurige familieman en je hebt goed gezien wat zijn streven was. Daarom heb je hem zeker gekozen?'

'Ik heb hem gekozen omdat ik hoopte dat ik hem kon vertrouwen. Je hoeft je over hem geen zorgen te maken. Ik zal hem niet bedriegen. Hij krijgt wat hij hebben wil.'

'Ik maak me geen zorgen over hem. Hij kan voor zichzelf zorgen. Mijn werk eindigt als ik jou in de vs heb afgeleverd.' Hij stond op. 'Ik kan beter wat pijnstillers voor je halen. Die wond zal wel kloppen.'

'Als we veilig in het vliegtuig zitten. Ik kan het risico niet lopen dat ik niet helder kan denken.'

Hij opende de deur van de badkamer. 'Doe maar wat je wilt.' Ze keek hem recht in zijn ogen. 'O, dat zal ik zeker.'

Hij glimlachte toen hij Dominic passeerde in de gang. 'Ze is in orde. Ze had wat verbindingsproblemen.'

'Verbindingsproblemen?'

'Probeer haar zover te krijgen dat ze een pijnstiller neemt.'

Hij grijnsde. 'Ze is geen vrouw die zich gemakkelijk laat overtuigen.'

'Werkelijk? Dat zou ik nou nooit gedacht hebben.'

Forbes was niet in de keuken. Galen vond hem buiten de deur, waar hij naar de toppen van de bomen stond te staren. 'We hebben mogelijk een probleem. Er komt een harde wind opzetten.'

'Daar vinden we wel een oplossing voor.'

'Ik weet niet hoe. Ik heb met Dominic gesproken en er is in een omtrek van minstens dertig kilometer geen vlak stuk grond te vinden.'

'Dan zullen we dertig kilometer verder moeten gaan.' Hij keek omhoog naar de bomen. Forbes had gelijk, de wind werd absoluut sterker. 'Misschien. Meestal is er wel een weg. Ik zal mijn mensen berichten dat ze van start kunnen gaan. Het is duidelijk dat je een beslissing hebt genomen.'

Forbes knikte. 'Ik geloof haar. Ik hoor van al mijn informanten dat Chavez achter haar aan zit.'

'Maar je kunt er niet zeker van zijn dat ze de manier waarop hij zal reageren goed heeft beoordeeld.'

'Als dat zo is, wat heb ik dan nog verloren? Ze heeft gelijk: dit is de beste kans die ik tot nu toe heb gehad. Die moet ik aangrijpen.'

Galen haalde zijn schouders op. 'Oké, dan halen we ze eruit.'

'Ik hoop bij god dat die wind ons grootste probleem is.' Forbes staarde in de duisternis. 'Tot nu toe hebben we geluk gehad.'

'Afkloppen.'

'Chavez en dat geteisem van hem kunnen niet altijd winnen. Laat mij alleen maar deze keer winnen.'

Er lag zoveel intensiteit in Forbes' woorden dat Galen zich omdraaide en hem aankeek. 'Zo haal je je pensioen niet, Forbes. Je begint je er te veel van aan te trekken. Dat kan gevaarlijk zijn.'

'Je kunt je er niet te veel van aantrekken.' Forbes' stem klonk gespannen. 'Mannen zoals Chavez vertrappen ons leven, vernietigen onze gezinnen, vermoorden onze kinderen...' Hij zweeg even en zei toen: 'Sorry. Dit betekent heel veel voor me.'

'Je hoeft je niet te verontschuldigen.' Hij wachtte even. 'Bespeurde ik een persoonlijke noot?'

Forbes antwoordde niet meteen. Toen zei hij: 'Mijn zoon, Joël. Hij stierf zes maanden geleden in zijn studentenkamer aan een overdosis. Ik had het zo druk met de wereld van de drugs te redden dat ik niet eens wist dat hij aan het experimenteren was. Ik had het moeten weten. Mijn band met hem had zo nauw moeten zijn dat ik hem had kunnen vertellen wat ik wist, wat ik in de afgelopen vijfentwintig jaar heb gezien. In plaats daarvan zat ik achter Chavez aan, en was ik bezig met het redden van kinderen van andere ouders.' Zijn stem werd rauw. 'Ik moet hem te pakken nemen, Galen.'

Don Quichot die de boze wereld bestormde. Don Quichot die zijn eigen wonden had opgelopen.

'Hé, geen probleem.' Galen wendde zich af. 'Ik ben ook niet dol op die klootzak. Ik zal haar en het kind hier weghalen en jij kunt haar op een veilige plaats laten onderduiken.'

'Dat beschouw ik als een belofte.'

Galen glimlachte tegen hem. 'Zoals ik al zei, geen probleem.'

Elena opende zachtjes de deur van Barry's kamer en stond naar hem te kijken. Er was niets mooiers in de hele wereld dan Barry als hij sliep. Ze zou zich een ogenblik tijd gunnen om naar hem te kijken en om op krachten te komen.

Nee, ze moest opschieten. Er moesten dingen worden geregeld en daar was niet veel tijd voor. Ze liep naar het bureau en nam het fotoalbum uit de bovenste la. Niet naar kijken. Er waren er zoveel. Alleen wat foto's eruit halen en in je rugzak stoppen. Er waren maar bar weinig dingen die ze kon meenemen, maar de foto's kon ze niet achterlaten. Die waren te bijzonder. Barry, twee jaar oud, met zijn gezicht vol glazuur van zijn chocolade verjaardagstaart. Barry, drie jaar oud, lachend en spartelend in het kleine plastic zwembadje. Barry dit jaar, met de nieuwe pijl en boog die ze voor hem had gekocht. Wat was hij blij geweest met die pijl en boog.

Ze liep naar de speelgoedkist. De speelgoedboog lag boven op al het andere speelgoed. Hij was te groot, besefte ze teleurgesteld. Hij zou zijn teddybeer, zijn favoriete boeken en de muzikale globe die Dominic hem had gegeven mee willen hebben. Er was gewoon geen plaats voor alles.

'Mama?'

Ze draaide zich om naar Barry. Hij lag op zijn zij naar haar te kijken. 'Ik wilde je niet weer wakker maken. Ga weer slapen, schat.'

'Wat ben je aan het doen?'

'Ik kijk alleen maar naar je speelgoed. Speel je iedere dag met die boog?'

'Bijna elke dag. Ik ben Robin Hood en Dominic is Broeder Tuck.'

'We gaan een reisje maken. Zou je het erg vinden als we de boog niet meenamen?'

'Een reisje? Is dat het avontuur?'

Ze knikte. 'Maar het is in een vliegtuig en we kunnen niet veel meenemen. Ik dacht misschien je beer en de globe. Nog iets anders?'

'Mag ik de boog niet meenemen?'

'Ik denk dat daar geen plaats voor is.'

Hij was even stil. 'Ik denk dat ik de boog niet echt nodig heb. Ik kan altijd nog doen alsof. Zoals jij me hebt uitgelegd, mama. Weet je nog? Je zei dat als je niet had wat je wilde hebben, je altijd kon doen alsof, en dat dat soms nog leuker was.'

Haar hart smolt. Niet huilen. Hij mag niet denken dat er iets mis is. Het moet een avontuur lijken. Ze schraapte haar keel. 'Welk liedje leert Dominic je te spelen?'

' "Yankee Doodle". Zal ik het nu voor je spelen?'

'Het is midden in de nacht.'

'Ik heb geen slaap.' Zijn donkere ogen glinsterden van opwinding. 'Jij hebt ook geen slaap. Ik zie het aan je.'

'Nou, we kunnen beter alle twee proberen te rusten. Anders zijn we morgen te moe om van het avontuur te genieten.'

'Kom je naast me liggen?'

'Heel even dan.' Ze liep door de kamer, knielde en legde haar hoofd op het kussen. 'Als je belooft te gaan slapen.'

'Ik beloof het.' Hij stak zijn hand uit en voelde aan haar haar. 'Je ruikt nu beter.'

Ze grinnikte. 'Nou moet ik zeker blij zijn dat je het risico wilde nemen.'

'Het kan me niet schelen.' Hij sloot zijn ogen. 'Als je maar bij me bent. Ik heb je gemist, mama.'

'Ik heb jou ook gemist.'

'En ik ben blij dat we samen op avontuur gaan. Maar jij hebt altijd avonturen, hè? Dominic zegt dat je avonturen beleeft als je van ons weggaat.'

'Niet zoals dit avontuur. Dit is speciaal. Sst, nu niet meer praten.'

Hij zuchtte. 'Oké.'

Een kwartier later werd zijn ademhaling dieper. Hij sliep, maar ze bewoog niet. Het was zo heerlijk om hier vlak bij hem te zijn. God, wat bofte ze.

'Tomaco,' zei Gomez. 'Ik stuur er vier man naartoe.'

'Is ze daar gesignaleerd?' vroeg Chavez.

'Nee, maar ik ben een paar mensen tegengekomen die gehoord hadden van een man die daar woont, een leraar.' Hij zweeg even. 'Het is Dominic Sanders. Herinner je je hem?'

'Ik herinner me hem heel goed.'

'Hij schijnt een soort missionaris geworden te zijn. Hij geeft les en zorgt voor de mensen in de heuvels in de buurt van Tomaco.'

'En het kind?'

Gomez schudde zijn hoofd. 'Geen woord over gehoord.'

Maar waar Dominic Sanders was zou hij de jongen vinden. Elena had Dominic bijna als een tweede vader beschouwd.

'Moet ik je waarschuwen als ik wat hoor?'

Hij kon het bloed in zijn aderen voelen kloppen. Hij voelde intuïtief dat hij dichtbij kwam. Een man moest zich door zijn instinct laten leiden. 'Nee.' Hij liep naar de Land Rover die aan de kant van de weg geparkeerd stond. 'Ik ga zelf naar Tomaco.'

Galen hoorde vaag het geluid van een helikopter in de verte.

'Ze komen eraan.' Hij beschutte zijn ogen tegen de straling van de opkomende zon. 'Ga de weg in de gaten houden, Forbes. Iedereen kan die motoren op kilometers afstand horen. Jij kunt het kind beter gaan halen, Dominic.'

'Ik heb hem bij me.' Elena kwam met het kind aan de hand achter hen staan, haar ogen op de horizon gericht. 'Weet je zeker dat zij het zijn?'

'Het is Carmichael.' Galen wendde zich tot Dominic. 'Pak je spullen. Als ze kans zien te landen in deze wind zullen we in een paar minuten van de grond en weg moeten zijn.'

'Ik ga niet.'

'Wat?' zei Galen.

Elena draaide zich om naar Dominic. 'Je móét gaan. Ik heb je gezegd dat het niet veilig voor je is om hier te blijven.'

'En ik heb je verteld dat ik hier een doel heb gevonden dat ik nergens anders kon vinden.' Hij streelde het hoofd van de kleine jongen. 'Hij zal me niet meer nodig hebben. Er zijn hier andere mensen die dat wel doen.'

'Dat is niet de reden waarom je blijft. Je gaat proberen onze sporen uit te wissen. Je geeft jezelf de schuld.'

'Wie anders kan ik de schuld geven?'

'Je hebt geen reden om je schuldig te voelen, verdomme. Het was jouw fout niet.'

Hij schudde zijn hoofd.

'Ik laat je hier niet achter.'

'Ja, dat doe je wel.' Dominic glimlachte. 'Barry moet hier weg en jij moet met hem mee. Wie moet hem anders beschermen?'

'Het is alleen een kwestie van tijd tot Chavez deze plek vindt,' zei Elena. 'Iemand zal hem vertellen dat jij voor Barry hebt gezorgd. Je weet wat dat betekent.'

'Het betekent dat ik een ander huis moet zoeken, niet een ander land.'

Ze draaide zich snel om naar de jongen. 'Barry, ga je even die kleine plastic zak voor me halen die ik in de badkamer heb laten staan?'

Barry's gezicht kreeg een zorgelijke uitdrukking. 'Dominic gaat toch mee, hè, mama?'

'Natuurlijk gaat hij mee.' Ze duwde hem zachtjes in de richting van het huis. 'Haal die tas nou voor me.' Zodra hij in het huis was wendde ze zich tot Dominic. 'Je bent de enige zekerheid die hij ooit heeft gekend. Hij heeft je nodig. *Ik* heb je nodig.'

'Dat was moeilijk voor je om te zeggen, is het niet?'

'Ik zei het omdat ik het meende. Je moet meekomen. Het is te gevaarlijk voor je om –'

'Te veel gepraat.' Galen stapte achter Dominic en gaf hem een snelle karateslag in zijn nek. Dominic kreunde, zijn ogen werden glazig. Galen ving hem op toen hij begon te vallen en legde hem voorzichtig op de grond.

'Waarom deed je dat, verdomme?' Elena sprong op hem af. 'Als je hem pijn hebt gedaan, zal ik –'

'Ik heb hem geen pijn gedaan. Niet veel.' Hij ontmoette haar blik. 'En nu hoef jij het tenminste niet te doen. Ik durf te wedden dat je hem nog een minuut of zo gegeven zou hebben voordat je hem zelf had neergeslagen. Nu kun je als hij bijkomt zeggen dat je onschuldig bent.' Hij trok een dramatisch gezicht. 'Het was die waardeloze Galen die het gedaan heeft. De slechterik.'

'Je kunt niet zeker weten dat ik – '

'O, dus je was het niet van plan?'
Ze was een ogenblik stil en knikte toen met tegenzin. 'Maar dat is wat anders.'
'Dat begrijp ik best. Hij is jouw vriend, niet de mijne. Jij hebt het recht om hem te ontvoeren.'
'Het is niet veilig voor hem om –'
'Carmichael komt dichterbij.' Galen had zich afgewend en keek naar de lucht. 'Je kunt beter het kind ophalen terwijl ik Dominic een spuitje geef om hem rustig te houden tot we in Medellín zijn. Bedenk maar een verhaaltje voor Barry waarom Dominic een tijdje zal blijven slapen.'
Ze keek nog even naar Dominic en rende toen het huis in.

'Een helikopter,' mompelde Chavez. 'Laag vliegend. Interessant.'
En mogelijk nadelig voor de jacht. Hij had gedacht dat Elena alleen en wanhopig zou zijn, en een grot zou zien te vinden om zich te verbergen. Als ze het soort hulp kon krijgen dat een helikopter als vluchtvoertuig kon leveren, zou het machtsevenwicht aanzienlijk veranderd kunnen zijn.
Gomez rende uit de hut. 'Ik heb de routebeschrijving. Dominics huis ligt aan de bergweg. Ongeveer twintig minuten hiervandaan.'
'Laten we dan gaan.' Hij bracht zijn veldkijker naar zijn ogen. 'Laat een van de mannen het nummer van de helikopter te pakken zien te krijgen en proberen hem te traceren.' Het toestel had problemen, gebeukt als het werd door de sterke wind. Het zou moeilijk zijn om te landen.
Pech, Elena.

3

'Het lukt hem niet.' Galen keek hoe Carmichael voor de derde keer naderde, omkeerde en wegvloog van de bomen op de helling van de berg. Hij tilde Dominic op en legde hem achter in de jeep. 'Klim erin en wijs me de weg naar die open plek.'
'Dat hadden we meteen moeten proberen.' Elena tilde Barry op de passagiersstoel.
'Wijsheid achteraf is altijd beter, hè? Ik wilde niet door de hele streek met je te koop lopen, als het niet nodig was.' Hij verhief zijn stem en riep om Forbes
Maar Forbes kwam al aangerend. 'Er komen twee wagens de berg op. Een nieuw model sedan en een Land Rover.'
Galen vloekte en draaide zich naar Elena. 'Hoe liggen de kansen?'
'In deze buurt? De mensen hier zijn straatarm. De meesten hebben niet eens een auto. Het moet Chavez zijn.'
'Is er een manier om omhoog en rond de berg te gaan zonder ze te passeren?'
'Nee, de weg loopt dood voor hij de top bereikt. Een kilometer of acht hiervandaan.'
'Verdomme. Toch is dat de enige mogelijkheid. Stap in en ga rijden. Forbes, ga achterin bij de jongen zitten.' Hij greep naar de radio. 'Ik moet met Carmichael praten.'

Chavez tilde het deksel van de speelgoedkist op en pakte de boog die bovenop lag. Ze had zijn zoon deze goedkope speeltjes gegeven. Ze had hem in dit huis verborgen en hem alleen verteld wat ze zelf vond dat hij moest weten.
Zijn zoon.
Hij sloeg het bijna lege album open en zag een foto van Elena die glimlachend naar een kleine jongen keek. Het kreng. Hij scheurde de foto doormidden en stopte de helft met de jongen in zijn zak.

'Er is niemand bij het huis of in het bos te vinden,' zei Gomez achter hem. 'Maar de helikopter hangt nog steeds ergens in de buurt.'

'En op de weg is niemand ons gepasseerd. Ze zijn nog hier. We hoeven ze alleen maar te vinden.' Zijn blik ging terug naar de speelgoedboog in zijn handen. Chavez had zo genoten van de jacht dat het niet echt tot hem was doorgedrongen wat dat wijf hem had aangedaan.

Hij brak de dunne boog doormidden en gooide hem weg. 'Steek de boel maar in de fik. Zorg ervoor dat het tot de grond afbrandt.'

Elena liet de jeep stoppen. 'Hier houdt de weg op.'

'Er zijn hierboven tenminste geen bomen.' Galen sprong uit de jeep en holde naar de achterkant. 'Help me de spullen eruit te halen, Forbes.'

'Er is nog steeds te veel wind om te landen,' zei Forbes. 'Hij slaat nog tegen de berg te pletter als hij het probeert.'

'Dan moet de berg maar naar Mohammed komen.' Hij haalde de uitrusting uit de jeep. 'Of iets in die geest. We hebben geen keus.'

'Wat ga je doen?' Elena stond naast hem.

'Doe deze gordel om.' Hij wierp twee canvasgordels naar haar. 'En doe die andere aan Dominic. Carmichael zal een lijn laten zakken, ons wegtrekken van de berg en dan in de heli hijsen. De gordel past op de sluiting aan de lijn. Dan is het aan hen om de lier te gebruiken en ons op te trekken.'

'Gaat hij ons van de berg de lucht in trekken?'

'Heb jij een beter idee?' Galen gooide een gordel naar Forbes. 'Ik verwachtte niet zoveel mensen, daarom heb ik Carmichael gezegd nog een gordel met de lijn te laten zakken. Het is goed, stevig spul, hetzelfde dat door de Speciale Eenheden wordt gebruikt voor moeilijke ophaaloperaties.'

Elena was klaar met het vastmaken van de gordel bij Dominic en begon de hare aan te trekken. 'Heb jij ze al eerder gebruikt?'

'Reken maar. Ik gok er nooit op dat alles goed gaat. Dat doet het meestal niet.' Hij controleerde alle sluitingen voor hij naar Carmichael zwaaide. 'We zullen op verschillende plekken aan de lijn omhoog moeten. Jij en Dominic gaan eerst. Forbes en ik klikken ons vast aan de tweede ring. Ik neem het kind.'

'Laat Carmichael een gordel voor Barry zakken?'
'We hebben geen gordel die hem past. Ik bevestig hem aan de mijne en hou hem stevig vast.'
'Nee, ik neem hem.'
'Deze wind wakkert aan tot stormkracht en het wordt nog erger als de helikopter boven ons hangt. Je bent sterk, maar ik ben sterker. Het is een feit dat mannen meer kracht in het bovenlijf hebben en jij bent gewond. Hij is veiliger bij mij.' Hij grinnikte. 'En ik weet wat er met mij zou gebeuren als ik hem liet vallen. Die helikopter zou ik nooit bereiken.'
Ze wilde niet toegeven dat hij gelijk had. Ze wilde de veiligheid van Barry niet afhankelijk maken van iemand anders.
Maar hij wás sterker. Dat had ze gemerkt toen ze aan het vechten waren. En met haar wond kon ze niet riskeren dat Barry uit haar armen zou worden gerukt. 'Je hebt volkomen gelijk. Als hem iets overkomt overleef jij het ook niet.'
'Geruststellend idee.' Hij liep naar Barry die nog steeds in de jeep zat. 'Behoorlijk spannend, hè?' Hij glimlachte tegen de jongen. 'Ben je bang?'
'Nee.' Hij keek naar Elena. 'Maar mama is bezorgd.'
'Dat komt omdat ze het niet begrijpt. Ze dacht dat we alleen maar een vliegreis gingen maken. Maar het wordt nog leuker.' Hij dempte zijn stem. 'We gaan zelf vliegen.'
Barry's ogen werden groot. 'Zoals Peter Pan?'
'Die ken je? Natuurlijk ken je hem. En Tinker Bell?'
Barry knikte.
'Maar we kunnen niet net zoals zij zweven. Wij hebben daar een touw voor nodig. De helikopter sleept ons een eindje weg en trekt ons dan naar boven. Je moeder gaat eerst en dan vliegen jij en ik samen.'
Barry's blik ging naar de rand van de berg. 'Het is een heel eind naar beneden. Weet je zeker dat we niet vallen?'
'Kijk me eens aan.' Galen hield de blik van de jongen met hypnotiserende kracht vast. 'We zullen niet vallen. Ik beloof het je. Zoals je moeder al zei, het zal een groot avontuur zijn. Ga je met me mee?'
Barry keek hem ernstig aan. 'Is het veilig voor mama? Valt zij ook niet?'

'Je moeder is heus veilig.'

Het gezicht van de jongen klaarde plotseling op door een stralende glimlach. 'Wanneer gaan we?'

Galen lachte, stond op en tilde de jongen uit de jeep. 'Nu meteen.' Hij wees naar de helikopter waarvan de zijdeur openging. 'Jij blijft hier staan terwijl ik je moeder en Vader Dominic vastmaak.'

'Mag ik helpen?' vroeg Barry gretig.

'Nee, hou alleen de helikopter voor me in de gaten.'

Galen had Barry praktisch gehypnotiseerd, dacht Elena verbaasd. Over Peter Pan gesproken.

Hij greep de gordel die Carmichael had laten zakken en deed hem om. Een meter of zes van de plaats waar Elena aan de lijn was vastgemaakt klikte hij zijn gordel en die van Forbes aan.

'Verdomme.' Forbes staarde naar de weg. 'Auto's. Die zijn over een paar minuten hier.'

'Misschien is dat tijd genoeg.' Galen zwaaide naar Carmichael, greep Barry en bond hem goed vast tegen zijn lichaam. 'Zijn we zover, jong?'

Barry knikte terwijl hij zijn armen om Galens nek sloeg. 'Hoef ik me alleen maar vast te houden?'

Galen stak zijn duim op om Carmichael te waarschuwen. 'Hou je maar gewoon goed vast. Kijk, daar gaat je mama...'

Elena probeerde Barry onder haar in het oog te houden, maar de wind was te sterk. Ze draaide als een tol terwijl de helikopter haar optilde en wegdraaide van de berg.

De figuren leken poppen die dansten aan een koord.

Gomez richtte zijn geweer. 'Ik probeer de benzinetank van de helikopter te raken.'

'Nee!' Chavez sloeg op zijn hand. 'Als de helikopter neerstort gaat mijn zoon mee.' Hij voelde een verstikkende woede door zich heen razen. 'Probeer de vrouw in het vizier te krijgen. Schiet haar kop eraf.'

Gomez legde nauwkeurig aan en liet toen het geweer zakken. 'Te ver weg. En ze is bijna bij de helikopterdeur. Als je niet wilt dat de heli naar beneden komt, kan ik het niet riskeren.'

Ze waren bijna uit het gezicht verdwenen. Dat kreng had zijn zoon niet één keer, maar twee keer gestolen. Ze had gewonnen. Nee, dat zou hij niet accepteren.

'Zoek uit wie haar geholpen heeft. Heb je een van die mensen herkend?'

'Nee, maar ik zal het aan de mannen in de andere wagen vragen. Misschien dat een van hen ze beter gezien heeft.'

Hij wendde zich af van de rotswand. 'Doe dat. Zoek uit wie haar geholpen heeft. Ze zullen boeten voor wat ze gedaan hebben.'

Barry lachte toen ze hem in de helikopter trokken. 'Ik heb gevlogen, mama...' Hij wierp zich op zijn moeder toen Galen hem had losgemaakt. 'Leuk was dat, hè? Kunnen we het nog een keer doen?'

'Een ander keertje misschien. Maar niet precies zoals nu.' Ze knuffelde hem. 'Ik ben blij dat je het leuk vond.'

'Ja, ik vond het heel leuk.' Hij draaide zich naar Galen. 'Dank u wel.'

Galen knikte ernstig. 'Graag gedaan. Het was me een genoegen.' Hij schudde de handen van de twee mannen die de lier hadden bediend. 'Goed werk.' Hij wendde zich naar Elena. 'Tad Pullman en Dave Jebb, Elena.'

Ze knikte. 'Dank jullie wel.'

Galen zei tegen Barry: 'Zou je het leuk vinden om mee naar boven te gaan en de piloot te ontmoeten die ons zo'n geweldige vlucht heeft bezorgd?'

'O, ja,' zei hij gretig. 'Carmichael?'

'Ja, zo heet hij.' Hij keek naar Elena. 'Mag ik?'

Ze knikte kortaf. Dominic bewoog en ze wilde niet dat Barry erbij zou zijn als hij ontdekte wat er gebeurd was.

Forbes staarde uit het raam. 'Kom even hier, Elena.'

Ze ging naar het raam. 'Is er iets mis? Is er –'

Zwarte rook. Vlammen die hoog de lucht in priemden.

'Dominics huis?'

'Ja,' fluisterde ze. Al die herinneringen aan Barry's kinderjaren – weg, vernietigd in één wrede handeling. Ze sloot een ogenblik haar ogen tot de pijn wegtrok. 'We vertellen het niet aan Barry, hoor.'

'Ik vind het heel erg.'

'Ik ook. Ik zal het Dominic moeten vertellen. Hij heeft zes jaar in dat huis gewoond. Het was ook zijn thuis.' Ze ging naast Dominic zitten en leunde achterover tegen de romp. Ze kon de trilling van de motor voelen tegen de spieren in haar rug en ze verschoof om de druk te verlichten. Haar wond klopte weer en ze voelde zich een beetje licht in haar hoofd.

Ze moest volhouden. Spoedig zou ze kunnen ontspannen. Maar het was nog niet veilig.

Ze sloot haar ogen en wachtte tot Dominic ontwaken zou.

'Je had Galen tegen moeten houden,' zei Dominic.

'Het was gebeurd voor ik er erg in had.' Elena zweeg even. 'Maar ik wil niet tegen je liegen. Ik zou het zelf gedaan hebben. Ik was het van plan.'

Hij schudde zijn hoofd. 'Je kunt mensen hun keuzes niet ontnemen, Elena.'

'Dat kan ik als dat nodig is om ze in leven te houden. Ik heb niet zoveel mensen in de wereld om wie ik geef. Ik sta niet toe dat een van jullie van me wordt afgenomen.'

Hij glimlachte misprijzend. 'Zelfs als dat betekent dat je ons stuk voor stuk aan boord moet nemen.'

'Chavez heeft je huis verbrand. Hij zou je vermoord hebben.'

'Ik ben geen beginneling in verstoppertje spelen. Vergeet al die jaren niet die ik bij de guerrilla's heb doorgebracht. Ik ben alleen een beetje uit vorm.'

'Chavez zou je de kans niet hebben gegeven je vorm terug te vinden. Hij zou je opgespoord en afgeslacht hebben. Hij zal nu alles doen wat hij kan om mij te kwetsen.'

'Nu?' Hij stak zijn hand uit en streelde zachtjes haar wang. 'Hij heeft anders al flink zijn best gedaan om je leven te verwoesten.'

'Het kon hem tot nu toe niet schelen. Het betekende niets voor hem. Ik was alleen amusement.' Ze voegde er bitter aan toe: 'Ik verzeker je dat hij nu niet geamuseerd is.' Ze nam zijn hand, haar stemde trilde van emotie. 'Ik weet dat je eraan denkt om in Medellín niet aan boord van dat vliegtuig te gaan, maar ga alsjeblieft met ons mee. Wat moet er met Barry gebeuren als ik hier niet doorheen kom? We hebben je nodig.'

'Je hebt Forbes en Galen.'

'Dat zijn vreemden voor hem. Zij geven niet om hem. Voor hen is hij niet meer dan een onderpand.' Haar greep werd strakker. 'Kom met ons mee voor een paar weken, een maand. Je hebt me zes jaar gegeven. Geef me nog een klein beetje meer tijd.'

'Elena...'

'Ik smeek je,' zei ze onzeker. 'Alleen tot Chavez gepakt is.'

Hij zuchtte en knikte toen langzaam. 'Een paar maanden. Dan moet ik terug.'

'Goddank.' Ze slaakte een diepe zucht van opluchting. 'En dank je, Dominic.'

'Sinds wanneer moeten wij elkaar bedanken? En waar is Barry? Ik moet hem laten zien dat ik springlevend ben.'

Ze knikte naar de voorkant van de helikopter. 'Hij is bij Galen.'

Hij kromp ineen toen hij over zijn nek wreef. 'Galen lijkt me op een heleboel manieren de leiding te nemen.'

'Alleen tot we in de vs zijn. Dan zijn we van hem af. Forbes vertelde me dat hij hem er alleen bij heeft gehaald om ons hier weg te krijgen.'

'Dat is misschien niet zo verstandig. Hij lijkt me een handige man om bij de hand te hebben. Je bent straks op onbekend terrein en dan zul je hulp nodig hebben.'

'Forbes regelt alles. We hebben een afspraak en daar zal hij zich aan houden.' Ze keek uit het raam. 'Ik geloof dat we dalen. We gaan zeker landen in Medellín.'

'Ze heeft hem dus overgehaald om mee te komen.' De blik van Forbes was gericht op Dominic en Barry, die voor in de jet over een schaakspel gebogen zaten. 'Ik was er niet zeker van dat het haar zou lukken.'

'Ze zou hemel en aarde bewogen hebben om ervoor te zorgen dat hij niet werd achtergelaten.' Galens ogen gingen naar Elena die alleen aan de andere kant van het gangpad zat. Ze zat kaarsrecht in haar stoel recht voor zich uit te staren. 'En ze heeft een verdomd sterke wil. Ik weet niet hoe ze er zelfs maar in slaagt rechtop te blijven zitten.' Hij stond op. 'Maar het is tijd om de stekker eruit te trekken.'

Elena verstijfde wantrouwig toen hij naast haar kwam staan. 'Ja?'

'Bedtijd.' Galen keek op zijn horloge. 'Het duurt zeker nog ze-

ven uur voordat we de kust bereiken. Er is een slaaphut met bad-
kamer achter dat gordijn. Kruip onder de dekens tot we er zijn.'
'Ik zit hier goed.'
'Onzin. Je bent alleen maar bang dat je afknapt als je je ontspant.
Schiet op en ga liggen. Ik zal een paar pijnstillers voor je halen.'
'Ik wil niet dat Barry zich zorgen maakt.'
'Dat gebeurt niet. Daar zorg ik voor. Hij zal zich meer zorgen
maken als jij instort. Hij gaat naar een totaal nieuwe omgeving.
Jij zult in staat moeten zijn hem te helpen om daaraan te wen-
nen.'
'Daartoe zal ik in staat zijn.'
'Juist.' Hij hielp haar overeind. 'Als je wat rust krijgt. Je ziet er
niet zo best uit.' Hij duwde haar naar de gordijnen. 'Was je gezicht en probeer het jezelf gemakkelijk te maken. Ik geef je een
paar minuten.'
'Je bezorgdheid is ontroerend.'
'Ik ben niet bezorgd. Het is een kwestie van beroepstrots.' Hij
liep het gangpad af richting Dominic en Barry. 'Je bent mijn opdracht en ik moet er zeker van zijn dat je levend en wel bent als
ik me terugtrek.'

Elena verschoof haar wang om een koelere plek op het kussen te
vinden. Er was helemaal geen koelte. Wat was het heet...
'Ik kom eraan, klaar of niet.' Galen had de gordijnen wegge-
trokken en kwam de hut binnen.
Elena kwam haastig overeind in het bed. 'Wat wil je?'
'Niets om je druk over te maken. Weet je nog? Ik zou je iets brengen om de pijn te verlichten. Je hoeft niet zo afwerend te doen.'
Wat verwachtte hij dan van haar, dacht ze wazig. Ze was zich
er elk moment dat hij in de kamer was van bewust wie en wat
hij was. Nee, niet wat hij was. Ze betwijfelde of iemand wist
wat onder de buitenkant verborgen lag, maar ze wist dat hij gevaarlijk was en dat hij volstrekt meedogenloos kon zijn. Hij was
slank en fit en zijn sprankelende donkere ogen verrieden zowel
humor als intelligentie. Sommige vrouwen zouden hem aantrekkelijk hebben genoemd. Pas als je hem beter bekeek zag je
de dreiging.
Hij trok de gordijnen achter zich dicht. 'Je wangen gloeien. Je

hebt waarschijnlijk koorts. Knoop je shirt los en laat me naar mijn handwerk kijken.'

Ze bewoog niet.

Hij kwam dichterbij. 'Ik moet het verband vernieuwen en controleren of er geen hechtingen zijn stukgegaan.' Hij trok twee doosjes met pillen uit zijn zak. 'Als je een braaf meisje bent, geef ik je daarna een paar penicillinepillen om de infectie te bestrijden.'

Ze verstijfde. 'Ik hoef geen braaf meisje te zijn. Forbes noch Dominic zouden toelaten dat je me medicijnen onthield.'

'Het was maar een manier van spreken.' Zijn ogen vernauwden zich toen hij haar aankeek. 'Wat dacht je dat ik bedoelde?'

Ze gaf geen antwoord.

'Je dacht dat ik het over seks had.' Zijn gezicht vertrok. 'Je bent niet goed bij je hoofd. Zo hoog is de nood niet, hoor.'

'Mannen hoeven een vrouw niet leuk of zelfs maar aantrekkelijk te vinden om met haar te willen vrijen. Ze zien ons alleen maar – ze gebruiken ons. Dat weet je best.'

'Dat weet ik niet. En ik hou er niet van om met de rest van de mannen op één hoop te worden gegooid. Het kwetst mijn ego. Nooit generaliseren.'

'Waarom niet? Jij generaliseert ook als het over mij gaat, of niet soms? Iedere keer dat je met Forbes over mij sprak dacht je: *een vrouw als zij*.' Ze voegde er vinnig aan toe: 'Nou, ik ben niet als een ander, ik ben mezelf en daar hecht ik waarde aan. Je kunt me pijn doen en je kunt me neuken en ik zal nog steeds Elena Kyler zijn. Niet de een of andere hoer of een waardeloos stuk –'

'Sst,' zei Galen. 'Hé, je beeft zo erg dat je mijn hechtingen nog kapotmaakt.'

Hij had gelijk. Haar hele lijf schudde. Hou daarmee op. Toon geen zwakte. Niet in het bijzijn van Galen. 'Ik beef niet.'

'Dat doe je wel. Volkomen begrijpelijk. Je bent niet in orde.'

'Ik heb je begrip niet nodig.'

'Dat verandert niets aan het feit dat ik daarvan overloop. Dat is een van mijn beste eigenschappen. Nu we hebben vastgesteld dat ik je niet ga verkrachten, kun je misschien je shirt losknopen. Je gaat me niets laten zien dat ik niet al in het huis van Dominic heb gezien. En zo verlegen kun je niet zijn, gelet op je achtergrond.'

'Gelet op het soort vrouw dat ik ben?'

'Dat schijnt je echt hoog te zitten.'

'Ik heb mijn wáárde.'

'Wie zei dat je die niet hebt?' Hij bestudeerde haar gezicht. 'Of wie gedroeg zich alsof je dat niet had? Wat is er met je gebeurd in die gevangenis?'

'Niets dat ik niet wilde laten gebeuren. Ze wilden me breken. Dat hebben ze niet gedaan. Dat konden ze niet.'

'Je vertelt me te veel. Dat doet de koorts. Daar krijg je spijt van als je beter bent.' Hij ging naast haar zitten en knoopte haar shirt los. 'Alleen even kijken, dan ben ik weg.'

Ze zat stokstijf en staarde over zijn schouder naar de wand.

'De hoeveelheid beweging in aanmerking genomen, zit er niet al te veel bloed op het verband. En de hechtingen hebben het gehouden. Niet dat ik iets anders had verwacht.' Hij knoopte haar shirt weer dicht. 'Je zei dat je eerder gewond was geweest. Hoe vaak?'

'Ernstig?' Ze probeerde te denken door het waas van hitte en pijn dat haar begon in te sluiten. 'Een kogelwond in mijn been toen ik twaalf was. Mijn vader zei dat het nooit gebeurd zou zijn als ik voorzichtig was geweest. Een andere in de linkerarm toen ik zestien was. Ik had inmiddels het een en ander geleerd en daar kon ik niets aan doen. Een schram van een bajonet in mijn linkerzij toen ik twintig was. Dit is mijn vierde.'

Zijn gezicht verstrakte. 'Is het niet handig dat je de overgangsrites van kindertijd tot volwassenheid kunt markeren met je oorlogswonden? Ik weet zeker dat niet veel vrouwen dat kunnen.'

'En hoeveel markeringen heb jij, Galen?'

'Dat wil je niet weten. Ik haal wat water voor je om de pillen in te nemen.'

'Dat kan ik zelf.'

'Maar dan zou je het genoegen missen door mij bediend te worden.' Hij verdween in de badkamer en kwam terug met een glas water. Hij opende de medicijndoosjes en gaf haar de pillen. 'Slik ze door.'

Ze keek hem uitdagend aan maar slikte de pillen en zette het glas op de tafel.

Hij stopte even voor hij weer door de gordijnen verdween. 'Je hebt zeven uur om te slapen en die koorts te laten zakken. Je zou niet willen dat ik je in San Francisco uit het vliegtuig moet dragen. Bedenk hoe vernederend dat zou zijn.'

'Ik zou me niet vernederd voelen. Ik zou van je genomen hebben wat ik nodig had.'

Hij keek haar een ogenblik nadenkend aan. 'Je zou alles doen voor de jongen, is het niet?'

'Alles.'

'Ik zou bijna medelijden met Forbes krijgen.' Hij wachtte niet op een antwoord en ging weg.

Elena ging liggen en haalde diep adem. Ze voelde zich uitgeput en was niet zeker of dat door de koorts kwam of door Galen. Ze had gedacht dat hij net zo zou zijn als alle huurlingen die ze in het verleden had gekend, maar hij was veel gecompliceerder. Het was vreemd dat hij haar had verhinderd te veel over zichzelf te onthullen omdat hij had begrepen dat ze zich later voor haar zwakheid zou schamen. Koorts, uitputting, angst voor wat nog komen moest, afgrijzen over het verleden... Ze had zich niettemin moeten beheersen.

Ze zou sterker zijn als ze had gerust. Ze zou de gedachte aan Galen van zich afzetten zodat ze kon slapen en sterk kon zijn voor Barry als ze wakker werd. Ze sloot haar ogen en probeerde zich te ontspannen.

Jezus, ze hoopte dat ze niet van Chavez zou dromen.

'Is Elena in orde?' vroeg Dominic toen Galen in de stoel naast hem plofte.

'Niet bepaald gevechtsklaar.' Galen keek naar Barry, die nu op een stoel aan de andere kant van het gangpad onder een deken was gestopt en in diepe slaap was. 'Maar ze zal het niet toegeven. Ik denk dat ze meer heeft doorgemaakt dan ze op dit moment aankan.'

'Je vergist je. Ze kan het aan,' zei Dominic. 'Ik heb nooit iets gezien waar ze zich niet doorheen kon werken, en ik ken haar vanaf haar tiende.' Hij dacht even na. 'Nou ja, een keer scheelde het niet veel, maar ze vond een uitweg.'

'Wat gebeurde er toen?'

Dominic glimlachte. 'Dat zul je haar zelf moet vragen.'

'Niet erg waarschijnlijk dat ze het mij vertelt. Was ze al bij het rebellenleger toen ze tien was?'

'Zelfs toen ze nog jonger was bracht ze al boodschappen van het ene dorp naar het andere. Haar vader begon haar pas te trainen toen ze wat ouder was.'

'Wat aardig van hem.'

'Hij was niet de beste vader van de wereld, maar zoals ik al zei, hij had een hoop charisma en hij was een uitstekend soldaat. En een goede leraar. Elena was opvallend bedreven in de kunst van het oorlogvoeren tegen de tijd dat ze twaalf was. Jammer...'

'Kon je dat niet tegenhouden?'

Hij schudde zijn hoofd. 'Ik was gast in hun kamp. Als ik me ermee had bemoeid, hadden de rebellen me eruit gegooid. Het was moeilijk voor me, maar ik leerde me aan te passen. Ik kon niet alles doen wat ik wilde, maar er waren dingen die ik wel kon doen. Ik kon lesgeven, troost en begrip bieden en zo nu en dan zelfs concrete hulp.'

'Zoals met Barry?'

Een vaag glimlachje verhelderde zijn gezicht toen hij naar het slapende kind keek. 'Dat was een vreugde en een voorrecht voor mij. Ik had Elena als kind niet alles kunnen geven wat ze nodig had, maar met Barry kreeg ik een tweede kans. Ik denk dat God manieren vindt ons te helpen onze weg te vinden. Toen Elena hulp nodig had met Barry wist ik dat ik mijn weg gevonden had.' Hij trok zijn wenkbrauwen op. 'Je stelt een heleboel vragen. Waarom?'

'Ik ben behept met een nieuwsgierige geest.'

'En Elena is een intrigerende vrouw.'

'Aangezien ze me bij onze eerste kennismaking meteen probeerde te doden, is het moeilijk om haar als vrouw te zien.'

'Waarom ben je dan zo kwaad om de manier waarop haar vader haar heeft grootgebracht?'

'Ik hou er nu eenmaal niet van als kinderen gedwongen worden grotemensenspelletjes te spelen.'

'Zoals jij?'

Galen was een ogenblik stil. 'Ben je aan het vissen?'

'Dat is mijn aard. En mijn roeping.' Dominic hield zijn hoofd een beetje scheef en bekeek Galen aandachtig. 'Je bent een interes-

sante man en waarschijnlijk beter dan je zelf denkt.'
Galen grinnikte. 'Dat kan niet. Tenzij er iets beters dan perfectie
bestaat.' Zijn glimlach verdween. 'Dominic, ik ben een cynische,
zelfzuchtige klootzak die vaker heeft gezondigd dan jij je kunt
voorstellen. Maar dat betekent niet dat ik helemaal niet deug.
Vergeleken met mannen als Chavez kom ik er redelijk goed af.'
'Dat geldt voor de meeste mensen.'
'Zou je zijn ziel niet willen redden? Wat een kans!'
Dominic schudde zijn hoofd. 'Ik zou het moeilijk vinden God te
vragen hem te vergeven na wat hij de mensen waar ik om geef
heeft aangedaan. Ik denk dat ik daarom geen priester meer ben.'
'Maar het maakt je wel enorm veel menselijker.' Hij haalde zijn
schouders op. 'Nou, wat denk je van een partijtje schaak voordat Barry wakker wordt en jouw aandacht nodig heeft? Het wordt
een lange vlucht en ik verveel me nogal snel.'
'Ik heb een zekere mate van rusteloosheid opgemerkt.' Hij keek
nadenkend. 'Wat doe je om dat de baas te blijven?'
Galen grinnikte. 'Dat vertel ik je maar niet. Ik wil je niet ont-
goochelen.' Hij klapte het bord open. 'Ik speel met zwart. Soort
zoekt soort, zoals mijn moeder altijd zei.'

'Tijd om op te staan.'
Elena opende haar ogen en zag Galen binnen de gordijnen staan.
'Het is oké. Je hebt een uur tot we landen. Heb je hulp nodig?'
Ze schudde haar hoofd en kwam overeind. 'Ik ben in orde.'
'Je bent niet in orde, maar waarschijnlijk beter dan je was. Je was
meteen weg. Hoelang is het geleden dat je behoorlijk hebt gesla-
pen?'
'Dat weet ik niet meer. Het doet er niet toe. Hoe is het met Bar-
ry?'
'Hij heeft ook een paar uur geslapen.' Hij draaide zich om om
weg te gaan. 'Roep maar als je hulp nodig hebt in de badkamer.
Tussen haakjes, Forbes wil met je praten.'
Ze gooide het laken van zich af. 'Ik wil ook met hem praten.'
Een kwartier later liet ze zich in de stoel naast Forbes zakken.
'Waar breng je ons naartoe?'
'Daarover wilde ik het met je hebben,' zei Forbes. 'Er is een plek
noordelijk van San Francisco in de wijnstreek die we hebben ge-

54

bruikt als onderduikadres. Het is een wijngaard geweest maar is nu verlaten. Ik heb gebeld en geregeld dat een team ons van het vliegveld oppikt en ons rechtstreeks daarheen rijdt.'

Ze verstrakte. 'Wat voor team?'

'DEA.' Hij vervolgde haastig met: 'Ik weet dat je de regering er niet bij betrokken wilde hebben, maar ik kan je niet in m'n eentje beschermen. Ik heb mijn superieuren van de situatie op de hoogte gebracht en ze stemden ermee in om me te helpen. We hebben je het land uitgekregen zonder het bureau erbij te betrekken, maar in mijn eentje kan ik je niet voldoende bescherming bieden.'

Ze had geweten dat het waarschijnlijk zo zou gaan. Het beviel haar niet, maar ze kon er nu weinig aan doen. 'Ken je de mensen van dat team?'

'Ik ken de agent die het team leidt en ik heb de overige drie mannen in het team laten natrekken. Ze bleken brandschoon te zijn. Je kunt ze vertrouwen.'

Ze schudde haar hoofd. 'Vertrouw jij ze maar. Ik kan me niet veroorloven wie dan ook te vertrouwen. Daar heb ik het recht niet toe. Ik ben verantwoordelijk voor Barry en Dominic.'

'En ik ben verantwoordelijk voor jou.'

'Dat is niet hetzelfde.' Ze zweeg even. 'Ik wil dat jij me naar die wijngaard brengt. Ik ga met niemand anders mee.'

'Ik was absoluut van plan mee te gaan.'

'Nee, jij rijdt. Jij checkt de wijngaard. Je team kan ons volgen.'

'We controleren een onderduikadres altijd voor we er iemand heen brengen. Chavez heeft geen tijd gehad om iets te ontdekken. Je hoeft je geen zorgen te maken, Elena.'

Hij was zo zeker van zijn zaak, dacht ze verbaasd. Begreep hij niet dat ze nooit veilig zou zijn zolang Chavez niet dood was? 'Ik wil dat jij de controle zelf doet.'

Hij haalde zijn schouders op. 'Als je je daardoor beter voelt. Weet je niet dat dit voor mij bijna net zo belangrijk is als voor jou?'

'Nee, dat is het niet. Jij wilt een drugsbaron pakken. Ik moet mijn zoon tegen hem beschermen. Er is geen overeenkomst.'

Hij aarzelde en knikte toen langzaam. 'Je hebt gelijk. Jouw zoon is belangrijk, maar dat zijn al die andere kinderen die die schoft met zijn drugs tot slachtoffer maakt ook.'

'Daar wil ik op dit moment niet aan denken. Ik kan niet de hele wereld redden. Het is mijn taak om Barry te beschermen.' Haar blik ging naar Galen, die een paar stoelen meer naar voren met Dominic praatte. 'Ga je Galen vragen met ons mee te komen?'

'Zijn werk zit erop. Hij houdt er niet van met overheidsdiensten te werken en hij is erg duur. Ik had geluk dat ik hem kon overhalen de ophaaloperatie uit te voeren.'

'Wil je hem vragen mee te komen en alleen de veiligheidsmaatregelen te checken? Hij mag jou. Misschien doet hij het.'

'Het verbaast me dat je hem wilt. Hij is niet bepaald vriendelijk tegen je geweest.'

'Ik wil hem niet. Maar hij weet wat hij doet. Dat is genoeg voor me. Ik zou met de duivel zelf in zee gaan als ik Barry daarmee kon beschermen.'

'Ik zal hem beschermen, Elena.'

'Vraag Galen.'

Hij trok een gezicht. 'Weer de privéclub.' Hij stond op. 'Ik zal het hem vragen, maar ik denk niet dat het iets uithaalt.' Vijf minuten later kwam hij hoofdschuddend terug. 'Hij zei dat hij klaar was en dat het nu mijn werk was. Ik zei al dat hij het niet zou doen.'

'Het was te proberen.' Galen keek om naar haar. Ze beantwoordde zijn blik uitdagend. Hij hoefde niet te denken dat ze om hulp bedelde. Ik heb je niet echt nodig, Galen. Je was alleen een verzekeringspolis. Als ik je echt nodig had, zou ik een manier vinden om je te krijgen.

Hij glimlachte plotseling en ze had het vreemde gevoel dat hij haar gedachten had gelezen. Ze keek een andere kant op. Vergeet Galen. Denk aan dat onderduikadres op het land. Bedenk hoe je er zeker van kunt zijn dat Chavez niet een van die brandschone agenten waar Forbes het over had, heeft weten te vinden.

Galen stond te kijken hoe Forbes de zwarte sedan van het vliegveld afreed, op korte afstand gevolgd door de bruine terreinwagen met het veiligheidsteam van de DEA.

Weg. Opdracht voltooid. Tijd om verder te gaan.

Forbes was handig en gewiekst en deze operatie betekende teveel voor hem om niet voorzichtig te zijn. Elena Kyler was taai en hij zou haar durven inzetten tegen bijna iedereen die hij tegenkwam. Laat die twee zelf hun oorlog met Chavez maar uitvechten. Hij had zijn aandeel geleverd door haar eruit te halen.

Het was tijd om te gaan vissen.

De gedachte gaf hem een merkwaardig leeg gevoel. Maar aan de andere kant, het was niet ongewoon voor hem om zich in de steek gelaten te voelen na een hogedrukklus. En de aanwezigheid van Elena was als een pure adrenalinestoot geweest.

Toch jammer dat Chavez haar uiteindelijk misschien zou ombrengen.

Hij zag Elena haar hoofd buigen om te luisteren naar iets dat het kind haar vertelde.

Zijn zaak niet.

De zwarte sedan was bijna uit zicht.

Ach, wat gaf het ook. Het kon geen kwaad om een paar telefoontjes te plegen naar Manero in Bogotá...

4

Barry slaakte een zucht van verlichting toen hij de glooiende bergen van het wijndistrict zag. 'Dat is beter. Die stad was... raar. Gaan we hier wonen?'

Elena begreep wel waarom San Francisco zo vreemd was voor hem. Hij was nooit weg geweest van Dominics kleine huisje, en de eerste opwinding bij het zien van de stad was snel verdwenen. Arme schat, hij had in de afgelopen vierentwintig uur zoveel nieuwe ervaringen te verwerken gekregen. 'Nee, dit huis is van het bedrijf van meneer Forbes. Ik denk niet dat we hier lang blijven.'

'Gaan we weer met het vliegtuig?'

'Misschien'. Haar blik was gericht op het gebouw dat ze naderden. Het was een uit twee verdiepingen bestaande haciënda van kleisteen met een rood pannendak. Boven een binnenplaats met flagstones hingen twee roestige, smeedijzeren balkons, en het gebouw leek even oud en vervallen als de bruine wijnstokken op het veld. 'Je zei dat iemand het geheel al had gecheckt, Forbes?'

'Gisteren nog.' Hij reed tot aan de voordeur. 'Wacht hier. Ik zal binnen alles nog even doorlopen.'

'We wachten.' Elena hield Barry tegen die uit de auto wilde springen. 'Nog niet. We moeten eerst zeker weten dat er daarbinnen geen insecten of slangen zijn.'

'Een heel passende formulering,' mompelde Dominic.

Forbes kwam vijf minuten later weer naar buiten. 'Het is oké.'

'Ga maar, Barry.' Elena opende de deur voor hem. 'We gaan slapen in een van die kamers met een balkon. Ga jij er een voor me uitzoeken?'

Barry sprong uit de auto en rende naar binnen.

'Ik ga met hem mee,' zei Dominic. 'Hij is zo opgewonden dat hij nog van dat balkon springt.'

'Daar is hij te verstandig voor. Ik kom over een paar minuten.'

Elena kwam uit de auto. 'Laat me de achterkant van het huis zien, Forbes. Wat is dat andere gebouw?'

'Fermentatieloods. Daar worden de vaten bewaard.'

'Heb je hem gecontroleerd?'

'Natuurlijk. Ik ben door de achterdeur naar buiten gegaan.' Hij gebaarde naar de mensen in de terreinwagen, en ze begonnen uit te stappen. 'Ik ben niet incompetent, Elena.'

'Dat weet ik. Maar ik wil de loods zien.' Hij schudde geprikkeld zijn hoofd en begon om het huis heen te lopen. 'Kom, overtuig jezelf. En het is geen goed idee van je om een kamer met balkon te nemen. Dat maakt je te gemakkelijk bereikbaar.'

'Ik heb hem niet gekozen omdat ik dacht dat het romantisch was. Als iemand naar binnen kan klimmen, kan ik naar buiten klimmen als het nodig is. Het is altijd beter om een vluchtroute te hebben. Maak je geen zorgen, ik merk het als iemand langs die weg probeert binnen te komen. Ik slaap heel licht.'

'Daar twijfel ik niet aan.' Hij opende de deur van de loods. 'Daar zijn we. Zoals je ziet is hij leeg. Tevreden?'

De zoetzure geur van wijn en hout overviel haar toen ze de loods binnenging. 'Nog niet.' Het was een grote ruimte, met aan beide zijden drie houten vaten van ten minste zes meter hoog en drie meter breed. De restanten van een loopbrug lagen over iedere rij vaten. Geen toegang hier. 'Wil je een paar van jouw mannen een ladder laten zoeken om de binnenkant van die vaten te controleren?'

'Dat wilde ik al gaan doen.'

'En daarna die ladder laten verdwijnen.'

'Goed.'

'Dank je.' Ze liep de rij langs en keek aan de achterkant van alle zes de vaten. 'Nu ben ik tevreden.' Ze liep naar hem toe. 'Vertel me iets over die DEA-mannen die met ons meegekomen zijn.'

'Bill Carbonari is al tien jaar agent. Hij heeft twee eervolle vermeldingen. Jim Stokes werkt al drie jaar met me aan verschillende opdrachten. Mike Wilder diende vijf jaar aan de Mexicaanse grens en werkte bij "Immigratie" voor hij agent werd. Randy Donahue is pas twee jaar bij de dienst, maar hij is geslepen. Heel geslepen.'

'Ik wil graag dat je me aan hen voorstelt. Ik wil hun gezichten

kennen en zo goed weten hoe ze bewegen dat ik ze in het don-
ker herken.'
'Waarom?'
Ze keek hem verbaasd aan. 'Waarom denk je? Om niet de ver-
keerde neer te schieten, natuurlijk.'
'Het is ons werk je te beschermen. Je zult op niemand hoeven te
schieten.'
'Ik wil een pistool. Galen heeft me het mijne niet teruggegeven.'
'Weet je zeker dat je –'
'Ik wil een pistool.'
Hij knikte. 'Oké, ik zorg dat ik er vanavond een voor je heb.'
'Dank je.' Ze liep naar het huis. 'Laten we nu gaan kennismaken
met onze DEA-vrienden.'

'Er is een televisietoestel, mama.' Barry's ogen glinsterden van opwinding. 'En er zijn cartoons en Bugs Bunny en een grote gele
vogel en –'
'Ho even.' Ze stak haar hand op. 'Heb je die allemaal in de eerste dertig minuten dat je hier bent gevonden?'
'Dominic heeft me een afstandsbediening gegeven.' Hij hield het
apparaat trots omhoog. 'Het lijkt wel toveren.' Hij rende terug
door de kamer en ging in kleermakerszit voor het toestel zitten.
'Je hoeft alleen maar deze knop in te drukken en je vindt alles.'
'O, hemel.' Ze glimlachte tegen Dominic. 'Je hebt een monster
geschapen. Hij raakt vast nooit meer een boek aan.'
'Het is de nieuwigheid maar. Wanneer heb jij voor het eerst tele-
visie gezien, Elena?'
'Toen ik negen was. Mijn vader ging naar Bogotá om geld voor
wapens los te krijgen en we zijn daar zes maanden gebleven. Het
was interessant. Er waren zoveel dingen die ik nog nooit had gedaan. Ik was nog nooit naar de bioscoop of in de dierentuin geweest, en ik had ook nog nooit een circus gezien.' Ze keek bezorgd. 'En al die dingen heb ik Barry onthouden.'
'Hij haalt het wel in.'
'Ik had een manier moeten bedenken om eerder weg te komen.'
'Hij is slim en gelukkig en hij heeft geleerd zijn verbeelding te gebruiken. Niet veel kinderen hebben dat geluk in dit technologi-
sche tijdperk. Hou op met denken dat je een slechte moeder bent.

Je hebt gedaan wat nodig was om hem te beschermen.'

'Je wordt geacht je kinderen een beter leven te geven dan je zelf hebt gehad. Tot nu toe heb ik het er nog niet zo goed van afgebracht.' Ze rechtte haar schouders. 'Maar dat gaat veranderen. Ik heb nu een kans.' Ze liep naar de deur. 'Ik ga naar de keuken om te zien wat er is om een avondmaal te maken. Denk je dat we hem hier weg kunnen lokken?'

'Dat zal wel lukken. Wil je dat ik je help met het eten?'

'Nee, ik wil dat van nu af aan een van ons de hele tijd bij Barry is.'

'Je vertrouwt Forbes niet.'

'Ik vertrouw hem wel. Hij heeft alleen niet de ervaring die ik heb. Ik heb gezien hoe Chavez mensen kan omkopen en veranderen. Mensen van wie je nooit had verwacht dat ze je zouden verraden.' Ze voelde hoe de verbittering door haar heen joeg. Niet aan denken. Het is verleden tijd. Het enige dat ze kon doen was leren van de ervaring. 'Barry slaapt in mijn kamer en overdag zijn we om de beurt bij hem. Oké?'

Dominic knikte. 'Zolang hij maar niet wil dat ik naar die afschuwelijke Teletubbies kijk. Anders mag je het alleen doen.'

Ze glimlachte terwijl ze de kamer verliet en de betegelde trap afging. Teletubbie? Wat was in 's hemelsnaam een Teletubbie?

Twaalf kilometer.

Chavez gloeide helemaal toen hij het pad afrende en vervolgens de steile heuvel oprende naar het kolossale huis dat de dorpsbewoners een paleis noemden. Dit was het beste deel van de loop, het zwaarste, het veeleisendste. In die laatste meters voelde hij het genot van triomf, het besef dat hij ieder spoor van zwakte had overwonnen.

Hij zag Gomez aan het eind van de oprijlaan staan wachten. Hij stopte niet, dwong Gomez met hem mee te hollen.

'Het was absoluut Forbes. Een soloactie. Niemand bij het bureau wist er iets van tot de vrouw in de Verenigde Staten was.'

'Waar in de Verenigde Staten?'

'Daar ben ik nog niet achter.' Gomez raakte al buiten adem. 'Ergens aan de westkust.'

'Als je al zoveel hebt gevonden kun je me de rest ook bezorgen.

Hij was niet alleen. Wat ben je aan de weet gekomen over de helikopter?'

'Die was gehuurd van een huursoldaat, Ian Carmichael.'

'En wie heeft hém ingehuurd? Forbes?'

'Niet waarschijnlijk. Hij is duur.'

'Haal hem dan hierheen en zoek het uit.'

'Hij lijkt van de aardbodem te zijn verdwenen.'

'Spoor hem op, ik wil weten wie er verder nog bij betrokken waren.' Hij had het bijgebouw bereikt waarin zijn sportzaal was ondergebracht. Hij stopte en veroorloofde zich even diep adem te halen. Het is nu een week geleden, Gomez. Je bent niet efficiënt geweest.' Hij glimlachte. 'En ik denk dat je conditie achteruitgaat. Moet je zien hoe je staat te hijgen en te puffen. Waarom doe je vanochtend niet met me mee op de mat?'

Gomez' ogen werden groot en hij deed een stap achteruit. 'Ik moet terug naar Bogotá. Ik ben iemand van het DEA-kantoor aan de westkust op het spoor die wellicht iets meer weet.'

'Ga dan maar gauw terug naar de stad.' Hij opende de deur van de sportzaal. 'Ik zal me moeten behelpen met een jonge vent die ik bij de paramilitairen heb gevonden.' Hij maakte een gebaar naar een gespierde man met donkere huid die op een bank naast het fitnessapparaat zat. 'Hij is heel sterk en ze zeggen dat hij goed is met wapens. Wat denk je Gomez? Kan hij mij aan?'

'Nee.'

'Nee, ik denk het ook niet.' Hij voelde de opwinding in zijn bloed terwijl hij naar de man liep die met gretigheid naar hem keek. Hij hield wel van zo'n houding. Het was een goed voorteken voor de strijd. 'Maar misschien maakt hij er een interessante ochtend van...'

'Chavez is teruggegaan naar zijn huis in de bergen,' zei Jose Manero. 'Alles gaat gewoon zijn gangetje bij hem.'

'Is hij niet naar de vs gekomen?' vroeg Galen. 'Weet je dat zeker?'

Gomez is de enige die zich geroerd heeft. Hij is in de afgelopen drie weken vier keer naar Bogotá geweest, en hij stelt vragen.'

'Maar krijgt hij ook antwoorden?'

'Misschien. Ik heb hem de laatste paar dagen niet kunnen traceren.'

Galen verstrakte. 'Zou hij het land uit kunnen zijn?'

'Dat is mogelijk. Hij houdt zich zeer rustig.'

'Vertel me eens iets over Gomez. Is hij de eerste man van Chavez?'

'Als Chavez al zoiets als een eerste man heeft. Hij houdt ervan de leiding volledig in eigen handen te houden. Gomez was vier jaar lang huurmoordenaar in Caracas voordat Chavez hem oppikte. Hij is geen genie, maar hij is slim en hij heeft een heilig respect voor Chavez. Chavez heeft dat graag zo. Hij tolereert geen rivalen.'

'Laat het me weten als Gomez opduikt.' Galen hing op. Hij had geen prettig gevoel over de situatie. Forbes had gehoopt dat Chavez achter Elena en haar zoon aan zou komen, maar het sturen van een competente ondergeschikte leek Galen meer voor de hand liggend.

Zijn zaak niet. Bel Forbes, waarschuw hem en ga dan achterover zitten en vergeet het verder.

Hij klapte zijn telefoon open en riep de adreslijst op. Hij was halverwege toen hij afbrak. Wat kon hij hem vertellen? Dat zijn val zou dichtklappen op de verkeerde man? Hij wist niet eens of Gomez in het land was. Manero had hem niet kunnen lokaliseren. Wie weet zat Gomez op zijn dooie gemak ergens in Colombia, en was hij helemaal niet op weg naar die wijngaard en naar Elena Kyler en haar zoon.

Een volle maan scheen over de heuvels. Elena leunde tegen de muur van de binnenplaats en vulde haar longen met de geurige nachtlucht. Die rook anders dan in Colombia. Niet vochtig of tropisch of wat dan ook waaraan ze gewend was.

'Slaapt de jongen?' Forbes was naast haar komen staan.

'Vast wel. Dominic is bij hem.'

'En ik neem aan dat je niet hier buiten bent om van het uitzicht te genieten?'

'Eerlijk gezegd geniet ik er wel van. Ik bedacht net dat het anders was dan in Colombia.'

'Maar je komt niet iedere avond naar buiten om het verschil te proeven. Je loopt rond als een schildwacht op zijn post.'

'Gewoontes slijten moeilijk. Ik ben vanaf mijn twaalfde soldaat geweest. Ik kende geen ander leven.'

'Vreemd leven.'

'Galen zou dat niet vinden.' Waarom was de gedachte aan Galen ineens in haar opgekomen? 'Je bedoelt omdat ik een vrouw ben? Er waren nogal wat vrouwen in het rebellenleger. Jullie hebben ook vrouwen in het leger hier in de vs.'

'Maar wij arme mannen proberen ze nog steeds weg te houden van het front.' Hij stopte. 'En we sturen geen kinderen om te vechten.'

Ze haalde haar schouders op. 'Het is maar wat je gewend bent.' Ze keek naar het huis. 'Je bent teleurgesteld, hè? Je dacht dat Chavez hier inmiddels zou zijn.'

'Dat hoopte ik wel.'

'Misschien is hij onderweg.'

'Nee, mijn informanten zeggen dat hij nog in Colombia is.'

'Dan denk je misschien dat ik tegen je gelogen heb.'

'Nee.' Hij aarzelde even. 'Maar misschien heb je de reactie van Chavez op het verdwijnen van zijn zoon overschat.'

'Nee, dat heb ik beslist niet. Hij zal om Barry komen. Het is alleen een kwestie van tijd.' Ze balde haar vuisten. 'Hoewel ik ook niet dacht dat het zo lang zou duren.'

'Ben je er zo zeker van dat hij je zal vinden?'

'Natuurlijk. Er zijn te veel manieren waarop hij mensen kan omkopen. Drugs, geld... Hij zal me vinden.'

'Dan moet ik me denk ik gevleid voelen door jouw vertrouwen in mijn vermogen je te beschermen,' zei hij ironisch.

'Ik had alle hulp nodig die ik kon krijgen. Het is beter om jou en een DEA-team bij me te hebben dan het in m'n eentje te doen. Alles zit me te veel tegen. Ik moet Chavez voorgoed stoppen. Ik wil niet op deze manier blijven leven en Barry als een offerlam op het spel zetten.'

'Ik zou zeggen dat jij geofferd moet worden. Jij hebt het kind gestolen.' Hij stak zijn hand op. 'Ik bedoel in de ogen van Chavez.'

'Dat is precies hoe Chavez het zal zien. En daarom zal hij komen.'

Hij aarzelde. 'Ik weet niet hoelang ik een beschermende bewaking voor je kan handhaven zonder bewijs dat het nodig is.'

Ze verstijfde. 'Ga je me alleen laten?'

'Niet zolang ik mijn superieuren ervan kan overtuigen dat we een goede kans hebben Chavez te pakken.'

'Maar je betwijfelt of ze akkoord zullen gaan.'

'Ik zal mijn best doen.'

Ze had geweten dat dit kon gebeuren, maar ze had niet gedacht dat het zo snel zou zijn. Zet je over de schok heen. Denk na over een manier om te overleven. 'Zul je nog valse identiteitspapieren voor Dominic, Barry en mij kunnen krijgen?'

Weer een aarzeling. 'Ik ben een overheidsambtenaar en jij bent illegaal in dit land.'

'En de afspraak geldt niet meer als Chavez niet komt opdagen.' Ze stak haar kin in de lucht. 'Ik begrijp het.'

Hij staarde haar een ogenblik aan en mompelde toen een belofte. 'Je krijgt je papieren. Vertel me alleen niet waar je naartoe gaat.' Hij begon zich om te draaien. 'Maar daar zullen we ons nu nog maar geen zorgen over maken. Ik zal zien of ik meer tijd kan winnen. Ga je mee naar binnen?'

'Nog niet. Ik heb nog wat denkwerk te doen.'

'Ja, dat zal wel. Sorry.'

'Forbes.'

Hij keek om naar haar.

'Dank je. Je bent een goed mens. Ik zal niet vergeten hoe je me geholpen hebt.'

Hij haalde zijn schouders op. 'Ik ben op het kind gesteld. Ik wil niet dat Chavez hem te pakken krijgt.'

'Dat gebeurt niet.'

Hij glimlachte en wandelde terug naar het huis.

Hij was echt een fatsoenlijke man en hij was waarschijnlijk bezig zijn nek voor haar uit te steken. Als de bureaucratie hier in de vs zo zou werken als in Colombia zou de regering als regel de mensen kort houden en initiatief afstraffen. De DEA zou haar niet helpen. Maar verdomme, ze had niemand anders om hulp kunnen vragen. Chavez controleerde een machtige organisatie en de mensen stonden niet in de rij om een vrouw te helpen die Chavez dood wilde hebben.

Nou ja, ze was beter af dan een paar weken geleden. Ze was in de Verenigde Staten en spoedig zou ze valse identiteitspapieren hebben. Ze kon er niet op rekenen dat Chavez gepakt zou worden, dus zou ze op de loop moeten gaan. Ze zou alleen zijn, maar ze was gewend aan alleen zijn.

En Dominic dan? Ze had hem hier gebracht omdat ze dacht dat hij dan veiliger zou zijn. Nu was hij even onbeschermd en kwetsbaar als zij. Hij zou beter af zijn als hij uit haar buurt was.

Maar dan zou ze nooit weten of Chavez hem op het spoor was. Een ander probleem.

Vervloekte Chavez. Zelfs met afwachten en nietsdoen was het hem gelukt ellende te veroorzaken.

'Chavez is nog steeds in zijn kamp. De Delgado's leggen een tegenbezoek af. Drie dagen geleden gaf hij een feest voor de gebroeders Grimm en hun vrouwen,' zei Manero. 'Gomez was daar niet bij.'

'Waar is hij dan in godsnaam?' vroeg Galen.

'Er is geen nieuws.'

Geen nieuws. Het antwoord bleef in zijn hoofd hangen nadat hij de telefoon had neergelegd.

Manero was een goede man en zijn bronnen waren uitstekend. Als hij niet in staat was informatie op te diepen over Gomez, was Gomez iets van plan en bezig ervoor te zorgen dat niemand daar lucht van kreeg.

Wat was hij van plan? Waar was hij?

Het terrein direct om het huis was veilig. Nu nog de fermentatieloods.

Bill Carbonari stond bij de achterdeur van het huis toen ze de hoek om kwam. 'Het is oké, mevrouw Kyler. Ik heb het gecheckt.' Hij lachte. 'Wat zeg ik nou? U doet het toch zelf ook.'

'Ik wilde je niet beledigen.'

'Zo heb ik het ook niet opgevat.' Ze kon zijn ogen in haar rug voelen toen ze het pad naar de fermentatieloods afliep. Carbonari leek waakzaam en hij was vriendelijk genoeg. Ze voelde wat verbolgenheid bij de andere drie agenten. Ze veronderstelde dat het een deuk voor hun zelfrespect betekende dat ze hen niet vertrouwde.

Ze zwaaide het licht van haar lantaarn van muur tot muur terwijl ze tussen de enorme vaten liep.

Niets.

Niets dan de houten cilinders en het geluid van haar eigen voetstappen.

Ze stopte abrupt, haar blik gericht op de duisternis achter het laatste vat. Ze had iets gezien in haar ooghoek.

Iets glimmends, metaal.

Shit.

Een aluminium ladder.

Sinds die eerste avond toen ze Forbes had gevraagd de vaten te controleren, was er hier geen ladder geweest.

Nu stond er een tegen het laatste vat aan.

Ze rende erheen en schopte de ladder met veel kabaal tegen de grond. Ze stoof naar de deur.

Er was een geluid achter haar, in het vat.

Ze was buiten en rende naar het huis.

'Carbonari! Roep Forbes...'

Carbonari lag op de grond en naast hem stond een man. Hij draaide zich snel om en blokkeerde de klap die ze op zijn hoofd had gericht.

'Verdomme, hou daar eens mee op. Probeer me niet altijd te vermoorden. Ik ben hier om je te helpen.'

Galen.

'Door Carbonari te doden?'

'Ik weet alleen dat toen ik op het toneel verscheen, ik hem zijn pistool zag trekken en vlak achter jou naar die loods zag gaan. Het zag er niet naar uit dat hij op zoek was naar wijn.'

'Er is iemand in het vat. Ik heb de ladder weggetrapt, maar ze –'

'Schiet op. Pak het kind.' Hij greep haar arm en trok haar naar het huis. Ik wed dat Gomez ieder ogenblik met versterking kan komen binnenrijden.'

'Gomez?'

'Hij heeft in de heuvels gekampeerd.' Hij vloog met twee treden tegelijk de trap op. 'Ik heb alle hotels in de omgeving gecontroleerd en ben de laatste paar dagen op verkenning uitgegaan. Ik liep tegen ze aan – wat een verrassing. Waar is Forbes?'

Tweede deur rechts.'

'En Dominic?'

'Bij Barry.'

'Zorg dan dat je ze uit het huis krijgt en naar de wijngaard. Ontwijk Forbes' mannen. Ik weet niet of behalve Carbonari nog iemand is omgekocht. Verstop je achter de eerste heuvelrug tot ik kom.'
'Wat ga je doen?'
Maar hij was al verdwenen in de kamer van Forbes.
Ze was niet van plan hem te volgen. Ze moest Dominic en Barry het huis uit krijgen.

'Ik heb haar beloofd dat ze veilig zouden zijn,' zei Forbes dof.
'Ze zal veilig zijn als we hier weg zijn voor Gomez verschijnt.'
'Ik had Carbonari nagetrokken. Ik dacht dat hij de beste van het stel was. Wat ben je verdomme aan het doen?'
Galen was bezig de fluwelen gordijnen in brand te steken. 'We hebben verwarring nodig als Gomez komt. Doe jij hetzelfde in de keuken. Ik wil dat de hele boel in lichterlaaie staat.'
'Waarom?'
'Zou jij Chavez onder ogen willen komen als je verantwoordelijk was voor het verbranden van zijn zoon? Gomez zal moeten proberen in het huis te komen om zich te overtuigen dat Barry daar niet is.' Hij keek uit het raam. 'Daar zijn ze... een kilometer of vijf hiervandaan. Opschieten, Forbes.'

'Het staat in brand, mama,' fluisterde Barry, zijn ogen op de haciënda gefixeerd. 'Het huis staat in brand.'
'Sst, ik zal het je straks uitleggen, lieverd. Je moet nu heel stil zijn. Oké?'
Waar was Galen?
Ze zou hem nog een paar minuten geven, dan zou ze met Barry en Dominic uit dit veld weggaan naar de weg.
Nee, niet naar de weg. Ze zag de koplampen van een auto die in de richting van het huis racete.
Gomez.

'Kom op, Forbes.' Galen liep naar de deur. 'Tijd om af te nokken.'
'Ik kan mijn agenten niet achterlaten. Ze kunnen gewond zijn en niet in staat om te reageren.' Hij duwde de telefoon in zijn zak. 'Ik heb San Francisco op de hoogte gebracht en om ondersteu-

ning gevraagd, maar ze kunnen hier onmogelijk op tijd zijn. Ik moet zien hoe het met mijn mensen is.'

'Luister eens, waarom kwamen ze niet binnenstormen toen ze de vlammen zagen?'

'Dat is maar een paar minuten geleden. Ze kunnen niet allemaal van Chavez zijn. Dat weiger ik te geloven.'

'Ik zeg niet dat het zo is. Maar er zou een andere agent corrupt kunnen zijn en het is gemakkelijk iemand te verrassen als je iedere dag met hem samenwerkt.'

'Dat weet ik.'

'Laten we 'm dan als de donder smeren. Of wil je dat Elena door die smeerlap wordt gegrepen?'

Forbes aarzelde en liep toen naar de achterdeur. 'Laten we dan maar gaan.'

'Mooi. We gaan langs het huis en dan naar de wijngaard.'

Er kwamen dikke rookwolken uit het huis. Galens ogen prikten toen ze het terrein en daarna de weg afspeurden.

De koplampen waren dichterbij, maar ze hadden nog tijd.

'Als ik over een paar minuten nog niet bij jullie ben, zorg dan dat Elena hier wegkomt,' zei Forbes.

Galen draaide zich om en zag dat hij bij de hoek van het huis was blijven staan. Shit. 'Doe niet zo stom.'

'De rook zal me dekken, en ik weet precies waar ze zijn. Ik moet het zeker weten. Ik laat ze niet achter voor Gomez. Ze zijn mijn verantwoordelijkheid.'

'Het is jouw verantwoordelijkheid om in leven te blijven,' zei Galen kortaf. 'Doe niet zo stom. Neem geen risico.'

'Ik zal voorzichtig zijn.'

'In godsnaam, het is Chavez niet eens.'

'Haal Elena hier weg.' Forbes snelde om het huis heen.

Galen begon achter hem aan te lopen maar stopte toen en vloekte zachtjes. Geen tijd.

De lichten van de naderende wagen kwamen dichterbij. Te dichtbij.

Galen begon aan een sprint naar de wijngaard.

Schoten. Achter hem.

Galen balde zijn vuisten.

Jezus.

Forbes' hoofd werd bijna van zijn romp geblazen door het spervuur van kogels.

Mijn god.

Elena drukte snel Barry's hoofd tegen haar schouder en keek naar Dominic. 'Heeft hij het gezien?' vroeg ze onzeker.

'Ik denk het niet.' Dominics lippen knepen zich samen. 'Ik wou dat ik het ook niet had gezien.'

Dat was haar ook liever geweest. Ze voelde zich onpasselijk.

'Laten we hier als de bliksem weggaan.' Galen stond plotseling naast hen. 'Gomez is zo bij het huis en het zal niet lang duren voor ze de velden beginnen te doorzoeken. Mijn auto staat geparkeerd tussen de bomen voorbij die heuvels.'

'Forbes...'

'Lopen.'

Ze liep al, gebukt en Barry voor zich uit duwend.

En ze probeerde het beeld van Forbes' uiteenspattende hoofd te vergeten.

Galen sprak niet meer tot ze in zijn wagen zaten en het pad afreden dat naar de snelweg leidde. 'Hoe is het met Barry?'

'Bang.' Haar armen klemden zich steviger om de kleine jongen op haar schoot. 'Maar hij is heel flink, hè, liefje? Het komt wel goed met hem.'

Barry zei niets maar nestelde zich dichter tegen haar aan.

God, ze hoopte dat wat ze zei waar was. Vanaf zijn geboorte had ze hem afgeschermd van het geweld waarmee zij altijd had geleefd. En nu was hij in één avond blootgesteld aan deze verschrikking. 'Waar gaan we naartoe?'

'Ik breng je voor de nacht naar het appartement van een vriend in de stad. Hij leent het me als ik in de buurt ben. We zullen een besluit nemen zodra we tijd hebben gehad om na te denken.'

'Forbes,' fluisterde ze.

'Ik kon hem niet tegenhouden. Hij wilde er zeker van zijn dat zijn mannen oké waren.'

Ze keek naar Barry. Hij leek te verdoofd om op te letten, maar ze bleef toch fluisteren. 'Het was een van zijn eigen agenten. Het was Wilder. Ik heb geen van de anderen gezien, maar ik zag hem zijn pistool richten.'

'En hij zal zeker goed betaald worden.'

'Ik... mocht Forbes.'

Galen klemde zijn lippen op elkaar. 'Ik ook.'

'We worden nog niet gevolgd,' zei Dominic vanaf de achterbank, terwijl hij door de achterruit keek.

'We zijn bijna op de snelweg,' stelde Galen de priester gerust. 'Ik denk dat we oké zijn.'

Ze voelde zich niet oké. Ze voelde zich angstig voor Barry en Dominic en ja, voor zichzelf. Het was een verschrikkelijke wereld waarin een fatsoenlijke man als Forbes kon worden afgeslacht door mensen die hij vertrouwde. Waarom ben ik zelfs maar verbaasd, vroeg ze zich vermoeid af. Het was niet anders dan de wereld die ze haar hele leven had gekend.

Maar het wás anders. In deze paar korte weken was ze gaan geloven dat ze een beter leven konden hebben. Misschien was het nog steeds mogelijk.

Het was moeilijk om afstand te doen van zo'n stralende hoop.

Het appartement was een penthouse dat uitzag over de baai en het was het meest luxueuze huis dat Elena ooit had gezien. De woonkamer was al heel bijzonder: beige fluwelen banken, dikke bordeauxrode tapijten en één wand was helemaal van glas.

'Verscheidene slaapkamers met bad.' Galen gebaarde naar de zuidelijke vleugel. 'Zoeken jullie maar een knusse plek voor jullie drieën, dan zet ik intussen een pot koffie.'

Knus? Dat was wel de laatste term die ze voor dit huis zou gebruiken, dacht Elena vermoeid. Barry klemde haar hand vast en zijn ogen waren wijd open van verbazing. Hij had vanavond te veel meegemaakt. Maar dat gold voor iedereen. 'Ik kom terug om met je te praten nadat ik Barry in bed heb gestopt.'

'Dat dacht ik al. Dit appartement is nogal groot uitgevallen. Ik zal een spoor van broodkruimels naar de keuken achterlaten.'

'Ik vind je wel.' Ze liep door de gang. 'Kom Barry, tijd om naar bed te gaan.'

'Dit is een raar huis.' Barry's ogen waren groot toen hij over zijn schouder naar de glazen wand keek. 'Kun je hiervandaan de hele wereld zien?'

'Nee, alleen de stad en de baai.'

'Is de stad van Galen?'

'De stad is van niemand. Of misschien wel van iedereen.'

'O.'

Hij zei niets meer terwijl ze hem uitkleedde en instopte in een gigantisch bed in een van de logeerkamers. Hij was te stil, dacht ze bezorgd. Ze ging naast hem op het bed zitten. 'Oké?'

Hij knikte en sloot zijn ogen.

Het was niet oké. 'Barry, er zijn vanavond erge dingen gebeurd, maar nu zijn we allemaal veilig. Er kan je niets gebeuren.'

Hij opende zijn ogen. 'Wie heeft het gedaan, mama?'

'Slechte mannen.'

'Waarom?'

'Dat is moeilijk uit te leggen. Slechte mannen doen slechte dingen.'

'Het brandde...'

'Ik weet het.' Wat kon ze zeggen terwijl hij bijna in shock was? 'Maar we zijn nu veilig.'

'Weet je het zeker?'

'Heel zeker.' Ze drukte een kus op zijn voorhoofd. 'Ik zou jou nooit iets laten overkomen. Dat weet je toch?'

Hij antwoordde even niet. 'Dit was een avontuur, hè?'

'Ik denk dat sommige mensen het zo zouden noemen.'

'Ik vond dit geen leuk avontuur, mama.'

'Ik ook niet. Soms zijn avonturen niet zo leuk.'

'Dat wist ik niet.'

Ze voelde tranen in haar ogen prikken. Hij was al bezig lessen te verwerken waarvan ze had gewild dat hij ze nooit zou leren. 'Er zijn ook geweldige avonturen.'

'Dat denk ik ook.' Hij draaide zich om en sloot zijn ogen. 'Meneer Forbes was toch niet in dat vuur, hè?'

'Nee.'

'Gelukkig. Ik was ongerust. Hij is een aardige man.'

'Ja. Ga slapen, lieverd.'

'Ja. Ik wil nu niet wakker zijn.'

Omdat wakker zijn beangstigender was dan de vergetelheid van de slaap. 'En morgenochtend zal alles helder en mooi zijn en zullen alle avonturen gelukkige zijn.'

'Ik hoop het...'

Vijf minuten later viel hij in slaap. Elena dekte hem zorgvuldig toe en stond op.

Dominic wachtte in de gang. 'Ik zal een tijdje bij hem blijven zitten. Hij zou wakker kunnen worden. Het was een zware avond voor hem.'

'Voor jou ook.'

'Nou, ik moet toegeven dat niet iedereen binnen een maand uit twee huizen wordt gebrand.' Hij glimlachte. 'Ga nu maar met Galen praten. Ik pas goed op Barry.'

'Dat heb je altijd gedaan. Beter dan ik. Misschien had ik –'

'Ga.' Hij duwde haar verder de gang in. 'Je moet overstuur zijn als je je bezig gaat houden met "had ik maars".'

Ze haalde diep adem. Hij had gelijk. Dit was geen moment om terug te kijken, terwijl ze voor hen allen een manier moest vinden om te overleven. 'Let op hem. Misschien krijgt hij nachtmerries. Ik kom zo snel mogelijk terug.'

5

'Hoe is het met de jongen?' vroeg Galen toen ze de keuken binnenkwam.

'Niet goed.' Ze ging aan een tafel met een granieten blad zitten. 'Maar hij heeft niet gezien hoe Forbes vermoord werd. Daar was ik bang voor.'

'Van wat hij gezien heeft zouden de meeste kinderen van streek raken.' Hij schonk een kop koffie voor haar in en ging tegenover haar zitten. 'Probeer niet de dingen voor hem glad te strijken. Je moet openhartig met hem zijn.'

'Hij is vijf.'

'En je wilt hem beschermen. Maar misschien ben je niet altijd in staat om dat te doen. Het is beter dat hij weet dat je hem altijd de waarheid zult vertellen. De waarheid is belangrijk voor kinderen.'

'En jij bent een deskundige?' vroeg ze sarcastisch.

'In de meeste dingen. Drink je koffie.'

Ze bracht het kopje naar haar lippen. 'Waarom kwam je vanavond naar de wijngaard? Ik dacht dat je was gaan vissen.'

'Dat dacht ik ook. Ik heb er altijd moeite mee gehad om dingen los te laten. Eerst wilde ik alleen maar Chavez in de gaten houden en kijken of hij iets ging ondernemen.'

'Waarom wilde je dat?'

Hij staarde in zijn koffie. 'Ben Forbes en ik kennen elkaar al heel lang. Ik mocht hem. Ik dacht dat het geen kwaad kon de boel een beetje in de gaten te houden. En toen Gomez onvindbaar werd, besloot ik de vallei in te gaan en te kijken of daar een uitkijkpost was.'

'Waarom?'

'Ik had een voorgevoel. Ik geloof in voorgevoelens.'

Elena ook. 'En toen kwam je naar het huis om ons te waarschuwen.'

'Ja, maar toen was er al het een en ander aan het gebeuren. Carbonari had blijkbaar een manier gevonden om een paar van Gomez' mannen in de fermentatieloods te krijgen en vond het geen goed idee dat jij in de weg liep.'

'Ik zou niets vermoed hebben als ze die ladder niet tegen dat vat hadden laten staan. Het was stom van Carbonari om de ladder niet weg te halen en later weer neer te zetten.'

'Ik vraag me af of die fermentatieloods vlam heeft gevat.' Galen hield zijn hoofd een beetje scheef. 'De gedachte aan Gomez' mannen, die langzaam geroosterd worden in dat vat, staat me wel aan.'

'Zou je ze willen vermoorden?'

'Nou en of.' Hij keek haar met samengeknepen ogen aan. 'En jij bestudeert me, analyseert mijn reacties, zoekt naar een aanknopingspunt. Dat is nogal verbazingwekkend na wat je vanavond hebt meegemaakt.'

'Het is juist om wat ik vanavond heb meegemaakt.' Haar hand klemde zich om haar kopje. 'Ik moet een manier vinden om Barry en Dominic te beschermen. Hier zullen ze niet lang veilig zijn.'

'Doe niet zo minachtend over Logans hutje. Het heeft eersteklas beveiliging. Multimiljonairs zijn erg in trek bij kidnappers en terroristen en hij is heel zorgzaam voor zijn familie.' Hij voegde eraan toe: 'Maar ik geef toe dat penthouses niet de best beschermde huizen zijn. Er is maar één uitweg en dat is naar beneden.'

'Je zou ons altijd weer door een helikopter kunnen laten oppikken.'

'Je glimlachte zojuist bijna.'

'Is dat zo?'

'Ja, maar die glimlach is weer verdwenen.' Hij ging achterover zitten. 'Ga je gang. Vraag maar.'

'Wat moet ik je vragen?'

'Ik ga dit niet gemakkelijk voor je maken. Je hebt me al genoeg problemen bezorgd. Ik wil het horen.'

Ze was een ogenblik stil. 'Ik ben hier alleen. Ik heb hulp nodig.'

'Je zou de DEA kunnen bellen.'

'Forbes heeft dat geprobeerd. Ik ga die fout niet opnieuw maken.'

Ze zweeg even. 'Ik heb je hulp nodig. Je hebt contacten en ervaring. Jij zou Barry kunnen beschermen – als je dat zou willen.'

'En wat zit er voor mij in?'

Ze ontmoette zijn blik. 'Alles wat je wilt. Zeg het maar, en ik zal een manier vinden om het voor je te krijgen.'

Hij zweeg een tijdje, en zei toen: 'Hoe zou ik zo'n aanbod kunnen afwijzen?'

Galen was kwaad. De uitdrukking op zijn gezicht was niet veranderd en zijn toon was net zo spottend als altijd, maar ze voelde dat de woede er was. 'Je wordt niet geacht het af te wijzen. Je wilt betaald worden; je zult betaald worden. Je bent niet redelijk.'

'Ben ik dat niet? Ik ben blij dat je dat even onder mijn aandacht brengt.'

'Dus, wat wil je?'

'Dat beslis ik later. Misschien loop ik tegen de een of andere oude vijand op die je voor me uit de weg kunt ruimen. Dat zou je toch niet erg vinden om te doen, hè?'

'Dat zou ik wel erg vinden.'

'Maar je zou het doen.'

'Zover zou het niet komen. Je zou je eigen moord willen plegen.'

Haar mond verstrakte. 'Wat wil je weten? Of ik het zou kunnen? Natuurlijk zou ik het kunnen. Mijn vader stuurde mij altijd vooruit om de weg vrij te maken voordat de troepen optrokken.'

'Om de weg vrij te maken?'

'Elke sluipschutter of schildwacht die ons mogelijk stond op te wachten, vinden en doden. Hij had me goed getraind. Ik was er heel goed in.'

'Bravo!' Hij stond op. 'Weet je, ik geloof niet dat ik je vader zou hebben gemogen.'

'Ik hield van hem.'

'Dat maakt het nog erger. Ga naar bed. Ik moet wat telefoontjes plegen.'

'Ga je ons helpen?'

'Ik dacht dat we het daar al over eens waren. Ja, ik ga je helpen. Ik heb een boerderij in het zuiden van Oregon die volgens mij aan alle veiligheidsvoorwaarden voldoet. Ik heb al het papierwerk met betrekking tot de boerderij begraven en het zal voor wie dan ook uitermate moeilijk zijn om te ontdekken dat ik de eigenaar ben.'

'Maar niet onmogelijk.'

'Niets is onmogelijk. Maar het geeft ons een voorsprong en wat tijd om plannen te maken. Ik heb een contactman die me waarschijnlijk kan vertellen wanneer Chavez dichtbij komt.' Hij keek haar in de ogen. 'En jij gaat alles doen wat ik je zeg. Dat is de enige manier waarop ik het spel speel.'

'Als ik denk dat wat jij doet goed voor ons is.'

Hij schudde zijn hoofd.

Ze beet op haar onderlip. 'Zoals je wilt. Zolang je niets stoms doet.'

'Het zal moeilijk zijn, maar ik zal proberen me te beheersen.' Hij vervolgde: 'En voor je medewerking geef ik je een bonus.'

'Een bonus?'

'Chavez. Het hoofd van Chavez op een presenteerblaadje.'

'Waarom?'

'Ik ben erg boos op hem. Een paar jaar geleden heeft hij twee van mijn mensen gedood en daar was ik niet blij mee. Maar dat hoorde bij het werk en ze kenden de risico's. Bij Forbes lag het anders. Bij Forbes was het... persoonlijker. Ik denk dat het tijd wordt voor Chavez' ondergang.'

'Je zou weleens teleurgesteld kunnen worden. Chavez is niet zelf achter Barry aan gegaan, zoals ik had verwacht.'

'Dat verbaast me niet. Barry is misschien heel belangrijk voor Chavez, maar hij is slim en riskeert heus niet zijn eigen nek als hij die van iemand anders kan riskeren. Maar Gomez heeft gefaald. Het is niet waarschijnlijk dat Chavez nog eens iemand anders zal vertrouwen. Ik denk dat hij deze keer zelf komt.' Hij lachte grimmig. 'En Forbes zou teleurgesteld zijn, want Chavez zal niet lang genoeg leven om door te kunnen slaan bij de DEA.' Hij wachtte even. 'Maar dat zou waarschijnlijk toch nooit gebeurd zijn.'

Ze verstijfde. 'Wat bedoel je?'

'Je zou hem gedood hebben. Je zou hem de kans niet hebben gegeven om zichzelf uit de gevangenis te kopen. En je zou het risico niet hebben willen lopen dat Barry in de een of andere smerige rechtszaak terecht zou komen. De oplossing? Dood de schoft.'

'Je hebt Forbes niet verteld dat je dacht dat ik dat zou doen.'

'Waarom zou ik tussenbeide komen? Ik had niet de behoefte Cha-

vez in de een of andere knusse gevangenis oud te laten worden.'
Hij liep naar de deur. 'Welterusten. Wees niet bang om te gaan slapen. Je bent hier veilig. Logans alarmsysteem is ontzagwekkend en ik zal het grootste deel van de nacht opblijven.'

Ze keek hem even na voor ze opstond en naar de gootsteen liep om haar koffiekop af te wassen. Het was vreemd om te bedenken dat ze na al die jaren waarin ze voor zichzelf had moeten zorgen, nu haar leven in handen van iemand anders legde. Vreemd en een beetje verontrustend. Galen was te scherpzinnig en zijn wil was zo sterk als de hare.

Maar hij had niet haar motivatie. Hij had Barry niet. Als het voor Barry's veiligheid nodig was, kon ze alles, en dat maakte haar sterker dan Galen.

Ze kon hem wel aan.

'Forbes is dood,' zei Gomez.

'En jij hebt uiteraard mijn zoon,' zei Chavez.

Gomez aarzelde. 'We zullen hem binnenkort hebben. Er was een klein probleem in de wijngaard.'

Chavez onderdrukte de golf van woede. 'Probleem?'

'Iemand moet haar gewaarschuwd hebben. Ze staken het huis in brand en waren verdwenen voor wij er waren.'

'Hoe kon ze gewaarschuwd zijn? Tenzij je zo uitzonderlijk onhandig bent geweest dat je ontdekt bent.'

'We zijn voorzichtig geweest. Ik had twee leden van het DEA-team omgekocht. Het had allemaal vlot moeten verlopen.'

'Vertel me niet hoe het had moeten gaan. Waar is mijn zoon? Is hij nog steeds onder de hoede van de DEA?'

'We denken van niet. Ik heb Carew, ons contact in het bureau, gesproken en hij zegt dat ze in het duister tasten over waar ze nu is.'

'Net zo in het duister als jij?'

'Ik denk dat ik weet wie ze weg heeft gehaald van de wijngaard,' zei Gomez gehaast. 'We kregen Carmichael te pakken in Rio. Het duurde even, maar hij heeft gepraat. Sean Galen heeft ze uit Colombia gehaald en afgeleverd in San Francisco. Als de DEA ze niet uit dat onderduikhuis heeft gehaald, moet het Galen geweest zijn.'

'Waarom? Het komt me voor dat het zelfs een orang-oetan zou

lukken om mijn zoon van jou af te pakken.'

Stilte. 'Hij is de enige die ze kent in dit land. Hij is ons sterkste spoor.'

'Volg het dan. Graaf tot je alles over Galen boven de grond hebt. Vind uit waar hij ze naartoe heeft gebracht.' Zijn stem werd zacht en zijig. 'En bel me niet meer om me te vertellen dat je me weer hebt teleurgesteld. Zodra je hem in het vizier hebt, wil ik dat weten.'

'Het kan wel even duren. Galen werkt alleen. Het zal moeilijk worden om –'

Chavez verbrak de verbinding.

Jengelende klootzak. Hij wilde geen verontschuldigingen. Hij wilde zijn zoon.

En de kans om Elena net zo lang af te tuigen tot ze hem smeekte haar te doden.

Hij haalde diep adem en probeerde zijn woede van zich af te schudden. Nog twee dagen, dan zou hij de Delgado's en hun netwerk in zijn zak hebben. Dan zou hij vrij zijn om die kwestie met Elena zelf af te handelen. Hij had beter moeten weten dan op Gomez te vertrouwen om met haar af te rekenen. Hij was de enige die sterk genoeg was om dat kreng te verslaan. Hij had het eerder gedaan en het zou geen probleem voor hem zijn om het opnieuw te doen.

Elena die op de mat lag en met vlammende ogen naar hem opkeek.

De herinnering gaf hem een opwelling van plezier die deels seksueel was en deels uit een bedwelmend gevoel van triomf bestond. Hij was bijna blij dat Gomez had gefaald. Hij was het pure genot haar aan zich te onderwerpen vergeten. Hij had zich nooit sterker of meer veroveraar gevoeld dan in die laatste dagen met haar. Het zou goed zijn wat speciale tijd met haar door te brengen voor hij haar hart uit haar lijf zou snijden.

'Het is prachtig.' Elena keek naar de blauwe bergen in de verte. 'Ik heb nog nooit zoiets gezien. Het is zo... wild.'

'En Colombia is dat niet?' Galen leunde uit het raampje en tikte het nummer in van de elektronische poorten. 'Maar ik weet wat je bedoelt. Die dorheid heeft een kracht van zichzelf.'

'Het is niet echt dor,' zei Dominic. 'Een beetje schraal. Is dit jouw ranch?'

'Ja.' Galen reed langs de hekken die zich achter de jeep weer sloten. 'Ik kom hier af en toe om me te ontspannen.'

'Heb je vee?'

Galen schudde zijn hoofd. 'Te veel verplichtingen. Voor vee moet je zorgen. Of iemand anders inhuren om dat te doen en dan zou ik ze naar mij moeten laten rapporteren. Een complete doos van Pandora. Het zou het doel om hier voor mijn rust te komen tenietdoen.'

'Wanneer ben je hier voor het laatst geweest?' vroeg Elena.

Hij dacht even na. 'Een maand of drie geleden... geloof ik.'

'Dan heb je niet zo vaak behoefte aan rust.'

Hij haalde zijn schouders op. 'Ik verveel me gauw.'

Ze staarde hem taxerend aan. 'Dat geloof ik graag.'

'Wat bedoel je daar nou weer mee?'

'Niets.' Ze richtte haar blik op het huis. 'Het is hier wel kolossaal, zeg.'

'Ik heb er nooit van gehouden me te moeten behelpen. Dat heb ik als kind al genoeg moeten doen.'

'Waar was dat?'

'In Liverpool. En op andere plaatsen.' Hij parkeerde voor de lange, halfronde veranda. 'Mijn moeder dacht altijd dat als de ene plaats goed was, de volgende beslist beter zou zijn.' Hij stapte uit de jeep. 'Kom op, Barry. Ik zal je de schuur laten zien. Er is een hooizolder die je vast leuk vindt.'

'Straks,' zei Elena. 'Ik wil eerst even kijken. Je weet nooit wat voor beesten er in dat hooi zitten.'

'Het is schoon.' Een in spijkerbroek en denim shirt geklede man was uit het huis gekomen. 'Toen Galen belde ben ik naar de stad gegaan en heb een paar balen gekocht.'

Elena verstijfde.

'Het is in orde,' zei Galen haastig. 'Dit is Judd Morgan. Hij is een soort huisbewaarder hier. Hij is ongevaarlijk.'

Hij zag er niet ongevaarlijk uit. Hij leek achter in de dertig te zijn, was groot en slank, en straalde een pezige kracht uit. Lichtblauwe ogen lagen diep in een gezicht dat vlak was, als gebeiteld, en hard. Heel hard.

'Hoe maakt u het?' zei Morgan. 'Ik neem aan dat u Elena Kyler bent. Over de jongen hoeft u zich geen zorgen te maken. Ik heb de stal twee weken geleden opgeruimd en de enige beesten zijn de poesjes en Mac, mijn Duitse herder. Hij is vriendelijk.'

'Een puppy?' Barry's ogen straalden.

'Nou, niet bepaald een puppy. Hij gedraagt zich alleen maar zo.'

'Dit is Dominic Sanders,' zei Galen plechtig. 'Hij is priester geweest. Ik heb hem hier gebracht om jouw ziel te redden.'

'Dan laat ik hem op jou oefenen. Ik ben een grotere uitdaging.' Morgan gaf Dominic een hand en richtte zich weer tot Galen. 'Nog nieuws voor me van Logan?'

Galen schudde zijn hoofd. 'Nog niet.'

'Verdomme.' Hij liep terug naar het huis. 'Ik laat jullie je kamers zien. Het is een verrassend prettig onderkomen, Galens gebrek aan smaak in aanmerking genomen.'

'Mama, mag ik naar de schuur?' Ze kon geen weerstand bieden aan zijn gretige gezicht. 'Eventjes dan. Je moet voor het eten in bad.'

'Hij heeft tijd genoeg.' Galen nam zijn hand en ze liepen weg. 'Ik ben voornemens een culinair maal te bereiden voor onze eerste avond. Perfectie ontstaat niet zonder inspanning.'

'Bescheidenheid ook niet,' mompelde Morgan.

'Kom op, Barry. Dit afgeven op mijn zuivere karakter is niet voor jouw oren bestemd.'

Morgan leidde Elena en Dominic het huis binnen. Een gewelfd plafond gaf de woonkamer een open, frisse aanblik en het met chenille beklede meubilair zorgde voor een contrasterende gezelligheid.

'Vijf slaapkamers, vier badkamers op de eerste verdieping,' zei Morgan. 'Speelkamer, bibliotheek, keuken, eetkamer, woonkamer en diverse andere kamers zijn beneden. Willen jullie de grote rondleiding of alleen jullie slaapkamers zien?'

'De slaapkamers,' zei Elena.

Morgan knikte en bracht hen naar het trappenhuis. 'De eerste slaapkamer rechts heeft een kleinere aansluitende kamer. Ik dacht dat je die zou willen nemen voor jou en de jongen.'

Elena knikte. 'Dat is prima.'

Hij gooide de deur open en stapte opzij. 'Galen heeft me opgedragen voor jullie allemaal genoeg kleren te halen voor de duur van jullie verblijf hier. Ze liggen al in de kasten en de ladekast. Ik moest op Galens schattingen afgaan, dus is het zijn schuld als ze niet passen.' Hij wees naar een deur aan de overkant van de gang. 'Uw kamer, meneer Sanders. Laat het me weten als een van u problemen of vragen heeft. Ik zie u bij het eten.' Hij keerde zich om en liet ze alleen.

'Interessante man.' Dominic keek hem na. 'En een interessant verschil tussen hem en Galen.'

Als een granieten plaat en een glanzende spiegel, dacht Elena. Maar beiden zouden je onder bepaalde omstandigheden kunnen beschadigen. 'Ik vind het niet prettig dat Galen ons niet over Morgan heeft verteld.'

'Je zou bezwaar hebben gemaakt als hier iemand was die je niet kende. Misschien dacht hij dat het geruststellender zou zijn als je hem eerst ontmoette.'

'Geruststellend' was niet het woord dat ze in relatie met Judd Morgan zou kiezen. 'Hij laat hem kennelijk de boel hier leiden. Hij mag hem dan vertrouwen, maar ik heb daar geen reden voor.'

'Galen heeft zich nog geen enkele keer vergist. Geef hem een kans.' Dominic stak de gang over en opende de deur van zijn slaapkamer. 'Weet je, ik vind het hier wel prettig. Het doet me aan ons huis denken.'

Behalve dat het tien keer zo groot was. Maar ze wist wat hij bedoelde. Door de simpele opzet en de geriefelijke sfeer had het iets huiselijks. Het beviel haar ook. Veel beter dan het weelderige penthouse van Logan waar ze de vorige nacht hadden doorgebracht. 'Het is erg prettig.'

Ze sloot de deur en liep naar het raam. Ze kon hiervandaan de grote schuur zien en die zag er even netjes en verzorgd uit als de rest van het gebouw. Een schuur en huisdieren en genoeg grond voor een kind om te rennen. Hun verblijf hier zou weleens niet zo beroerd kunnen zijn.

Haar ogen gingen naar het omringende land. Je kon kilometers ver zien. Had Galen daarom dit perceel gekocht? Forbes had haar de indruk gegeven dat het verleden van Galen op zijn zachtst gezegd duister was geweest en hij was uitzonderlijk behoedzaam. Zo behoedzaam dat hij zelfs als hij zich ontspande moest weten wat er op hem afkwam? Het was goed voor haar en Barry dat hij een leven had geleid dat hem dit bolwerk had laten bouwen. Ze moest niet verder denken dan die waarheid.

Barry kwam een uur later het huis binnenrennen.

'Mama!'

'Hier.' Ze kwam naar de trap. 'Was het leuk?' Zo te zien was het dat geweest. Er stak stro uit zijn haar en zijn gezicht gloeide.

'Hoeveel poesjes waren er?'

'Drie.' Hij rende de trap op. 'Maar de hond... Mac. Hij rolde op zijn rug en liet me zijn buik aaien.'

'Wat een eer.' Ze glimlachte en knuffelde hem. 'Het ziet ernaar uit dat je zelf ook een paar keer gerold hebt.'

'Galen en ik hadden een strogevecht en hij gooide me boven op de berg. Toen kon ik niet meer vechten omdat ik moest lachen. Hij zei dat hij eend met sinaasappel ging maken en dat ik hem kon helpen. Dat heb ik nog nooit gegeten, jij wel?'

'Nee.'

'Ik moet opschieten. Waar is de badkamer? Hij zei dat ik niets mocht aanraken in de keuken voordat ik in bad was geweest.'

Ze knikte naar de suite. 'Daarbinnen.' Ze volgde hem de slaap-kamer in en wees naar de badkamer. 'Ik zal wat schone kleren voor je uit je kamer halen. Die is door deze deur. Onze kamers zijn verbonden.'

'Goed.' Barry klonk afwezig. 'Ik moet mijn haar wassen. Galen zei dat ik de keuken uit moest als hij ook maar een sprietje stro zag. Wil je me helpen?'

'Natuurlijk.' Elk tweede woord dat uit zijn mond kwam ging over Galen. 'Ik zal ervoor zorgen dat je door de inspectie komt. Vind je Galen aardig?'

'Tuurlijk. Hij maakt dingen... anders.'

Hij bedoelde opwindend. Waarom zou hij niet denken dat Galen een soort tovenaar was? Hij had met hem door de lucht gevlo-gen en was toen vliegensvlug naar de top van een prachtige stad gebracht. Nu had Galen hem de elementen van iedere jongens-droom gegeven: een hond en poesjes en een hooischuur.

Hij staarde haar bezorgd aan. 'Jij vindt hem toch ook aardig, hè?'

Met één woord zou ze hem tegen Galen kunnen opzetten. De genegenheid die Barry voor hem begon te voelen kon gevaarlijk zijn. Galen mocht dan een tovenaar zijn, maar na alle goocheltoeren en wonderlijke trucjes zou hij verdwijnen en Barry alleen en met lege handen achterlaten. Maar hoe zou ze dat woord kunnen uitspreken als Galen in z'n eentje de angst en onzekerheid had verdreven die ze in Barry had gevoeld sinds die brand in de wijngaard? Ze was hem iets verschuldigd, verdomme. 'Waarom zou ik hem niet aardig vinden?' vroeg ze luchtig. 'Tenslotte gaat hij je leren een fantastisch diner voor me te maken.'

'Kom op, jongeman. Bedtijd.' Dominic stond op van tafel. 'Je gezicht zakt nog in die chocolademousse als je niet ophoudt met knikkebollen.'

'Moe...' Barry stond op en geeuwde. 'Ik heb de chocolade geroerd, weet je.'

'Het is onder onze aandacht gebracht,' zei Dominic. 'Verscheidene malen.' Hij wendde zich tot Galen. 'Een heerlijk maal. Ik heb nog nooit zo lekker gegeten, zelfs niet in de beste restaurants van Miami.'

'Natuurlijk niet,' zei Galen. 'Ik heb toch gezegd dat ik hier een meester in ben.'

Judd Morgan snoof. 'Het begint hier benauwd te worden. Ik heb wat frisse lucht nodig.'

'En mij achterlaten met de vaat?'

'Ik help wel,' zei Barry.

Galen schudde zijn hoofd. 'Ik geloof in specialisatie. Jij hebt je aandeel geleverd. Ik heb jou ingedeeld voor de omelettedienst, morgen aan het ontbijt.'

Barry geeuwde weer. 'Oké.'

'Kom, we gaan,' zei Dominic. 'Je valt zowat in slaap en je wordt me te zwaar om die trappen op te dragen.'

Elena keek Dominic en Barry na tot ze de kamer uit waren, en stond toen op. 'Ik doe de vaat.'

Morgan schudde zijn hoofd. 'Dat is mijn werk. Galen kookt. Ik ruim op.' Hij begon de borden te stapelen. 'Hoewel, als hij geen geweldige vaatwasser had zou ik je daaraan houden.'

'Dan help ik,' zei Elena.

'Nee, dat doe je niet. Ik werk graag alleen.' Hij droeg de borden naar de keuken.

'Hij wijst je niet af. Hij zegt de waarheid. Hij doet graag alles alleen,' zei Galen en stond op. 'Daarom is hij ook zo graag hier op de ranch. Je kunt je geen eenzamer bestaan voorstellen. Ik denk dat het zijn artistieke temperament is.'

'Is hij artiest?'

Hij knikte. 'Er hangt een opmerkelijk olieverfschilderij van hem in de bibliotheek.'

'Dat zou ik nooit gedacht hebben.'

'Nou, ik moet toegeven dat hij niet op een artiest lijkt. Wat voor werk denk je dat hij doet?'

'Ik weet het niet. Misschien hetzelfde als jij.'

Hij lachte. 'Bijna. Maar Judd was meer gespecialiseerd.'

'Jullie lijken het goed met elkaar te kunnen vinden.'

'We begrijpen elkaar. We zijn in veel opzichten hetzelfde.'

Ze schudde haar hoofd. 'Jullie lijken helemaal niet op elkaar.'

'Je vindt mij dus niet het artistieke, eenzelvige type?'

'Ik weet niet wat voor soort mens je bent.' Ze bekeek hem aandachtig. Zijn uitdrukking was een beetje spottend, maar zijn donkere ogen fonkelden. 'Weet je het zelf?'

'Ik weet precies wie ik ben. Ik hou er alleen niet van dat met Jan en alleman te delen. Wil je Judds schilderij zien? Of heb je al wat rondgekeken?'

'Nee, alleen boven.' Ze volgde hem de kamer uit. 'Dit is een geweldig huis. Je zou het vaker moeten gebruiken.'

'Ik word ongedurig.' Hij opende een gelambriseerde deur. 'Dit is de bibliotheek. Het is de enige kamer die Judds totale goedkeuring heeft.'

Boeken. Overal boeken. 'De mijne ook.' Ze ging de kamer in en streelde de leren rug van een boek op de plank die het dichtst bij de deur was. 'Met een kamer met zoveel boeken kun je niet de fout ingaan.'

'Lees je graag?'

'Ik ben er gek op.' Ze liep rond en bekeek de titels. Alles, van klassiek tot handboeken. 'Toen ik een kind was waren tv en film voor mij onbereikbaar, maar mijn vader heeft in de loop der jaren duizenden paperbacks voor me verzameld. Dat was alles wat ik nodig had.'

'Nee, dat is niet alles wat je nodig had. Vertel me eens, zat je in een "loon naar werken"-systeem? Een boek voor elke neergeschoten sluipschutter?'

Ze kromp ineen. 'Je begrijpt het niet. Mijn vader was geen harteloos monster. Hij kwam naar Colombia als huurling van de rebellen en hij bleef als patriot. Hij ontmoette mijn moeder en hij leerde van haar en van haar land te houden. Hij wilde dingen veranderen. Hij geloofde in wat hij deed.'

'Geloofde jij in wat hij deed?'

'Ik geloofde in hem.'

'Zou je willen dat jouw zoon de dingen leerde die hij jou heeft geleerd?'

Ze gaf niet direct antwoord. 'Mijn vader deed het beste wat hij kon. Nadat mijn moeder door de regeringssoldaten was gedood, raakte hij geobsedeerd door de zaak. Hen verslaan was ieder offer waard. Hij kon het niet opgeven, en hij had Luís en mij om groot te brengen.'

'Waar is Luís nu?'

Ze keek een andere kant op. 'Hij is nog bij de rebellen.'

'Ik neem aan dat jullie geen nauwe band hebben.'

'Nee.' Ze raakte een andere band aan. '*Macbeth*. Hou je van Shakespeare?'

'Cultuur? Ik? Ik heb de hele voorraad uit de veiling van een landhuis gekocht.'

'Echt waar?'

'Waarom zou dat je verbazen?'

Ze verstijfde toen een gedachte bij haar opkwam. 'Het verbaast me alleen dat je het nodig vindt tegen me te liegen.'

'Waarom denk je dat ik tegen je lieg?'

'Doe je dat dan niet?'

Hij was even stil. 'Ik heb de bibliotheek werkelijk op de veiling van een landhuis gekocht. Maar ik heb ieder boek op deze planken onderzocht voor ik mijn bod uitbracht. Ik hou inderdaad van Shakespeare. Hij begreep de menselijke zwakheden. Ben je nu tevreden?'

'Nee, want ik denk dat je loog om mij geen ongemakkelijk gevoel te geven. Je hoeft geen medelijden met me te hebben. Ik heb een rauw leven geleid en ik heb geen enkele vorm van normaal onderwijs gehad, maar ik schaam me niet voor wat ik ben of voor wat mijn vader was of voor wat ik moest doen om te overleven. Ik doe niet onder voor –'

'Sst.' Zijn vingers lagen op haar lippen. 'Ik heb geen medelijden met je. Zo stom ben ik niet. Je bent ongetwijfeld heel wat beter ontwikkeld dan ik ooit zal zijn. Ik ben van meer scholen geschopt dan jij op je twee handen kunt natellen. Ik heb zelfs geen boek opengeslagen voor ik vijftien was. Ik was de achterlijkste rouwdouwer van de wereld. Als ik niet helemaal eerlijk was, kwam dat door mijn ingebouwde camouflagesysteem.'

Ze wendde haar hoofd af om aan de aanraking van zijn hand te ontkomen. Die was warm en stevig en haar lippen voelden – Ze haalde diep adem en deed een stap achteruit. 'Waarom? Het kan je niet schelen wat ik van je denk.'

'Het begint erop te lijken dat ik dat wel doe. Wat een verrassing.' Hij knikte naar de wand achter haar. 'Dat is het schilderij van Judd.'

Terwijl ze zich omdraaide voelde ze een golf van opluchting omdat hij van onderwerp was veranderd. Ze vond het niet prettig wat ze voelde. De seksuele spanning was uit het niets naar boven gekomen en ze wilde het gevoel onderdrukken.

Het schilderij. Kijk naar het schilderij.

Het was een klein landschap van de heuvels rondom de ranch. Maar het talent en de kracht van de afbeelding waren niet klein. Het effect was als dat van een stormachtige uitbarsting van weerlicht. 'Het is prachtig.'

'Het doet me aan El Greco denken. Dat zeg ik niet tegen Judd, want hij zou zich beledigd voelen.'

Ze herinnerde zich wat Morgan had gezegd aan het eind van de maaltijd. 'Omdat hij ervan houdt dingen alleen te doen. En op zijn manier.'

Galen knikte. 'We willen allemaal uniek gevonden worden. En hij is natuurlijk uniek.'

Ze knikte. 'Komt er een tentoonstelling van hem?'

'Voorlopig niet. Hij is zich pas op zijn kunst gaan concentreren sinds hij hier is, en om te exposeren moet hij een flink aantal doeken hebben. Bovendien moet hij een poosje uit de schijnwerpers blijven.'

'Waarom?'

'Hij wil in leven blijven.'

'Ik... begrijp het.'

Hij glimlachte. 'Wat tactvol. Je begrijpt het helemaal niet. Judd voerde vroeger sancties uit voor de CIA. Hij was daar uitzonderlijk goed in en ze kozen hem om een generaal in de Noord-Koreaanse regering uit te schakelen. Jammer genoeg besloten zijn superieuren dat het een vergissing was, en dat het hoofd van de man die het had gedaan geofferd moest worden aan de diplomatie. Judd had daar bezwaar tegen. Kun je je dat voorstellen?'

'Dus is hij ondergedoken?'

'Tot mijn vriend Logan erin slaagt wat invloed aan te wenden in Washington om de druk van de ketel te halen. Hij heeft veel invloed, maar het kan wel even duren.' Hij keek haar aan. 'Maar je hoeft je geen zorgen te maken omdat Judd in de buurt van Barry is. Hij zal hem niets doen.'

'Ik maak me geen zorgen. Ik denk dat ik zo langzamerhand de nodige mensenkennis heb opgedaan. Wat sommige mensen doen is niet altijd wat ze zijn.'

'En omgekeerd.'

'Loop je geen risico door hem te helpen?'

Hij haalde zijn schouders op. 'Ik heb Judd altijd gemogen.' Hij pakte haar elleboog. 'Ik zal je de rest van het huis laten zien. De speelkamer is best wel leuk. Ik neem aan dat je geen biljart speelt?'

'Nee.'

'Ik dacht al van niet. Niet veel biljartzalen in de jungle. We beginnen morgen met de lessen. Ik ben een fantastische leraar.'

'Is er iets waarin je niet fantastisch bent?'

'Zou niet zo gauw iets kunnen bedenken.' Hij opende een andere deur. 'Dit zal je bevallen. Het is precies wat je – Wat is er?'

Het was een gymnastiekzaal. Spiegelwanden en metalen uitrusting.

En een mat op de vloer.

'Je ziet zo wit als een doek. Wat is er in 's hemelsnaam aan de hand?'

De mat.

'Niets.' Ze bevochtigde haar lippen. Hou op met beven. Je werd er gewoon door verrast. Ze haalde diep adem. 'Ik ben... moe. Ik moet naar bed.'

'Niet voordat je me vertelt wat –' Hij stopte toen hij haar gezicht zag en zei ruw: 'Ga hier in godsnaam vandaan.'

'Dat zal ik zeker.' Ze rende de zaal uit en de trappen op. Ze haalde maar net de badkamer voor ze moest overgeven. Stom om zo zwak te zijn. Dat ze zich na alles wat ze had meegemaakt, door de aanblik van die verdomde gymzaal toch nog in een bibberende slappeling liet veranderen. Het was de schok. Ze was in zes jaar niet meer in een gymzaal geweest. Ze was zich er niet van bewust geweest dat ze overspoeld zou worden door al die herinneringen.

De mat.

Ze voelde het zweet uitbreken op haar voorhoofd.

Jezus.

De mat.

6

Elena's hand omklemde de leuning toen ze de trap af liep. Het huis was in duisternis gehuld, maar er kwam genoeg maanlicht door de ramen om vaag de omtrekken van het meubilair in de woonkamer te herkennen.

En de gang die naar de gymzaal liep.

Ze kon het.

Stap voor stap.

Ze bereikte de laagste trede van de trap en wachtte een ogenblik, haar maagspieren trokken zich samen.

Niet denken, gewoon doen.

Maar ze moest denken, dat hoorde erbij. Dat kon ze niet verdringen, anders zou hij winnen.

Ze liep langzaam door de gang.

De mat.

Ze zag hem voor haar geestesoog.

En het gezicht van Chavez boven haar.

Néé.

Ze leunde tegen de muur en haalde diep adem. Haar hart bonsde pijnlijk. Doorzetten nu. Nog een paar stappen en ze zou bij de deur zijn.

Ze was er. Ze tastte blindelings naar de knop en gooide de deur open. Ga naar binnen. Kijk ernaar.

De mat.

Ze liep naar voren en boog zich erover. Het betekende niets. Het was niets meer dan een stuk stof en vulling. Het was niets. Ze kon dus weggaan. Ze hoefde hier niet te blijven.

Als het niets te betekenen had, waarom beefde ze dan net als toen ze malaria had? Waarom liepen er tranen over haar wangen?

Loop weg. Vergeet het. Ze hoefde dit niet te doen.

Ja, dat moest ze wel. Als ze nu wegliep zou hij winnen.

Blijven tot de pijn wegtrok. Dat was alles wat ze moest doen.

Ze liep achteruit tot ze de koude spiegelwand tegen haar lichaam voelde. Ze zakte op de grond.

Kijk ernaar. Herinner je. Hij kan je geen pijn doen tenzij je hem dat toestaat.

Lieve god, ze wilde dat ze kon ophouden met beven.

'Kom op,' zei Galen nors. 'Je moet hier weg.'

Ze keek op en zag hem voor zich staan.

Hij stak zijn hand uit. 'Ik weet niet wat je hier uitvoert, maar ik blijf niet staan toekijken.'

Ze schudde haar hoofd en drukte haar armen nog strakker om haar lijf. Jezus, wat had ze het koud. 'Ga weg.'

'Je bent hier al meer dan een uur en ik heb er genoeg van om geduldig en begrijpend te zijn. Ik wacht niet langer.'

'Ik wil... jouw... begrip niet. Het is jouw zaak niet. Ga weg.'

'Het is mijn huis en zolang je hier bent, ben je mijn zaak. Ik ben hier de baas, weet je nog wel? Nou, kom, we gaan hier weg.'

'Moet... hier... blijven.'

Hij staarde haar een ogenblik aan. 'Shit.' Hij liet zich naast haar op de grond zakken en leunde tegen de spiegel. 'Oké, we blijven alle twee.'

Ze schudde haar hoofd. 'Alleen. Ik moet dit alleen doen.'

'Onzin.' Hij gooide zijn zakdoek naar haar. 'Hou op met huilen, oké?'

'Ik huil niet...'

'Hou je mond. Ik heb een zware nacht gehad. Ik weet niet wat er met je aan de hand is, maar het bevalt me niet. En zoals ik me voel bevalt me ook niet. Ik wil naar bed en niet meer aan je denken.'

'Doe dat dan.'

'Dat kan ik niet. Denk je dat ik hier midden in de nacht zou zitten als ik dat kon?'

'Ga weg.'

'Ik ga niet weg. Als er iets is dat je alleen moet doen zal dat een andere keer moeten. Hou op met communiceren met die verdomde mat en laten we een kop koffie nemen.'

'Ik ben niet aan het commun–' Er welde woede in haar op. 'Je doet net of ik gek ben.'

'Gek? Als jij de een of andere vreemde fixatie voor matten hebt zal ik de laatste zijn die daar bezwaar tegen maakt.'

'Je begrijpt niet –' Ze krabbelde overeind. 'Wat een hufter ben je.' Ze liep naar de deur. 'Laat me alleen, Galen.'

Pas in de gang werd haar woede verdreven door een gevoel van opluchting dat het laatste restje kracht uit haar nam. Ze tastte blindelings naar de muur.

'Rustig.' Galens arm was om haar schouders, ondersteunde haar en leidde haar naar de keuken. 'Niet vechten. Je zou me pijn kunnen doen.'

'Klootzak.' Ze beefde nog steeds en voelde zich zo slap als een vaatdoek. Ze wisten beiden dat ze in deze toestand nog geen kakkerlak zou kunnen kwetsen.

'Zo blijf je me maar noemen.' Hij duwde haar op een stoel bij de tafel en deed het licht aan. 'Dat is niet erg beleefd. Als je daarmee doorgaat raap ik je niet op als je jezelf van die stoel af bibbert. Blijf hier, ik haal een sprei van de sofa.'

Ze zou op moeten staan en weggaan. Zo meteen. Zodra ze zich wat sterker voelde.

Hij was terug en wikkelde haar in een grijsgroene chenille sprei. 'Beter?' Hij wendde zich af. 'Je hoeft het niet toe te geven. Ik heb me tenslotte in jouw boetekleedactie gemengd. Ik zal je een kop koffie geven. Hij is al gezet.'

De sprei voelde warm en zacht en de kou begon te verdwijnen. 'Het... voelt wel lekker.'

'Dat dacht ik al.' Ze keek hoe hij twee koppen dampende koffie inschonk. 'Hoezo was de koffie al klaar?'

'Ik was in de woonkamer toen je naar beneden kwam. Je zag er niet best uit. Ik dacht dat je het zou kunnen gebruiken.' Hij bracht de twee koppen naar de tafel. 'Ik kon niet weten dat je had besloten daar een kamp op te slaan.'

'Je had me alleen moeten laten.'

'Ik zag dat je pijn had. Daar heb ik een probleem mee.' Hij ging tegenover haar zitten. 'Je hebt nog steeds pijn.'

'Ik heb géén pijn. Ik laat hem mij geen pijn meer doen.'

'Oké. Oké. Drink je koffie.'

Ze wist dat ze de kop niet stil zou kunnen houden. 'Straks.'

'Wat je wilt.' Hij keek in zijn koffiekop. 'Ik neem aan dat je me niet wilt vertellen wat er met je aan de hand is?'

'Nee.'

'Die mat zit je dwars. We zouden hem naar buiten kunnen slepen en een vreugdevuur kunnen ontsteken. Ik lever de lucifer.'

Ze schudde haar hoofd.

'Ik zou Judd er een schietschijf op kunnen laten schilderen en het als doel gebruiken. Je zou hem een plezier doen. Hij is vast uit vorm.'

Ze staarde hem geprikkeld aan en toen kwam er iets als een glimlach om haar lippen. 'Klojo.'

'Oké, je bent beter. Drink je koffie.'

Hij had gelijk. Haar hand beefde niet meer. Ze bracht het kopje naar haar lippen. De koffie was heet en sterk en smaakte lekker. Ze zette de kop neer en leunde achterover in haar stoel. 'Waarom zat je daar in het donker?'

'Je ging ervandoor. Je was bang. Maar ik wist dat je jezelf niet zou toestaan bang weg te kruipen in je kamer.'

'En je was nieuwsgierig?'

'Dat mag je wel zeggen.'

Maar dat was niet de waarheid. Ze wist dat hij had gewacht omdat hij haar wilde helpen. En hij had haar geholpen. Hij had met zijn gespot en met het bagatelliseren van de psychische pijn waarin ze verkeerde, de greep die het trauma op haar had doorbroken. Het had haar kwaad gemaakt, en die boosheid had haar bevrijd. Had hij geweten wat hij deed?

Vast wel. Hij was intelligent en opmerkzaam en hij wist hoe hij mensen en situaties kon manipuleren. Hij had besloten deze situatie te manipuleren om haar te kunnen helpen.

Hij keek naar de uitdrukking op haar gezicht. 'Je gaat nu toch niet nijdig worden, hè?'

'Nee.'

'Ik heb gehoord dat het soms helpt om erover te praten.'

'Is dat zo?'

'Ik beloof je dat ik je niet zal chanteren.'

'Dat zou je niet kunnen. Het was alleen belangrijk voor mij.'

'Niet voor Dominic?'

'Ik heb hem er nooit over verteld. Het zou hem pijn hebben gedaan.'

'Misschien dat je daarom zo reageerde. Misschien als je je hart zou luchten... Mij zal het geen pijn doen. Het zou je trouwens niet kunnen schelen als het dat wel deed.' Hij haalde zijn schouders op. 'Het is maar een suggestie.'

Hij kon gelijk hebben. Ze wilde alles proberen om niet weer in te storten als ze terugging naar die gymzaal. 'Het zou je vervelen.'

'Maar ik zou niet de halve nacht op je hoeven wachten tot je naar beneden komt voor een middernachtelijk afspraakje met die stomme mat. Want je gaat weer terug, hè?'

Haar handen klemden zich om haar koffiekop. 'Ik kan hem niet laten winnen. Ik kan niet toelaten dat hij me bang maakt.'

'Chavez?'

Ze antwoordde niet direct. 'Ik had niet gedacht dat het me zo zou raken. Ik dacht dat ik het allemaal achter me had gelaten.'

'Heb je een verhouding gehad met Chavez?'

'Verhouding?' Haar lippen trilden. 'Chavez weet niet hoe je een relatie met een vrouw kunt hebben. Hij koos zijn vrouw als een gewillige slaaf en om zijn kinderen te baren. Zijn maîtresse is net zo, behalve dat ze, naar ik heb begrepen, op seksueel gebied zeer getalenteerd is.'

'En jij?'

'Mij vond hij anders. Eerst was hij geamuseerd en daarna was hij helemaal niet geamuseerd.' Ze zweeg even. Ach, wat gaf het ook. Gooi het eruit. Ze schaamde zich niet. Waarom zou ze verbergen wat er was gebeurd? 'Ik was negentien en de situatie met de rebellengroep waar ik bij hoorde was veranderd. Ze begonnen geld aan te nemen van Chavez om hun beweging te financieren en in ruil daarvoor beschermden ze hem. Hij verspreidde drugs onder de soldaten, won aan invloed en gebruikte ons als marionetten. Ik haatte het. Mijn vader was het jaar daarvoor overleden en ik dacht erover met de groep te breken en Colombia te verlaten. Maar ik wachtte te lang. Ik was heel goed in mijn werk en ik werd gerespecteerd. Chavez hoorde over me en dacht dat het interessant zou zijn een vrouw in zijn kleine speelplaats op te nemen.'

'Speelplaats?'

'Chavez ziet zichzelf graag als veroveraar. Als tiener was hij soldaat in een paramilitaire groep. Hij was een goed soldaat, briljant met wapens en heel sterk. Het beviel hem. Hij vond het idee een moordmachine te zijn heel aanlokkelijk. Maar het betaalde niet genoeg en hij verliet het leger voor de drugshandel. Hij wilde het beste van beide werelden.' Ze bevochtigde haar lippen. 'Nu houdt hij zichzelf in conditie in een gymzaal die hij heeft gebouwd in zijn huis in de bergen. Het is een prima gymzaal, met ieder oefentoestel dat je je kunt voorstellen. Maar een machine is geen man. Hij had het gevecht nodig voor de kick. Dus inviteerde, of dwong of betaalde hij leden van de verschillende rebellengroepen om met hem te komen boksen. Het kostte hem geen moeite om de meeste strijders die hij betaalde uit te dagen om naar de gymzaal te komen voor een oefenwedstrijd.'

'Wat gebeurde er met degenen die hij niet kon verslaan?'

'Die hield hij bij zich tot hij ze wel kon verslaan. De meesten van hen gingen dood. Maar ja, de meeste anderen gingen ook dood. Vechten tot de dood erop volgde, wond hem op. Hij zei dat er niets ging boven de wetenschap dat je de macht had over een ander mens.'

'Nam hij jou mee naar zijn gymzaal?'

'Meenemen? Ik werd bij hem afgeleverd door mijn eigen mensen. Er was voor me betaald met een keurig pakje cocaïne.'

'Aardig.'

'Ik was daar drie weken.' Ze begon weer te beven. Maak er snel een eind aan. 'Hij vond me een... uitdaging. Iedere avond kwam hij naar de gymzaal om met me te vechten. Ongewapend. Karate, judo, straatvechten... Het gaf niet hoe smerig. Alles wat bruikbaar was. De enige regel was de duur van het gevecht. Twee uur. Als hij me op de grond kreeg en neerdrukte zou hij hebben gewonnen. Dat wilde ik niet laten gebeuren. Hij mocht me niet verslaan. Ik kon hem niet laten winnen.' Ze haalde diep adem. 'Maar hij had één manier om zich oppermachtig te voelen. Ik was per slot van rekening een vrouw. Iedere keer als ik aan het einde van de twee uur nog op de been was, liet hij me vastbinden en verkrachtte hij me.'

'Smeerlap.'

'Dat is hij zeker. Hij moest per se winnen.' Ze stopte. Niet instorten. Maak het af. Ze was dicht bij het einde. 'Het was... afschuwelijk. De eerste paar keer was ik te verdoofd om te denken. Toen probeerde ik te doen alsof ik opgaf en hij me de baas was. Ik denk dat ik dat te plotseling deed. Hij wist dat ik deed alsof. Hij haalde er een jongen bij – hij was hooguit veertien – en hij vocht met hem. Hij doodde hem. Hij zei dat hij, iedere keer als ik hem probeerde te bedriegen, hetzelfde zou doen.' Ze vermande zich. 'O god, ik wist dat ik zou sterven als ik daar niet wegkwam. Dat zou voor hem de eindoverwinning zijn.' Ze wachtte even. 'Maar ik liet het doorgaan en probeerde geduldig te zijn. Ik deed het langzaam, heel langzaam. Onze vechtpartijen werden steeds heviger en hij was ervan overtuigd dat het nog maar een kwestie van tijd was voor hij zou winnen. Ik zorgde er zelfs voor dat ik meegaand was in al zijn seksuele grillen. Hij begon me als vanzelfsprekend te beschouwen.'

'Gevaarlijk.'

'Op een zekere avond heb ik hem laten winnen. Ik moest het doen. Het was de enige manier om hem te ontwapenen. Ik zal zijn gezicht nooit vergeten... Ik wist dat hij er bij het volgende gevecht geen genoegen mee zou nemen me op de grond te krijgen. Hij zou me willen doden. De lol was eraf voor hem. Ik had gelijk. Voordat hij me verliet zei hij dat hij in het volgende gevecht iets nieuws zou introduceren. Messen.' Ze ademde beverig. 'Die nacht ben ik ontsnapt en heb ik me in de heuvels verborgen. Ik bleef uit de buurt van onze groep, maar het lukte me om Dominic te vinden. Ze hadden hem een leugen over mij verteld en gezegd dat ik het gebied had verlaten, maar hij was nog steeds naar me op zoek. Hij gaf me geld en zei dat hij me over een maand in Tomaco zou treffen.'

'Maar je ontdekte dat je in verwachting was?'

'Ik weigerde het te geloven tot ik bijna vier maanden ver was. Ik kon niet geloven dat God zo wreed kon zijn.'

'Je had je kunnen laten aborteren.'

'Nee, dat kon ik niet. Dat was voor mij geen aanvaardbare optie.'

Ze staarde in haar koffiekopje. 'Maar ik was van plan hem na zijn geboorte af te staan. Ik haatte die maanden. Mijn gezwollen lichaam en zijn kind in me... Het was alsof hij uiteindelijk een manier had gevonden om me te verslaan.'

'En toen Barry was geboren?'

'Ik wilde niet eens naar hem kijken. Dominic zorgde voor hem na de geboorte terwijl we probeerden een thuis voor hem te vinden. Toen Barry ongeveer zes weken oud was lag Dominic in bed met griep en moest ik voor de baby zorgen.' Ze stopte met praten, verzonken in herinnering. 'Ik zat hem te wiegen en hij lachte tegen me. Ik weet dat ze niet verondersteld worden op die leeftijd echt tegen je te glimlachen, maar Barry lachte. Het was een glimlach zoals ik nooit eerder had gezien. Ik denk dat God wilde dat hij me iets vertelde.'

'Dat je voor hem moest zorgen?'

'Nee, dat hij een op zichzelf staand wezen was en dat hij een kans verdiende.' Ze glimlachte beschroomd. 'Het is een mooi wezen, Galen. Vanaf het begin was hij vol liefde en vreugde en verwondering. Er zit niets van dat monster in Barry.'

'Ik geloof je.'

'Je kent hem niet echt. Hij is... bijzonder.'

'En je bent bang dat Chavez hem zou veranderen?'

'Nee. Barry heeft een sterk, liefhebbend karakter en ik geloof niet dat dat kan worden verwrongen. Maar wat Chavez niet kan veroveren, vernietigt hij. Barry is maar een kleine jongen. Ik weet niet of hij hem zou kunnen overleven.' Ze haalde diep adem. 'Maar hij zal het niet hoeven proberen. Chavez krijgt hem niet in handen.'

'Hoe kwam Chavez achter het bestaan van Barry?'

'Dominic hield contact met iemand in de rebellengroep. Hij gelooft nog steeds dat een verloren ziel kan worden gered. We werden verraden.'

'Door wie?'

Ze gaf niet direct antwoord. 'Door mijn broer Luís. Hij werkt nu als informant voor Chavez.'

'Van je familie moet je het maar hebben.'

'Een familieband heeft geen kans tegen een kilo cocaïne. Luís is al jaren aan de drugs.'

'Chavez weer.'

'Ja.'

'Dat moet erg voor je zijn geweest.'

Ze knikte. 'Ik hield van Luís. Je kunt je gevoelens niet zomaar uitzetten en doorgaan. God weet dat ik het geprobeerd heb.' Ze schoof haar stoel achteruit. 'Ik ga naar bed. Welterusten.'

'Welterusten.' Hij kwam overeind en volgde haar naar de gang. 'Probeer prettig te dromen.'

'Soms heb je je dromen niet onder controle.'

'Je verbaast me. Ik dacht dat je tegenwoordig alles onder controle had.'

Ze keek over haar schouder. 'Probeer maar niet me een beter gevoel te geven over mijn gedrag van vanavond. Je vond het vast zwak van me.'

'Nee, je was menselijk. Er is niets zwaks aan jou.' Hun blikken ontmoetten elkaar. 'Iedereen heeft er recht op zich af en toe even te laten gaan.'

'Wanneer zal ik jou dat zien doen? Laat maar.' Ze begon de trap op te lopen en draaide zich halverwege naar hem om. 'Je bent erg aardig voor me geweest vannacht. Ik... dank je.'

'O, in godsnaam. Ik heb alleen maar geluisterd.'

'Nee, je deed meer dan dat. Ik zal het niet vergeten.'

'Dat is goed. Je weet nooit wanneer ik zal besluiten je eraan te houden. Ik neem aan dat je niet zo verstandig wordt om van nu af aan uit die gymzaal te blijven?'

Ze schudde haar hoofd. 'Ik moet het onder ogen zien tot het me geen pijn meer doet. Die periode met hem overheerst me nog, ontwricht mijn leven, verandert wat ik ben. Ik was me daar tot vannacht niet van bewust. Ik moet een manier vinden om me ervan te bevrijden.'

'Dan denk ik dat ik een manier moet vinden om dat proces te versnellen. Al die slepende somberheid deprimeert me.'

'Je hebt er niets mee te maken.'

'Dat vertel ik mezelf ook steeds.' Hij bleef haar aankijken. 'Het werkt niet.'

Ze verstilde. Ze kon haar ogen niet van hem losmaken.

'Ga naar bed.' Hij draaide zich om. 'Ik moet die kopjes afwassen. Het werk van een man is nooit gedaan.'

Ze staarde hem na. Wat was er gebeurd in dat laatste ogenblik van contact? Hij had haar niet aangeraakt, had geen woord gezegd dat niet gewoon was bedoeld om haar op haar gemak te stellen. Toch was die ene blik genoeg geweest om een golf van opwinding door haar heen te jagen. Dat had niet mogen gebeuren. Zeker niet vannacht. In haar geest had ze die periode van seksuele verschrikking en wreedheid opnieuw beleefd; ze had niets dan afkeer moeten voelen, zoals ze had met andere mannen. Maar het was gebeurd, en dat betekende dat de chemie tussen hen even sterk moest zijn als die bittere herinnering.

Denk er niet meer aan. Ze was te moe en te verward om over seks en chemie en Sean Galen na te denken. De constatering dat ze nog steeds verminkt was door die herinnering was een te grote schok geweest. Ze had tegen zichzelf gelogen. Ze had in de jaren nadat ze aan Chavez was ontsnapt gedacht dat ze zichzelf langzaam had genezen. Het was duidelijk dat ze nog een lange weg te gaan had.

Ze begon de trap verder op te lopen.

Maar ze zou er komen. Ze kon Chavez niet laten winnen. Gedurende die laatste dagen toen ze had gedaan alsof ze door hem was verslagen, was ze vervuld geweest van bitterheid en twijfel aan zichzelf. Er waren momenten geweest waarop ze zich afvroeg of de schijn geen werkelijkheid was geweest.

Dat zou fataal kunnen zijn als ze Chavez opnieuw ontmoette. Hij zou gebruik maken van iedere twijfel, iedere zwakte. En als er nog een restant vergif van die verschrikking in haar systeem was zou hij zich daar ook op werpen.

Er zou geen zwakte zijn. Ze had het op tijd ontdekt en ze zou ervoor zorgen dat ze ieder spoor ervan zou uitdrijven voor ze weer tegenover Chavez zou komen te staan.

Shit.

Galen draaide de kraan van bij het aanrecht wijd open. Zo moet je dat doen, beste man. Bied haar een helpende hand, luister naar een verhaal dat je het verlangen geeft Chavez te vierendelen en laat haar dan weten dat je haar zou willen bespringen en hetzelfde doen. Hij had geluk gehad dat ze niet de trap was afgekomen om hem een karateslag te geven.

Hij verdiende het.

Ach wat, het zat erin dat het zou gebeuren. De seksuele spanning was als een constante onderstroom geweest sinds de nacht dat ze elkaar hadden ontmoet, hoewel hij zich er met hand en tand tegen had verzet. Hij wist niet eens of Elena zich voor vanavond bewust was geweest van die spanning. Hij had niet gewild dat ze het wist. Als hij het negeerde zou het misschien weggaan en dat was het beste voor hen beiden. Hij gaf er de voorkeur aan zijn relaties met vrouwen luchtig en prettig te houden, oppervlakkig. Aan Elena was niets luchtigs. Ze was te intens, en ze vervulde hem met een mengeling van emoties die varieerden van beschermend medelijden tot bewondering, tot ergernis. Soms binnen enkele ogenblikken. Hij had daar geen behoefte aan. Dat wilde hij niet.

Hij spoelde de kopjes af en zette ze in het afdruiprek.

Oké. Los het probleem op en zorg dat ze hier wegkomt. Als hij dat vlug genoeg deed zou hij mogelijk kunnen voorkomen dat hij aanstalten in haar richting zou maken waar ze beiden spijt van zouden krijgen.

Hij ging op een keukenstoel zitten en belde Manero. Hoewel het laat was nam die onmiddellijk op.

'Wat is er over Chavez?'

'Nog steeds in Colombia. De Delgado's zijn vanochtend vertrokken en ik heb me laten vertellen dat het afscheid heel hartelijk was.'

'En Gomez?'

'Geen spoor van hem.' Hij zweeg even. 'Maar er zijn via via vragen over jou gesteld.'

'Wat voor soort vragen?'

'O, gevoelige, bezorgde kleine vragen. Hoe je te bereiken bent. Wie er valt om te kopen om Chavez jouw hoofd te brengen. Waar je zou kunnen zijn. Je moet nogal wat beroering hebben veroorzaakt.'

'Ik heb het een beetje druk gehad.' Hij dacht even na. 'Zorg ervoor dat Chavez achter mijn telefoonnummer komt. Dan denkt hij dat hij op de goede weg is, en ik wil zijn initiatief aanmoedigen.'

'Chavez heeft geen aanmoediging nodig.'

'De tijger moet altijd het gevoel hebben dat hij de enige rover is. Het maakt hem onvoorzichtig ten aanzien van eventuele valkuilen. Bel me als Chavez in beweging komt.' Hij hing op en leunde achterover in zijn stoel. Rustig blijven. De woede die hij had gevoeld toen hij naar Elena luisterde was nog sterk. Het was lang geleden dat hij er zo naar had verlangd iemand te vermoorden, en haat kon een man ertoe brengen fouten te maken.

Kom op, Chavez. Ik wacht op je.

Barry lachte.

Elena glimlachte toen ze de trap af liep. Hij en Dominic waren vanochtend blijkbaar voor haar wakker geworden. Hij klonk alsof hij een geweldige –

Het lachen kwam uit de gymzaal.

Ze stopte geschokt en liep toen langzaam verder de trap af.

'Barry?'

'Mama, kom vlug. Ik maak salto's.'

'Ik zie het.' Ze stond in de deuropening. Barry en Galen waren op de mat en hij hielp de jongen koprollen te maken. Ze klemde zich vast aan de deurpost. Ze wilde de jongen oppakken en hem daar weghalen. Galen kon ze wel vermoorden.

'Mama, kijk dan.'

Galen ontmoette haar blik. 'Ja, kijk naar hem, mama. Hij zal zich niet bezeren. De mat vangt hem op. Dat is het enige waarvoor hij bedoeld is.' Hij wendde zich weer tot Barry. 'Nu gaan we een handstand proberen.'

'Kijk je, mama?'

Ze likte snel over haar lippen. 'Ik kijk, Barry.'

Ze bleef nog tien minuten kijken. Ze zag hem koprollen maken. Ze zag hem handstandjes maken. Ze zag hem giechelend in elkaar zakken als Galen hem speels in zijn ribben porde en kietelde.

Ten slotte zette Galen hem op zijn voeten en gaf hem een klap op zijn achterste. 'Genoeg geravot. Morgen lassen we nog een sessie in. Ga je handen wassen en dan naar de keuken. We hebben werk te doen.'

'Ik weet het. Omeletten,' zei Barry terwijl hij naar Elena rende. Zijn wangen gloeiden en zijn donkere ogen glinsterden van opwinding. 'Heb je me gezien? Die laatste handstand deed ik helemaal alleen.'

'Je was geweldig.' Ze kuste zijn voorhoofd. 'Een echte acrobaat.'

'Ik vind het hier leuk.' Hij rende naar de badkamer.

'Laten we dit snel achter ons brengen.' Galen kwam overeind en pakte een handdoek die over een van de toestellen hing. Hij veegde het zweet van zijn voorhoofd. 'Barry zal zich afvragen waar ik blijf.'

'Je bent een bemoeizieke hufter.'

'Ja. Ik heb je verteld dat ik er niet van hou als wolken boven mijn hoofd blijven hangen.'

'Ik ging zowat over m'n nek toen ik jou en Barry op die mat zag.'

'Het was riskant.' Hij veegde de achterkant van zijn nek af. 'Ik besloot dat ik twee mogelijkheden had als ik niet wilde toezien hoe jij jezelf verscheurt. Ik kon de mat, met een foto van Chavez erop, aan de muur hangen. Dan konden we om de beurt met darts – of misschien met jachtmessen – gooien tot er geen mat meer was. Het zou zoiets zijn als de afbeeldingen van Hitler en Tojo die de geallieerden tijdens de Tweede Wereldoorlog hadden. Het idee sprak me wel aan, maar het zou misschien te gewelddadig zijn geweest met Barry in de buurt.' Hij gooide de handdoek op het toestel. 'Dus besloot ik een slechte herinnering te vervangen door een goede.'

'Het was niet goed.'

'Maar het was ook geen nachtmerrie. Je vond het prettig om Barry zo blij te zien.' Hij liep naar de deur. 'Je hebt je misschien niet verslagen gevoeld door je vechtpartijtjes met Chavez, maar ik denk dat de verkrachting iets anders was. Dat heeft je geraakt. Maar je vergist je.

Wat er op die mat gebeurde was geen nederlaag voor je; het was in werkelijkheid de definitieve overwinning. Chavez was dat niet van plan, maar hij gaf je de hoofdprijs. Hij heeft je Barry gegeven.' Hij liep langs haar heen en ging de gang in. 'Ik heb Barry beloofd dat we elke ochtend gaan trainen. Ik denk dat hij het fijn zou vinden als je daarbij was. Denk je dat je dat aankunt?'

Ze wilde nee zeggen. Ze was vervuld geweest van angst en afschuw en van het verlangen Barry op te pakken en weg te rennen. Die minuten leken eeuwig te duren.

Maar het was niet onmogelijk geweest ze te doorstaan. Misschien kon het beter worden.

Vervang slechte herinneringen door goede.

'Ik kan het aan.'

'De telefoon staat op naam van Desmond Sprull, op een vals adres in Vegas,' zei Gomez. 'We kunnen Galen niet via dat nummer opsporen.'

'En omdat je niet weet waar hij is, kun je niet dichtbij genoeg komen om zijn gesprekken te checken,' zei Chavez. 'Het is nog een wonder dat je kans hebt gezien aan dit nummer te komen.'

'We vinden hem wel.' Hij wachtte even. 'Hij heeft een vriend, John Logan. We zouden de kwestie met hem kunnen bespreken.'

'Je bedoelt de informatie uit hem persen? Logan heeft invloed in hoge kringen. Het laatste dat we nodig hebben is dat de regering in beroering komt. Onze informant vertelt ons dat de DEA al genoeg herrie maakt over de dood van die agenten in de wijngaard.'

Chavez dacht even na. 'Maar misschien staat hij in contact met Galen. Plaats afluisterapparatuur in zijn kantoor en zijn woning. Eens kijken wat dat oplevert.'

'Logan heeft een goede beveiliging. Het zal niet –'

'Ik wil niets horen over problemen. Ik wil antwoorden horen.' Hij verbrak de verbinding.

Hij keek naar het telefoonnummer op het kladblok voor hem. Techniek was iets prachtigs. De veroveraars van vroeger hadden hun wapens en Chavez had dit. Hij kon dit nummer draaien en binnen enkele seconden met Galen praten. Een telefoontje was misschien alles wat nodig was. Chavez hoefde alleen maar voldoende geld te bieden en de meeste mensen zouden hem alles geven wat hij nodig had. Galen had die reputatie niet, maar het was alleen maar een kwestie van uitvinden welke knop hij moest indrukken.

Hij zou dat nummer niet bellen. Nog niet. Galen had zich met zijn zaken bemoeid en die teef geholpen zijn zoon te stelen. Hij wilde niet dat hij er zonder te lijden vanaf kwam. Hij zou Gomez eerst nog de kans geven om hem te vinden.

En dan zou hij hem misschien uitnodigen in zijn gymzaal voor een vechtpartijtje.

7

'Goedemorgen.' Judd Morgan wendde zich af van het keuken-
kastje en glimlachte tegen Elena. 'Wil je een kop koffie? Ik zou
je iets te eten aanbieden, maar Galen is erg bezitterig over zijn
domein. Ik ben verslaafd aan junkfood. Ik moet hier binnenslui-
pen voor mijn cornflakes.'
'Ik wil wel graag een kopje koffie.' Ze gluurde naar zijn kom en
het pak ernaast. Het was inderdaad cornflakes. 'Ik pak het zelf
wel. Als je dit inderdaad stiekem doet, heb je niet veel tijd. Ik
denk dat Galen en Barry bijna klaar zijn met de les.'
'Zo te horen heeft hij het geweldig naar zijn zin. En hij leert snel.
Hij is nu bijna een week bezig, hè?'
Ze had niet gedacht dat Morgan zelfs maar op de hoogte was
van wat er in de gymzaal gebeurde. Behalve bij de lunch en het
avondeten had ze hem nauwelijks gezien. 'Ja, en hij wordt iedere dag beter.' Ze schonk haar koffie in. En zij werd ook beter. Bij
iedere sessie werd het gemakkelijker voor haar om ernaar te kijken. Dit was de eerste ochtend dat ze het niet als een vlucht had
gevoeld toen ze de gymzaal verliet. 'Galen is een echte leermees-
ter. Hij geeft nooit op.'
'Nee, dat doet hij inderdaad niet.' Hij nam een hap van zijn cornflakes. 'Maar hij zal de jongen geen pijn doen.'
'Dat is wat hij over jou zei.'
Zijn lepel stopte halverwege zijn mond. 'Heeft hij je over mij verteld? Dan moet hij je wel vertrouwen. Hij is verdomd voorzichtig geweest over mijn onderduiken hier. Maar, aan de andere kant,
jij bent ook een van zijn verstotelingen, nietwaar?'
'Ik zou ons niet gauw bestempelen als verstoteling.'
'Dat zou Galen ook niet. Maar ik geloof dat hij ergens, diep in
die gecompliceerde geest van hem, zo over ons denkt. Hij is een
probleemoplosser en wij hebben alle twee een probleem.' Hij nam
weer een hap van zijn cornflakes. 'Hij vecht ertegen, maar het is

zijn aard. Wat mij betreft, ik had er niet blijer mee kunnen zijn. De pot op met mijn trots. Dat karaktertrekje van hem heeft mijn nek gered. Hij heeft me net op tijd uit de nesten gehaald.'

Zoals hij Elena van die berg had gehaald en vervolgens uit de wijngaard. 'Ken je hem al lang?'

'Ongeveer vijf jaar. We ontmoetten elkaar bij een karwei in Sydney en zijn elkaar in de loop der jaren verscheidene malen tegen het lijf gelopen.' Hij schoof zijn kom weg. 'Hij hoorde van zijn contacten dat ze me de schuld voor een misser in de schoenen wilden schuiven, en belde me op. Ik had maar een paar minuten voorsprong op de ploeg die was gestuurd om me op te pakken.'

'En toen heeft hij je hierheen gebracht?'

'Het leek hem behoorlijk veilig. Ze wisten niet dat we zo goed bevriend waren.' Hij grijnsde. 'Ik trouwens ook niet. Ik wist eerst zelfs niet zeker of ik wel op dat telefoontje moest reageren.'

'Maar je bent blij dat je dat wel hebt gedaan.'

'Reken maar.' Zijn mondhoeken trokken naar beneden. 'Ik zou alleen willen dat Logan opschoot. Ik begin zenuwachtig te worden.'

Ze veranderde van onderwerp. 'Ik heb je schilderij gezien. Het beviel me.'

'Mij ook. Alles wat ik hier doe bevalt me. Ik was moe en toch al van plan ermee op te houden.' Hij keek haar strak aan. 'Maar dat geldt niet voor jou, hè?'

'Wat bedoel je?'

Hij haalde zijn schouders op. 'Ik ben er in de loop der jaren redelijk goed in geworden lichaamstaal te interpreteren. Jij verstopt je niet, jij wacht.'

Ze was zich er niet eens van bewust geweest dat hij haar bestudeerd had. 'En dus?'

'Niets. Je doet maar waar je zin in hebt. Speel ieder spel dat je wilt. Maar zorg ervoor dat Galen er heelhuids uitkomt.'

Ze keek hem vragend aan. 'En wat zou jij doen als ik dat niet deed?'

'Ik ben hem wat verschuldigd. Wat zou je denken?'

Ze had nooit een angstaanjagender glimlach gezien. 'Dan is het maar goed dat ik niet van plan ben hem iets te laten overkomen, nietwaar?' Ze stond op. 'Bedankt voor de koffie, Morgan.'

'Het was me een genoegen.'

Ze verliet de keuken en liep naar de gymzaal.

Wachten, niet verstoppen.

Judd Morgan was net zo scherpzinnig als Galen, maar zij was niet zo meedogenloos als hij dacht. Ze was niet zo vervuld van haat dat ze de onschuldigen met de schuldigen zou opofferen. Of zou ze dat wel doen? Als het zover kwam, zou er dan iets zijn dat haar zou tegenhouden om hun leven te verlossen van Chavez? Hij had over haar heen gehangen als een afzichtelijk monster, altijd aanwezig, altijd een bedreiging. Ze wilde hem niet langer die macht over haar laten houden.

Barry's les was een paar minuten nadat ze terugkwam in de gymzaal afgelopen en hij stoof langs haar heen om zich boven te gaan wassen. Galen hield haar tegen toen ze hem wilde volgen. 'Je liep weg, is alles in orde?'

'Ik hoorde Morgan in de keuken en ben een kop koffie gaan drinken. Ik heb cafeïne nodig om de dag te beginnen.'

'Als je behoefte voelde aan prikkels van buitenaf moet het wel beter met je gaan.'

Ze knikte.

'Goddank.' Hij grijnsde tegen haar. 'Het zou echt een klap voor me zijn als ik me had vergist. Hoewel, het gebeurt natuurlijk niet vaak en iedereen heeft recht op één vergissing in een millennium. Toch zou het –'

'Hou op.' Ze moest wel lachen. Hij gloeide en blonk net als Barry, en zijn energieniveau lag zelfs hoger. Ze had plotseling de neiging met haar hand door zijn donkere haar te woelen zoals ze bij haar zoon had gedaan. Geen goed idee. 'Zo dadelijk ga je een citaat van je moeder op me loslaten en daar ben ik nog niet aan toe.'

'Waarom niet? Je hebt je cafeïne gehad.' Zijn pas was veerkrachtig toen hij in de richting van de trap liep. 'En, heb je een band gekregen met Judd?'

'Niet echt.'

Toen hij de aarzeling in haar stem hoorde bleef hij staan. Hij draaide zich om en keek haar aan.

'Hij waarschuwde me jou niets te laten overkomen.'

'Begrijpelijk. Hij is een beetje beschermend. Hij weet wat voor zwak, fragiel type ik ben.'

Ze snoof.

'Maar waarom kwam dat onderwerp aan de orde? Daar ben ik benieuwd naar.'

'Hij zei dat ik me niet verstopte, maar dat ik wachtte.'

'Ah, Judd is een snuggere man. Hij begrijpt het verschil.'

'Heb je niet met hem over Chavez gesproken?'

'Ik heb hem verteld dat hij achter jou en je zoon aanzit. Nee, ik heb hem niet verteld dat je bezig was een manier te vinden om je permanent van Chavez te ontdoen. Maar dat kan hij zelf bedacht hebben als hij iets heeft gemerkt van die middagtrainingen in de schuur die je jezelf oplegt.'

Ze verstijfde. Ze had geprobeerd die trainingen voor zichzelf te houden.

'Het is mijn werk om ieder moment te weten waar je bent,' zei hij, als antwoord op haar onuitgesproken vraag. 'Die oefeningen zijn behoorlijk inspannend. Hoe is het met je wond?'

'Bezig te genezen.'

'Dat dacht ik al, anders zou ik ingegrepen hebben.' Hij zuchtte zogenaamd van opluchting. 'Ik ben blij dat ik dat niet hoefde te doen. Ik hecht waarde aan mijn leven. Je bent een gevaarlijke vrouw.'

'En jij loopt over van slap gezwets.'

'Maar wel van een zeer onderhoudende soort.' Hij stopte met één voet op de onderste trede. 'Ik zal Judd vertellen dat hij jou niet aansprakelijk mag stellen als Chavez geluk heeft. Ik wist waar ik aan begon.'

'Maar je wilde het probleem oplossen. Wat is dat met jou? Verveel je je zo erg dat je betrokken moet zijn bij iedereen om je heen?'

'Ik verveel me niet. Deze keer niet,' zei hij zacht. 'Ik vind jou heel... stimulerend.'

Haar ademhaling stokte. Hij was in de tijd van een hartslag van luchthartigheid overgegaan op een verontrustende ernst. Ze wendde haar blik van hem af. 'Ik los mijn eigen problemen op, Galen.'

Hij knikte. 'Daarom probeer je ook sterker te worden. Hoe ben je met wapens? Ben je in de afgelopen zes jaar iets van je vaardigheid kwijtgeraakt?'

Ze schudde haar hoofd. 'Ik ben opgegroeid met vuurwapens en

messen. Dat is iets wat je niet meer kwijtraakt.'

'Maar je verliest de scherpte in gevechten van man tegen man. Daar moet ik over nadenken.' Hij ging met twee treden tegelijk de trap op. 'Direct na mijn douche. Wil je de oven vast voorverwarmen op tweevijfentwintig? Ik ga vanochtend beschuitbolletjes maken.'

Ze staarde hem na. Het was moeilijk wedijveren met zoveel energie en grenzeloos zelfvertrouwen. Ze had vaak het gevoel alsof ze te dicht bij een bliksemschicht was gekomen. Ze had haar onafhankelijkheid willen bevestigen en hem willen vertellen dat het niet haar bedoeling was hem tot slachtoffer te maken. Het was er niet van gekomen. Hij had haar verrast en ze was in de verdediging gedwongen.

Straks.

Ze zuchtte toen ze de keuken inging om de oven aan te zetten.

Elena was diep in slaap in de hangmat op de veranda.

Galen sloot voorzichtig de hordeur achter zich en bleef even staan om naar haar te kijken. Zo kwetsbaar had hij haar sinds die avond in Tomaco niet gezien. Als ze wakker was maakte ze altijd een alerte en behoedzame indruk. Nee, dat was niet helemaal waar. Er waren momenten met Dominic en Barry dat ze er zacht en min of meer... stralend uitzag. Het was moeilijk voor hem geweest zijn ogen van haar af te houden.

Het stralende was er nu niet, maar haar wangen waren blozend van de hitte. Haar lippen waren ontspannen en een beetje geopend en haar lichaam –

Het was beter niet aan haar lichaam te denken.

Het was beter helemaal op te houden met staren. Hij was hier gekomen om Judd te zoeken die een eindje van de veranda bij de omheining stond. Dus, ter zake. Hij hield haar in de gaten terwijl hij stilletjes over de veranda liep en de trap afging.

Ze bewoog niet.

'Ik ga proberen die verrekte kraal van je te schilderen. Hij heeft een paar interessante contrasterende lijnen en licht- en schaduwplekken,' zei Judd toen Galen bij hem kwam. 'Maar je had er wat paarden bij kunnen leveren. Wat is een kraal zonder paarden?'

'Leeg?' Galen leunde op het hek. 'Je moet het zo zien. Iedereen zou een kraal vol paarden kunnen schilderen. Dat is al gedaan. Wat jij doet is de eenzaamheid weergeven, het voortschrijden van de tijd, de mythe van de cowboy zonder zijn oude makker...'

'Ik begin me niet lekker te voelen.'

'Dan laat ik je je eigen redenen bedenken.' Galen staarde naar de bergen. 'Ik wil je om een gunst vragen, Judd.'

'Afgezien van afwassen?'

'Ik ben me ervan bewust dat je er niet van houdt kloofjes in je waardevolle handen te krijgen, maar iemand moet het dagelijkse, geestdodende werk doen. Ik moet mezelf sparen voor grotere zaken.'

'Hou op, Galen.'

De luchthartigheid viel van Galen af als een afgedankt shirt. 'Ik wil graag dat je gaat trainen met Elena.'

'Wat?'

'Ik wil dat je met haar gaat sparren. Man tegen man.'

Judd keek naar de slapende Elena. 'Vergeet het maar.'

'Ze heeft het nodig.'

'Bedoel je dat ik haar een paar grepen moet bijbrengen?'

'Nee, ze kan jou er misschien een paar te leren. Ze heeft alleen wat oefening nodig.'

Judd trok zijn wenkbrauwen weifelend op. 'Ze is een vrouw. Ik heb er moeite mee vrouwen in elkaar te slaan.'

'Geef haar een kans. Ze zou je kunnen verbazen.'

'Jij hebt ook bij de commando's gezeten. En je hebt de laatste paar jaar heel wat meer man-tegen-mangevechten gedaan dan ik. Doe het zelf.'

'Dat gaat niet.'

'Waarom niet?'

Hij zweeg even. 'Omdat ze meteen zou merken dat ik haar op een heel andere manier zou willen aanraken.'

'O.'

'Dus, doe je het?'

Hij schudde zijn hoofd. 'Ik ben niet gewend me in te houden. Ik zou haar kunnen doden.'

Galen keek om naar Elena. Het was duidelijk dat ze diep in slaap was...

Nou, dan moest het maar. 'Heb je je stiletto bij je?'

Judd staarde hem met samengeknepen ogen aan. 'Wat ben je van plan?'

'Gewoon een experimentje. Heb je hem bij je?'

'In mijn zak.'

'Pak hem, maar klik hem nog niet open.'

Judd haalde het mes uit zijn spijkerbroek. 'En wat nu?'

'Sla van achter je arm om mijn nek.'

Judd klemde zijn nek in zijn arm. 'Dit is gevaarlijk,' mompelde hij. 'Ik heb een hoop onderdrukte wrok vanwege al die borden die ik heb afgewassen.'

'Laat nu het lemmet eruit schieten.'

Het geluid was een zachte metalen klik. 'Waarom? Wil je geschoren worden. Dit is niet –'

Galen duwde hem opzij, draaide zich snel om en hield zijn arm omhoog om de aanval af te weren. Elena's hand ging naar de achterkant van Judds nek.

Galen greep haar pols. 'Stop. Het is in orde. Alleen maar een demonstratie.'

Elena begon te worstelen en stopte toen. 'Om de donder niet.' Haar ogen stonden nog wazig en ze schudde haar hoofd om het helder te maken.

'Ze sliep.' Judd staarde peinzend naar Elena. 'Ze sliep vast.'

'Tot ze iets ongewoons hoorde en zag hoe jij me in een hoofdgreep hield. Vechtersinstinct. We hebben alle twee gezien hoe soldaten in diepe slaap automatisch reageren als de vijand nadert.' Hij liet Elena los en stapte achteruit. 'Ze was snel, vind je niet?'

'En jij was stom,' zei Elena koel. 'Ik had Morgan wel dood kunnen slaan.'

'Als ik je niet had verwacht.' Hij wendde zich tot Judd. 'Dat was een *shuto*-klap, gericht op de achterkant van de nek. Als hij je had geraakt zou je blijvend invalide of dood zijn geweest. Ben je nog steeds bang dat je haar pijn zult doen?'

'Nee.' Hij klapte zijn mes dicht en stopte het in zijn zak. 'Laat ze maar oppassen.'

'Wie zegt dat ik dat niet doe?' Elena keek Galen nijdig aan. 'Wat is hier verdomme aan de hand?'

'Je hebt Judd blijkbaar de indruk gegeven dat je te vriendelijk bent om je lijf en leden te beschermen. Ik heb een kleine demon-

stratie gegeven om hem te laten zien dat hij daar geen gewetens-
bezwaren over hoeft te hebben. Doe je het, Judd?'

Hij knikte langzaam. 'Morgenochtend in de gymzaal?'

'Laat in de middag. Dan doet Barry zijn dutje,' zei Galen. 'En
niet de gymzaal, maar in de schuur.'

'Zoals je wilt.' Judd ging naar het huis. 'Maar dan doe ik die verdomde vaat alleen nog om de dag.'

'Als je daarop staat. Maar wees voorzichtig, ik zou het heel zwaar
opnemen als je haar per ongeluk doodde.'

'Je kunt niet alles hebben.'

'Dat kan ik wel degelijk.

'Kan ik je even spreken?' siste Elena tussen haar tanden terwijl
Morgan in het huis verdween. 'Waar gaat dit allemaal over?'

'Je hebt oefening nodig in man-tegen-mangevecht. Judd heeft er
welwillend in toegestemd je sparringpartner te zijn. Je zult merken dat hij heel goed is.'

'En wat als ik zijn hulp niet wil?'

'Dan heb ik voor niets al die moeite gedaan om jullie twee bij elkaar te brengen. Ik haat het als een plan niet werkt.'

'En ik haat het als iemand plannen maakt zonder met mij te overleggen.'

'Heb je de oefening nodig?'

'Ja.'

'En zou het niet onverstandig zijn om geen gebruik te maken van
een bereidwillige en bekwame partner?'

Ze keek hem nijdig aan.

'En waarom zou ik niet mogen aannemen dat je alles zult willen
doen om klaar te zijn voor Chavez?'

'Je had het me kunnen vragen.'

'Ik was er niet zeker van dat ik Judd zover zou krijgen om mee
te werken. Dan had ik jou moeten teleurstellen.'

'Ik ben wel vaker teleurgesteld.'

'Dat weet ik.' Hij ontmoette haar blik. 'En dat maakt me verdrietig. Ik wilde niet degene zijn die dat opnieuw deed.'

Hij liep naar de verandatrap. 'Ga je gebruik maken van Judd?'

'Ja.' Ze grijnsde. 'Maar jij bent degene die ik een mep had moeten geven. Als je op zoek bent naar een probleem om op te lossen moet je niet bij mij zijn.'

'Maar je bent zulk prachtig materiaal.' Hij opende de hordeur en keek over zijn schouder. Zijn zwarte ogen glinsterden. 'En ik zou je aandacht willen vestigen op het feit dat je mij geen mep gaf, maar dat je je uiterste best deed om mijn hachje te redden. Betekent dat dat je van me begint te houden?'

'Het betekent dat ik half in slaap was.'

'Weer eens vermorzeld. Nou ja, beter mijn ego dan mijn strottenhoofd.'

Hij verdween in het huis.

Ze keek hem geïrriteerd na. Hij had het met haar moeten overleggen. Het was waar dat hij haar een dienst had bewezen door Morgan te werven om met haar te trainen, maar dat betekende niet dat hij het recht had zich als leider op te werpen. Hij drukte maar door, zorgde voor wat hij dacht dat ze nodig had, en manipuleerde de mensen om hem heen.

Maar hij had wel voor haar geregeld dat de trainingen niet in de gymzaal maar in de schuur werden gehouden. Ze begon iedere dag minder getraumatiseerd te raken door de lokatie van die nachtmerrie, maar Galen had begrepen dat ze nog niet klaar was om in die omgeving te moeten vechten. Hij had een begrip en een gevoeligheid getoond waar ze diep dankbaar voor was. Wat voor man was hij in 's hemelsnaam?

Ze moest niet aan hem denken. Hij was geestelijk en lichamelijk te verwarrend. Laatst had ze zichzelf erop betrapt dat ze tijdens die ochtendtrainingen naar hem zat te kijken in plaats van naar haar zoon. In het begin was het objectieve bewondering geweest voor zijn snelheid en de bijna dierlijke gratie van zijn bewegingen. Ze zou liegen als ze beweerde dat wat ze nu voelde nog steeds objectief was. De opwinding was te sterk om iets anders te kunnen zijn dan seksuele aantrekkingskracht.

Instinctief schrok ze van die gedachte. Niet met Galen. Met niemand. Ze kon het niet aan. Accepteer wat Galen aanbood en raak niet betrokken. Laat jezelf nooit vrijwillig doen waar Chavez je toe gedwongen heeft. Loop weg, blijf waakzaam.

Weglopen?

Ze verstijfde toen ze besefte waar ze aan dacht.

Lieve hemel.

'Je bent helemaal bezweet,' zei Barry. 'En je hebt stro in je haar. Heb je weer met Judd in de schuur gespeeld?'

'Ja.' Ze drukte een kus op zijn voorhoofd. 'Wat heb jij gedaan?'

'Galen is de stad in geweest en heeft een keyboard voor me gekocht. Dominic zegt dat hij net zo werkt als de piano die ik thuis had.'

'Dat is leuk voor je.'

'Kan ik de volgende keer komen kijken als je in de schuur bent?'

'Ik denk het niet.'

'Jij mag ook naar mij kijken in de gymzaal.'

Barry zou gek worden van angst als hij hun trainingen zag. Judd Morgan was goed, creatief en totaal meedogenloos en zij hield zich net zomin in. Het waren acht nuttige dagen geweest en ze voelde zich bijna net zo bedreven als ze vroeger was geweest.

'Soms kunnen spelletjes van volwassenen een beetje eng zijn.'

'Maar je hebt gezegd dat ik enge dingen onder ogen moet zien, en dat ze dan meestal weggaan. Weet je nog dat ik dacht dat er een monster onder mijn bed was? We gingen op de grond liggen en hebben gekeken.'

'Misschien laat ik je komen als we een paar trainingen verder zijn.' Ze veranderde van onderwerp. 'Wil je "Yankee Doodle" voor me spelen als ik uit de douche kom?'

Hij schudde zijn hoofd. 'Ik moet oefenen. Ik vergeet...' Hij fronste zijn wenkbrauwen. 'Het lijkt lang geleden sinds we uit Tomaco weg zijn gegaan, hè?'

Ze knikte. 'Er zijn een hoop dingen gebeurd.' Ze liep naar de douche. 'Ik ben over tien minuten klaar en dan kun je me je keyboard laten zien.'

'Oké.' Zijn antwoord klonk afwezig. 'Als het een eng spel is, waarom speel je het dan?'

'Het lijkt alleen maar eng.'

'Laat me dan komen kijken.'

Mijn hemel, wat was hij koppig. Of misschien was het geen koppigheid, bedacht ze plotseling. 'Maak je je zorgen over mij, Barry?'

'Je moet geen dingen doen waarbij je je kunt bezeren.'

'En probeer je me te beschermen?'

'Ik wil alleen maar met je meegaan.'

Ze liep door de kamer en nam zijn gezicht in haar handen. 'Er zal niets gebeuren, liefje. Er is in die schuur geen monster dat me pijn kan doen. Alleen maar Judd en ik en een berg stro.'

'Je had gisteren een snee in je arm.'

Ze dacht dat hij het niet gezien had. 'Het was een schram. Jij krijgt aldoor schrammen.'

Zijn ogen glommen van ingehouden tranen. 'Maar ik wil niet dat jij ze krijgt. Nooit.'

Ze omhelsde hem stevig. 'Ik kan je niet beloven dat ik me nooit zal bezeren, net zomin als jij me kunt beloven dat je niet van dat hek zult vallen waarop je vanochtend was geklommen.' Ze wachtte even, zocht naar woorden. 'We proberen goed voor onszelf te zorgen, maar er kan altijd iets gebeuren. Dan zullen we moeten opstaan, het stof van ons afslaan en het nog eens proberen. Anders zullen we nooit weten hoe het is om de top van het hek te bereiken. Was het geen goed gevoel toen je dat deed?'

Hij knikte. 'Ik kon helemaal tot de bergen kijken.'

'Ik heb je niet tegengehouden toen je op dat hek wilde klimmen, hè?'

'Nee.'

'Omdat ik niet wilde dat je er bang voor zou zijn.'

Een plotselinge glimlach verhelderde zijn gezicht. 'Je wilde dat ik onder het bed zou kijken.'

Ze lachte terug. 'Je snapt het. En je zag geen monsters klaarstaan om je van dat hek af te slaan, hè? Nou, ik moet mijn eigen hekken beklimmen en ik mag niet bang zijn, anders kom ik nooit boven.'

Hij was even stil. 'Je stond bij dat hek toen ik aan het klimmen was. Misschien kan ik meekomen voor het geval je hulp nodig hebt.'

'Misschien.' Ze lachte. 'Ik ben tegenwoordig heel goed in het beklimmen van hekken, maar ik kan altijd wel een beetje hulp gebruiken.' Ze duwde hem zacht van zich af. 'We zien wel, Barry. Ga nu naar Dominic. Ik moet douchen.'

Hij rende naar de deur en keek met een ondeugende grijns over zijn schouder. 'Ja, doe dat.' Hij trok zijn neus op. 'Oef.'

Ze glimlachte nog toen ze de douche aanzette. Hij was aan het veranderen, werd met de dag zelfstandiger en gedroeg zich verantwoordelijker. De invloed van Galen? Mogelijk. Of misschien was het het resultaat van de gebeurtenissen van de laatste paar weken. Ze had geluk gehad dat die hem niet angstig hadden gemaakt, zoals ze eerst had gevreesd. Angst kon iets verschrikkelijks zijn.

Maar je hebt gezegd dat ik enge dingen onder ogen moet zien, en dat ze dan meestal weggaan.

Haar glimlach verflauwde. Gemakkelijke woorden om te zeggen, geen gemakkelijke woorden om naar te leven. Toch geloofde ze in die woorden, anders zou ze ze niet gezegd hebben.

Ik moet mijn eigen hekken beklimmen en ik mag niet bang zijn, anders kom ik nooit boven.

Ze was bang. Chavez had haar zelfvertrouwen beschadigd en haar wezen verminkt.

De tijd had haar nog niet genezen.

Het was al zes jaar geleden. Hoeveel langer zou ze moeten wachten tot de een of andere wonderbaarlijke transformatie zou plaatsvinden? Het lag niet in haar aard om achterover te gaan zitten en geen actie te ondernemen als ze eenmaal had vastgesteld dat er een probleem was.

Ze sloot haar ogen en liet het warme water over zich heen stromen. Ze wilde niets ondernemen. Deze keer niet.

Niet op deze manier.

Galen zat op de bank in de woonkamer te lezen toen ze de kamer binnenkwam. Hij keek op van zijn boek. 'Ik dacht dat je naar bed was gegaan. Is er iets mis?'

'Ja. Kunnen we naar buiten gaan op de veranda?'

'Natuurlijk.' Hij kwam overeind. 'Is de jongen in orde?

'Met Barry is alles goed.' Ze liep naar de voordeur. De maan scheen, maar dat was beter dan het heldere licht binnen. Wat een lafaard was ze, dacht ze met afschuw. Het was heus niet zo dat –

'Wat wil je?' vroeg Galen achter haar.

'Jij bent een probleemoplosser.' Ze beet even op haar onderlip 'Ik heb een probleem.'

'En?'

'Ik wil graag met je naar bed.'

Het bleef een volle minuut stil. 'Pardon, wat zei je?'

'Je hebt me verstaan.'

'Draai je om. Ik wil niet alleen maar tegen je achterhoofd aankijken.'

Ze haalde diep adem, vermande zich en draaide zich om. 'Kijk dan naar me. Wat zie je?'

Hij had zijn ogen half dichtgeknepen. 'Ik snap er geen barst van.'

'Het... is moeilijk. Ik had nooit gedacht dat ik – wil je het doen?'

'Waarom?'

'Ik heb niet meer uit vrije wil met een man geslapen sinds Chavez me heeft genomen. Ik heb net beseft dat dat een overwinning voor hem is. Dat wil ik niet. Ik wil niet dat hij me op zo'n manier beschadigt.'

'Geweldig.' Galens mond verstrakte. 'Dat geeft een man het gevoel dat hij echt begeerd wordt.'

'Ik kan er niets aan doen. Ik moet eerlijk tegen je zijn.'

'Waarom ik? Waarom klop je niet op Judds deur?'

'Er was iets... Dat weet je. Ik dacht dat het met jou gemakkelijker zou zijn.'

'Niet het mooiste compliment dat ik ooit heb gehad.'

'Het was niet mijn bedoeling je kwaad te maken.' Haar stem trilde. 'Misschien was het niet zo'n goed idee.'

'Nee, nu niet terugkrabbelen. Het begint net interessant te worden.'

'Hou op. Zeg gewoon ja of nee.' Ze stak haar kin in de lucht. 'Eigenlijk heb ik liever dat je nee zegt. Dit... maakt me bang.'

'O, verdorie.' De boosheid verdween van zijn gezicht. 'Net op het moment dat het me lukt wat onvervalste verontwaardiging bij elkaar te rapen over deze belediging van mijn ego.' Hij kwam een stap dichterbij maar raakte haar niet aan. 'Je slaagt er altijd in mij te ontwapenen, verdomme.'

'Ik wilde je ego niet kwetsen.' Ze keek een andere kant op. 'Ik dacht dat je het niet erg zou vinden. Het zou niet onplezierig zijn geweest. Ik zou alles doen wat je wilde. Vraag maar...'

'Hou je mond.' Hij legde zijn hand op haar lippen, en liet hem toen naar beneden glijden naar haar hals. 'Je bent écht bang. Je hart gaat tekeer als een gek.'

Het was niet alleen maar angst waardoor die reactie werd veroorzaakt. 'Dat zei ik toch. Ik wil eerlijk zijn.' Ze keek weer naar hem en ontmoette zijn ogen. 'Ik moet dit doen. Ik heb Barry geleerd dat je onder je bed moet kijken als je denkt dat daar een monster zit.'

'Ik weet niet helemaal zeker wat ik dan ben.' Hij glimlachte. 'Maar je zult mij niet onder je bed vinden. Je polsslag sprong net omhoog onder mijn duim.'

'Doe je het?'

'Vanaf de eerste minuut dat ik mijn handen op je legde is er nooit enige twijfel geweest dat we bij elkaar zouden komen.' Zijn duimen wreven op en neer langs de zijkanten van haar hals. 'Ik ben maar een armzalige man die niet in staat is zijn lusten te bedwingen.'

'Dank je.' Ze had moeite met ademen. 'Waar? De hangmat?'

'God, nee. Ik ben waardeloos in hangmatten. Ik heb nooit geleerd ermee om te gaan.' Hij leidde haar naar binnen en de trap op. 'Bed. Mijn bed. Dan zal ik me minder onzeker voelen.'

'Kul.'

'Denk je dat ik niet onzeker ben? Je vertelt me dat ik jouw probleem moet oplossen en noemt me vervolgens een monster.' Hij opende de deur van zijn slaapkamer en duwde haar naar binnen. 'Dat is genoeg om Casanova te laten bibberen. Ik moet een overwinning behalen op –'

Ze verstijfde toen ze het bed zag.

'Het komt in orde,' zei Galen zacht. 'Niets aan. Een makkie.'

'Nee.'

'Misschien niet.' Zijn greep werd steviger. 'Maar we komen er samen wel uit. Jij bepaalt het tempo.'

'Dat zal niet gemakkelijk voor je worden.' Ze probeerde te glimlachen. 'Je zegt altijd dat je graag de baas bent.'

'In een situatie als deze heeft de vrouw altijd de leiding.'

'Dat heb ik nooit zo ervaren.'

'Omdat je nooit in een situatie als deze bent geweest.' Hij tilde haar handpalm naar zijn lippen. 'Of wel?'

Ze voelde de hitte van haar handpalm naar de binnenkant van haar arm gaan. 'Ik was geen maagd toen Chavez me nam. Er was een man toen ik zestien was. Nee, meer een jongen. Ik... vond het prettig.'

'Gelukkig. Dan hebben we iets om op door te bouwen.' Hij liet haar hand los en zijn vingers gingen naar de knopen van haar shirt. 'Geen seks meer sinds Chavez?'

'Nee. De bewakers in de gevangenis – ik heb hun nek gebroken.'

'Mooi zo.' Hij maakte een knoop los. 'Dan hoef ik me niet verplicht te voelen om terug te gaan en het voor je te doen.'

'Waarom zou je dat willen?'

'Ik heb verbazingwekkend beschermende gevoelens voor je.' Hij maakte een tweede knoop los. 'Ik wil jouw draken bevechten.'

Haar adem stokte toen hij met zijn vingers langs haar borst streek.

'Dat doe je al.'

'Al je draken.'

'Tot zover mijn leiding.'

'Je hebt de leiding.' Hij nam haar hand en legde hem op zijn hart. 'Voel je het? Dat komt door jou. Je hebt macht. Je maakt dat ik me zwak en sterk voel en alles wat daartussen ligt.'

Zijn hart klopte hard tegen haar hand en joeg een rilling door haar heen. 'Je bent heel... aardig voor me.'

'Om de donder niet.' Hij maakte haar shirt open. 'We weten alle twee dat ik dit aldoor al wilde.'

'Maar ik ben niet... Misschien vind je het niet prettig.'

'Ik zal het prettig vinden.' Er was plotseling humor in zijn ogen toen hij haar aankeek. 'Als je mijn nek niet breekt.'

Tot haar verbazing merkte ze dat ze glimlachte.

Vervang slechte herinneringen door goede.

Ze wist dat de herinnering aan de bewakers nooit meer zo bitter zou zijn na deze nacht. 'Dat zou ik nooit doen.'

'Goed.' Hij liet zich op het bed vallen. 'Laat het spel dan maar beginnen.'

'Ik wil niet dat je... ik ben... beschadigd. Ik wil dat je hier iets aan hebt en ik weet niet zeker of ik je dat kan geven. Dat is niet eerlijk tegenover jou.' Ze bevochtigde haar lippen en zei onzeker: 'Ik zou kunnen doen alsof. Daar ben ik goed in.'

Hij trok haar naast zich, boog zich over haar heen en spreidde langzaam, voorzichtig haar korte haar over het kussen uit. Ze had nooit gedacht dat dit zo'n intiem gebaar kon zijn. Plotseling was ze zich alleen nog bewust van de duisternis en de hitte en van zijn glinsterende ogen boven haar. Hij fluisterde: 'Heb het lef niet.'

8

'Het was niet goed voor je, hè?' Elena staarde in de duisternis. 'Ik heb je bedrogen.'
'Het was goed.' Hij trok haar dichter tegen zich aan. 'En het zal nog beter worden.'
'Ik zei nog dat ik moest doen alsof.'
'Ik ben nooit dol geweest op namaak. Ik hou van echt.' Hij kuste haar voorhoofd. 'Dat is mijn ego weer. Als het ons uiteindelijk lukt, wil ik daar geen enkele twijfel over laten bestaan.'
'Je was... heel goed. Denk ik.'
'Dank je. Ik hecht waarde aan jouw oordeel.' Hij grinnikte. 'Ook al heb je alleen maar een sadistische schoft en een jongen om me mee te vergelijken.'
'Wil je nog een keer?'
'Absoluut. Maar niet nu. Ik vind het veel te prettig om je in mijn armen te houden.'
'Echt waar?'
'Ja. Ik hou van aanraken, en ik heb je al een hele tijd aan willen raken.' Hij streelde haar rug, van haar schouders tot haar billen. 'Je hebt prachtige spieren, sterk en soepel...'
Ze tilde haar hoofd op om naar hem te kijken. 'Dat is een vreemd compliment.'
'Ik hou van kracht. Dat vind ik sexy.'
'Ik was niet erg sterk vanavond.'
'Dat was je wel. Je had de kracht van je overtuiging en je vastberadenheid.' Zijn vingertoppen gleden licht over haar ruggengraat. 'Je was geweldig.'
'En jij liegt.'
'Nee, het hoeft niet allemaal over uitzinnige drift te gaan. Er is ook nog zoiets als eerlijkheid en vertrouwen, en die heb je me beide gegeven. Ik voel me vereerd.' Hij kneep speels in haar achterste. 'Uitzinnige drift kan natuurlijk ook heel leuk zijn. Daar

moeten we nog aan werken.'

Ze verstijfde. 'Je doet of dit een langetermijnproject is.'

'Doe ik dat? Ik heb soms moeite met loslaten, zelfs als ik een probleem heb opgelost. Maar ik weet zeker dat jij ervoor zult zorgen dat ik niet te bezitterig word.'

'Inderdaad. Ik moet wel.'

'Maar dat ligt nog een beetje in de toekomst.' Zijn glimlach verflauwde. 'Ik denk dat het tijd is voor een evaluatierapport. Hoe was het voor jou?'

'Eng. In het begin wilde ik me verweren.'

'Dat weet ik. Ik voelde dat je spieren zich spanden.'

'Maar toen ik me eenmaal kon ontspannen was het beter.'

'Heb je aan hem gedacht?'

'Ja, natuurlijk.' Ze slikte en verdrong de herinnering. 'Niet tegen het einde. Toen was hij verdwenen.'

'Hoezo?'

'Ik was afgeleid.'

'Halleluja.' Hij grinnikte. 'Afgeleid is goed. Hoewel ik nooit gedacht heb dat ik dankbaar zou zijn voor die beschrijving van mijn seksuele bedrevenheid.' Hij gaf haar een snelle, stevige kus. 'Nu hoef ik me er alleen nog maar zorgen over te maken hoe ik je vanaf het eerste moment kan afleiden.'

'Ik word misschien wel nooit goed voor jou.'

'Doe niet zo pessimistisch.' Hij zweeg even. 'Als het nooit beter zou zijn dan vannacht, dan zou het nog steeds de moeite waard zijn. Weet je nog dat je zei dat mannen vrouwen alleen als gebruiksvoorwerp zien? Denk je dat nog steeds?'

Galen niet. Ze had deze nacht veel over hem geleerd. Zijn geduld en humor en dat beschermende dat haar had omhuld als een fluwelen mantel. Hij had veel tijd genomen om haar te prikkelen en nog meer tijd om haar angst weg te nemen toen hij in haar kwam.

'Misschien niet alle mannen.'

'Misschien?'

'Oké, jij niet.'

'Omdat ik echt uitzonderlijk ben,' zei hij meteen.

Ze lachte plotseling. 'Omdat je echt te egocentrisch bent om welke vrouw dan ook de kans te geven jou op die manier in een vakje te stoppen.'

Hij zuchtte. 'Ik ben diep gekwetst. Nu zul je iets aardigs over me moeten zeggen om de wond te verzachten. Bevalt mijn lichaam je?'

Ze bestudeerde hem. 'Ja, het bevalt me.' Hij zag er sterk uit, op en top mannelijk. Hij had geen onsje vet en was veel gespierder dan ze had gedroomd. Een pluk donker haar bedekte zijn borst. 'Jij hebt ook goede spieren.'

'Raak me aan.'

Ze bewoog niet.

'Raak me aan,' herhaalde hij. 'Ik ga jou aanraken. Overal. Ieder plekje. Vannacht. Morgen.' Hij nam haar hand en legde die op zijn borst. 'Iedere keer als ik de kans krijgt. Niet als Barry in de buurt is, maar waar de kans zich voordoet. Ik ga je vertroetelen en besnuffelen en er eindeloos van genieten.' Hij wreef haar hand- palm op en neer over zijn borst. 'En ik hoop dat jij er ook van zult genieten.'

'Ik ben niet gewend om geliefkoosd te worden.'

'Reden te meer. Je zult me dus een bloedneus moeten slaan om me tegen te houden.' Hij leidde haar hand naar de harde spieren van zijn buik. 'En zelfs dan zou ik er nog over nadenken hoe het zou zijn om het te doen en jij zou precies weten waar ik aan dacht. Vind je het prettig me te voelen?'

Haar hand tintelde toen hij hem tegen zich aan wreef en haar ademhaling werd licht. Ze sloot haar ogen. 'Ja.'

'Ja,' herhaalde hij zacht terwijl hij haar hand weer bewoog. 'Wat hou ik van dat woord...'

Galen wachtte tot de hordeur achter Elena dicht was voor hij de schuur binnenging.

Judd droeg geen shirt en hield zijn hoofd onder het water uit de pomp. Zijn gezicht stond chagrijnig toen hij opkeek. 'Geen gun- sten meer.'

'Hoe doet ze het?'

'Te goed.' Hij droogde zijn haar met een handdoek. 'Beter dan ik. Ze had me vandaag twee keer neer kunnen krijgen, maar ze deed het niet. Ben je je ervan bewust hoe vernederend dat is?'

'Je overleeft het wel. Is ze scherp?'

Judd knikte. 'Ze is klaar. Ik geef haar nog een sessie en laat haar dan gaan.' Hij zweeg. 'Maar kan ze Chavez aan?'

'Dat is de vraag. Ik heb Manero gebeld en heb hem een kleine maar diepgaande ondervraging van overlevenden van Chavez' spelletjes laten uitvoeren. Het waren er niet veel, en ze hebben het alleen overleefd omdat Chavez zich met hen begon te vervelen. Hij is heel erg goed.'

'Ze wacht op hem. Je zou zelf achter hem aán kunnen gaan.'

'Daar heb ik aan gedacht.'

'Niet zo vaak,' zei Judd grinnikend. 'Je hebt het een beetje druk gehad, de afgelopen week.'

'Hou je kop.'

'Je zegt het maar.' Hij pakte zijn hemd. 'Hé, ik ben blij met je succes.'

Galen negeerde de opmerking. 'Laat haar nog niet gaan.'

'Waarom niet?'

'Ik wil dat je haar zo lang mogelijk bezig houdt. Ze is aan het overwegen, plannen aan het maken. En ik durf te wedden dat ze probeert een scenario in elkaar te zetten dat Barry en Dominic beschermt en haar toch het gewenste resultaat geeft.'

'Heeft ze erover gesproken?'

'Nee.'

Judds ogen glinsterden. 'Niet eens in de kleine intieme uurtjes van de nacht?'

'Daarover praten we niet.'

'Astronomie, literatuur, klonen?'

'Laat haar niet gaan, oké?'

'Ik krijg zo het een en ander te incasseren.'

'Nog vier dagen.'

'Misschien neemt ze zelf wel het besluit ermee te stoppen.' Hij begon zijn hemd dicht te knopen. 'Of misschien ook niet. Het is me opgevallen dat ze tegenwoordig nogal afgeleid is in jouw buurt.'

Afgeleid. Grappig dat hij dat woord gebruikte. Nee, helemaal niet grappig. 'Ze zal geen enkele voorbereiding die ze kan krijgen bekorten. Niet wanneer het om Barry gaat.'

'Dan heb ik het voor het zeggen.' Hij deed alsof hij nadacht. 'Eens kijken, wat kan ik vragen als tegenprestatie...'

'Judd.'

'Oké, nog vier dagen.' Judd stopte zijn shirt in zijn spijkerbroek. 'Maar ik zal veel te uitgeput zijn om ook nog schoon te maken en op te ruimen.'

'Dank je, Judd.' Galen verliet de schuur en liep naar het huis. Hij had wat tijd gewonnen, maar hij wist niet hoeveel. Elena was absoluut onvoorspelbaar.

En niets in zijn relatie met haar was voorspelbaar. Hij had het gevoel dat hij probeerde op water te lopen en ieder moment kopje onder kon gaan.

Maar god, het was het waard.

'We komen in de buurt,' zei Gomez. 'We hebben de administratie over een huis dat Galen in New Orleans heeft boven water gehaald. We zijn het nagegaan en hij was er niet. Maar we weten precies wie de papieren had verborgen. Samuel Destin, een advocaat. Als hij het werk heeft gedaan voor dat huis, heeft hij het wellicht ook voor een ander huis gedaan. En anders weet hij misschien wie wel.

'Heb je Destin gelokaliseerd?' vroeg Chavez.

'Hij is in Antigua. We zijn onderweg.'

'Wees heel overredend, Gomez.'

'Hij is daar met zijn vrouw en zijn zoontje. We verwachten geen moeilijkheden.' Gomez hing op.

Ja, het was vaak gemakkelijker om de vrouw en de kinderen van je doelwit te gebruiken om informatie los te krijgen, dacht Chavez. Hij had dat bij veel gelegenheden zelf ook gedaan.

Destin had een zoon.

Hij voelde een plotselinge golf van woede. Hij had ook een zoon, maar hij had niet zoals Destin de mogelijkheid gehad hem te onderwijzen en te begeleiden. Het moest het toppunt van alle sensaties zijn om een menselijk wezen om te vormen tot je evenbeeld. Zijn zoon...

Ze kon haar ogen niet van Galens handen afhouden toen hij de koffie inschonk. Krachtige handen, de nagels kortgeknipt, de vingers lang, elegant en bekwaam. Ze voelde een golf van opwinding door zich heen gaan bij de gedachte aan hoe bekwaam.

'Dessert?' vroeg Galen.

Ze keek op en zag hem tegen haar glimlachen. Hufter. Hij wist precies wat ze dacht. 'Nee, dank je.'

'Weet je het zeker? Het is appelgebak. Barry heeft het deeg voor de bodem gekneed.'

Ze glimlachte naar haar zoon. 'Dan zal ik het moeten proberen.'

'Ik help je.' Barry sprong van zijn stoel en rende achter Galen aan naar de keuken.

Ze hoorde hen lachen en kletsen.

'Hij is erg op Galen gesteld.' Dominic zweeg even. 'Maar niet zo erg als jij.'

Ze verstarde. Ze had erop gewacht dat hij een opmerking zou maken. Hij kende haar te goed om niet te begrijpen wat er aan de hand was tussen Galen en haar. Hij had wel blind moeten zijn, dacht ze meesmuilend. Galen had nooit in het bijzijn van iemand anders iets in haar richting ondernomen. Maar hij had woord gehouden. Hij liet geen kans voorbijgaan om haar aan te raken en haar behoedzaamheid had plaats gemaakt voor verwachting. Geef het maar toe: geen verwachting, begeerte. Haar hele lichaam reageerde op hem als hij de kamer binnenkwam.

'Kijk niet zo ongerust,' zei Dominic. 'Ik veroordeel je niet. Ik weet door wat voor hel je bent gegaan. Als Galen helpt ben ik hem dankbaar.' Hij aarzelde. 'Maar ik moet toegeven dat ik me zorgen maak. Je weet eigenlijk heel weinig van hem. Hij is een gecompliceerde, niet bijzonder solide man.'

Ze wist dat dat zwak uitgedrukt was. 'Ik zoek niet naar een levenslange verbintenis, Dominic. Misschien zie ik hem nooit meer als we hier weg zijn.'

Hij leek nog steeds niet gerustgesteld. 'Neem het me niet kwalijk. Het gaat mij niets aan.'

'Ja, dat doet het wel.' Ze boog naar hem over en legde haar hand op de zijne. 'We zijn een gezin.'

Hij glimlachte. 'Dat zijn we, hè?' Hij beantwoordde de druk van haar hand voor hij zich vrij maakte. 'Heb ik je verteld dat Barry een nieuw liedje heeft dat hij voor je wil spelen op zijn keyboard?'

'Jezus.' Galen rolde op zijn rug en nam haar met zich mee. Zijn ademhaling was zwaar, hij hapte naar lucht. 'Of moet ik... eureka zeggen?'

O, god, ze beefde. Elena had haar vingers diep in zijn schouders. 'Niet praten.'

'Moet praten – gelukkig.' Hij klemde haar tegen zich aan. 'Ben ik zo verdomd goed of wat?'

'Vlei jezelf niet,' zei ze beverig. 'Het is maar een orgasme.'

'Het is een *homerun*, een *touchdown*, het eerste miljoen op Wall Street.'

'En jij bent stapelgek.'

'Ja.' Hij omhelsde haar. 'Zie je wel, het heeft niet lang geduurd. Er was niets mis met je dat Galen niet in orde kon brengen.'

'De meester-probleemoplosser.' Haar glimlach verdween. 'Uitdaging aangenomen. Probleem opgelost.'

'Helemaal niet.' Hij knuffelde haar. 'Alleen een geweldige stap voorwaarts. Het gaat heel veel tijd nemen om het proces te perfectioneren.'

Hoelang, vroeg ze zich plotseling af.

Je weet eigenlijk heel weinig van hem.

Toch had ze het gevoel dat ze hem kende. Ze kende zijn lijf en zijn geest. Ze had met hem gelachen en gevaar met hem gedeeld. Maar ze wist wat Dominic bedoelde. Kon je iemand echt kennen zolang je niet wist wat hem had gemaakt tot wie hij was?

Hij tilde zijn hoofd op. 'Wat is er?'

Zoals altijd had hij begrepen wat ze voelde. 'Wat zou er moeten zijn?'

'Vertel het me maar.'

Ze keek een andere kant op. 'Het zou fijn zijn om iets meer te weten van de man die me mijn eerste orgasme heeft bezorgd.'

'Nee hoor, mysterieuze mannen zijn altijd sexier.' Hij keek haar onderzoekend aan. 'Je meent het.'

'Ik besef heus wel dat ik niet het recht heb om te snuffelen in –'

'Hou op,' zei hij ruw. 'Je wilt iets weten. Snuffel maar.'

'Waarom doe je dit soort werk? Je schijnt genoeg geld te hebben. Waarom neem je het risico?'

'Het is mijn werk. Ik verveel me gauw. Een paar jaar geleden heb ik geprobeerd om te stoppen en ik werd bijna gek. Ik heb geen roeping. Ik kan niet schilderen zoals Judd. Ik ben alleen maar kostwinner en probleemoplosser.'

'Je wordt onrustig.'

'Heb je ooit overwogen dat jou dat ook kan overkomen?'
Ze schudde haar hoofd. 'Ik heb een thuishaven. Ik heb Barry.'
'Ik benijd je,' zei hij luchtig. 'Zoals mijn moeder placht te zeggen, er is niets beter dan een rustgevende invloed.'
'Zei ze dat?'
Zijn glimlach verdween. 'Nee, ik heb mijn moeder nooit gekend. Ik groeide op in een weeshuis. Ze hebben me in een kartonnen doos in een steeg gevonden.'
Ze staarde hem geschokt aan. 'Dus al die bondige, kleine citaten zijn leugens? Waarom?'
Hij haalde zijn schouders op. 'Het begon toen ik een tiener was. Ik denk dat ik toen dronken was. De ironie sprak me aan. Al die stukjes huiselijke wijsheid in de mond te leggen van een vrouw die geen moer om me had gegeven... Later werd het een gewoonte.'
'Je weet niet waarmee ze geconfronteerd werd. Misschien moest ze je afstaan.'
'Nee.'
'Ik had Barry bijna afgestaan.'
'Zou jij een pasgeboren baby bij een temperatuur onder het vriespunt in een steeg achterlaten?'
'Heeft ze dat gedaan?'
'O ja. Ze wilde blijkbaar dat ik dood zou gaan. Maar ik heb haar voor de gek gehouden. Ik werd het gezondste, gemeenste schoffie dat ooit uit Liverpool is gekomen.' Hij zuchtte. 'En nu kan ik nooit meer mijn lieve, oude moeder citeren tegenover jou. Daar zal ik in mijn conversatie wel last van krijgen.'
'Blij toe. Ik wil niets over haar horen.' Ze wikkelde zich in het laken en bleef naast het bed staan. 'Tenzij je die prijs wilt noemen waarover we het hebben gehad.'
'Prijs?'
'Ik heb je gezegd dat ik alles zou doen wat je me vroeg. Ik zou het niet erg vinden je lieve oude moedertje om zeep te helpen.'
'Mijn god, je bent woedend.' Hij lachte. 'Ik had kunnen weten dat je helemaal week en sentimenteel zou worden bij de gedachte aan een klein baby'tje buiten in de kou.'
'Doe niet zo belachelijk. Ik ben níét week.'
'Ik weet het.' Hij nam haar hand en bracht die naar zijn lippen.

'Dat maakt dit tot zo'n gouden ogenblik.'

Ze voelde zich vanbinnen wegsmelten. 'Loop naar de duivel.'

Hij draaide haar hand om en kuste de palm. 'En we hebben flink wat gouden ogenblikken gehad, hè?'

'Een paar.'

'Dat noemen ze het graf in prijzen.' Zijn ogen schitterden toen hij naar haar opkeek. 'Kom terug in bed voor je me weer voor klojo begint uit te maken.'

'Het wordt tijd dat ik naar mijn eigen kamer ga.'

'Eventjes maar,' vleide hij. 'Geen seks, alleen knuffelen.'

Ze aarzelde, ging toen weer liggen.

Zijn armen sloten zich om haar heen. 'Zo is het goed,' fluisterde hij. 'Zou je echt mijn lieve oude moedertje voor me gedood hebben? Nou, ik denk dat je dat betrokkenheid mag noemen.'

'Hou je mond.' Ze nestelde haar wang in de holte van zijn schouder. 'Het was alleen maar een voorbijgaande impuls. Zelfs als zuigeling verdiende je het waarschijnlijk om naar buiten in de kou gegooid te worden.'

'Dat doet ook weer pijn.' Hij streelde haar haar. 'Het idee om jou te zien uitrukken om me te verdedigen bevalt me trouwens niet. Het kwetst mijn gevoel van ridderlijkheid.' Hij zweeg even. 'Ik neem het initiatief liever zelf.'

'Met je moeder?'

'Nee, met Chavez.'

Ze verstijfde.

'Sst.' Zijn hand masseerde de gespannen spieren in haar nek. 'Ik vind het ook niet prettig om erover te praten. Maar ik wil niet dat je iets onderneemt zonder het te bespreken.'

'Wat valt er te bespreken?'

'Je weet dat het alleen een kwestie van tijd is voordat Chavez verschijnt.'

'Je zei dat je gewaarschuwd zou worden als het ernaar uitzag dat dat ging gebeuren.'

'Dat is zo. Maar waarom zullen we afwachten als makkelijk doelwit? Waarom laat je mij niet op jacht gaan en Chavez pakken?'

'Nee.'

'Waarom niet? Dat is het verstandigste. Het zal ieder gevecht met Chavez uit de buurt van jou en Barry houden.' Hij stopte. 'Je was

plannen aan het maken om hem weg te lokken van Barry, hè?'
'Dat heb ik niet gezegd.'
'Het is veel verstandiger om mij het te laten doen voordat hij zelfs maar een flauw vermoeden heeft waar je bent. Als hij mij neer-haalt, hebben jij en Barry nog een kans om te vluchten.'
'Blijkbaar ben ik niet zo verstandig.' Haar stem klonk bewogen. 'Of zo ongevoelig.'
'Denk erover na. Ik was van plan het te doen zonder het je te ver-tellen, maar het is veiliger als we onze strategie op elkaar af-stemmen en –'
'Ik ga er niet over nadenken. Dit is mijn leven en mijn strijd.'
'En wat gebeurt er met Barry?'
'Ik zal hem beschermen. Ik zou hem nooit in gevaar brengen. Ik zal een manier vinden om zowel het een als het ander te doen.'
Hij was een ogenblik stil. 'Ik kan het doen, Elena. Ik ben heel erg goed. Blijf bij Barry en laat mij Chavez voor mijn rekening ne-men.'
'Denk je dat ik niet graag ja zou zeggen?' vroeg ze heftig. 'Ik wil dat hij sterft. Het zou geen verschil voor me moeten maken wie hem doodt. Maar dat doet het wel, verdomme. Dat doet het wel.'
'Waarom?'
'Omdat ik – Het is gewoon zo.'
'Duidelijk.' Hij grinnikte. 'Zou het kunnen zijn dat je een beetje om me begint te geven? Ja, dat moet het zijn.'
'Waarom zou ik iets moeten geven om een klootzak als jij?'
'Nou, het zou kunnen zijn omdat je voelt dat ik bereid ben mijn hart op de grond uit te spreiden om jou erop te laten trappen.'
'Hou op met die grappen.'
'Wie maakt hier grappen?' Hij beroerde haar voorhoofd met een kus. 'Voor mij komt het ook als een verrassing, maar ik voel me hartstikke hulpeloos in jouw buurt. Ik voel me weer een dromend kind. Maar maak je daar geen zorgen om. Ik ben een heel gedul-dige vent en ik weet dat je een paar problemen hebt op te lossen.'
'Geen zorgen maken? Wat edelmoedig van je. Maar je zegt net dat –'
'Ik vond dat je het moest weten. Ik weet niet waar het naartoe gaat en hoever het ons zal brengen, maar ik geloof niet in het ver-zwijgen van dingen.'

'Vooral niet wanneer je ervandoor wilt gaan om jezelf te laten doden.'

'Dat was niet mijn bedoeling. Ik heb het niet zo op een laatste groet. Ik wilde gewoon –'

'Ik wil niet meer praten.' Ze klemde haar armen vaster om hem heen. 'En ik heb genoeg van knuffelen.'

'Seks? Met alle genoegen.' Hij rolde haar om. 'Zelfs als het een vorm van vluchtgedrag is, seks is goed.' Hij lachte tegen haar. 'Maar ik moet je wel waarschuwen, er komt een tijd dat ik het anders ga noemen.'

Hij sliep.

Elena schoof voorzichtig Galens arm van haar schouders en gleed uit bed.

Ze bleef even naar hem staan kijken. Hij lag uitgestrekt op zijn zij en toch bezat hij zelfs in zijn slaap nog een katachtige gratie. De meeste mensen leken weerloos in hun slaap, maar Galen niet. Hij zag eruit alsof hij alleen even rustte en wachtte op de openingsbel, zodat hij kon opspringen om het strijdperk weer te betreden.

Hou op met naar hem te staren. Ga hier weg. Hij had haar vannacht verward en bang gemaakt. Ze was zo in beslag genomen door genot, dat ze aan niets anders had gedacht dan aan seks; ze dacht niet dat dat voor Galen anders was.

Of, als dat wel zo was, veronderstelde ze dat hij nadacht over het 'oplossen van haar problemen'. Misschien was wat Galen voor haar voelde onlosmakelijk verbonden met de inspanning die hij zich getroostte om haar te helpen. Over zes maanden zou hij waarschijnlijk betrokken zijn bij een ander project en vergeten zijn dat zij bestond.

En hoe zat het met wat zij voor hem voelde? Ze zette die gedachte onmiddellijk van zich af. Ze wilde zich helemaal niet zo zwak voelen als ze in zijn nabijheid deed. Zij had Barry en Dominic, en door hen werd ze al meer dan genoeg in een kwetsbare positie geplaatst. Ze was al te veel aan het verslappen. Als ze dat niet was geweest had ze hem achter Chavez aan laten gaan. Niemand was belangrijker dan Barry en het maakte geen verschil wie Chavez doodde.

Maar ze had Galen niet kunnen toestaan op jacht te gaan. Dat betekende dat ze dicht bij het moment kwam waarop ze zelf op jacht zou moeten gaan.

'Carmichael, je helikopterpiloot, is dood,' zei Manero. 'En hij is niet gemakkelijk gestorven. Als hij iets wist waarvan jij niet wilde dat Chavez het weet, kun je je beter hergroeperen.'

'Hij wist niets,' zei Galen. 'Vroeg of laat moest Chavez er wel achter komen dat ik het was die Elena en Barry weghaalde. Wanneer is het gebeurd?'

'Dat weet ik niet zeker. Misschien vier weken geleden. Hij was in Rio toen hij verdween. Ze vonden het lichaam in een dorp buiten de stad.'

Vier weken. Dan had Chavez tijd genoeg gehad om een uitgebreid onderzoek naar Galen op gang te krijgen. Hij had gehoopt op iets meer ruimte. 'Is Chavez nog in Colombia?'

'Zit als een dikke kat op de top van zijn berg. Ik heb je gezegd dat ik je zal waarschuwen als hij iets gaat ondernemen.'

'Oké, oké.' Hij had over deze mogelijkheid nagedacht en het was tijd voor een controle. 'Er zijn een paar mensen die hem kunnen vertellen waar ik zou kunnen zijn. John Logan, Sam Destin en Paul Russell. Ik moet weten waar ze zijn en of ze problemen hebben. Vertel hen over Chavez. Waarschuw Destin en Russell dat ze beter een tijdje kunnen onderduiken. Logan kan voor zichzelf zorgen. Hem zullen ze waarschijnlijk niet aanpakken.'

'Ik werk gewoonlijk niet buiten Zuid-Amerika. Een man moet zijn specialiteit hebben.'

'Maar je hebt overal contacten. Ik heb geen tijd om iemand anders te vinden. Ik betaal het dubbele.'

'Waarom heb je niet eerder contact opgenomen met Destin en Russell?'

'Met genoeg geld kunnen zelfs eerlijke mannen worden gekocht. Ik wilde niet dat ze tijd hadden om te overwegen mij in de uitverkoop te doen.'

'Ik hou ook van geld.'

'Maar jij bent, op jouw manier, een eerlijk mens. Jammer voor jou, prettig voor mij.'

Manero zuchtte. 'Dubbel?'

'Dubbel.'

'Geef me de achtergrondinformatie.'

'Logan ken je. Paul Russell heeft de papieren van dit huis verborgen. Sam Destin verwees me naar hem. Destin woont in New Orleans. Russells thuisbasis is San Francisco. Destin zal niet moeilijk te vinden zijn, maar Russell heeft problemen met de belastingdienst en zwerft rond. Meestal kun je hem bereiken via zijn moeder, Clara Russell. Ze werkt bij Macy's.'

'Goed. Ik ga beginnen.'

'Dank je, Manero.' Hij hing op.

'Verdomme. Hij had Carmichael gemogen. Galen had hem gewaarschuwd weg te gaan uit Zuid-Amerika toen Carmichael hen afzette in Medellín. Waarom was hij in 's hemelsnaam naar Rio gegaan? Hij had moeten – Niet meer aan hem denken. Carmichael wist waar hij in terechtkwam toen hij de klus aannam. Hij wist hoe machtig Chavez was in Zuid-Amerika. Hij had een fout gemaakt en ervoor geboet. Dit was voor Galen niet het moment om stil te blijven staan bij Carmichaels fouten. Hij moest gewoon zorgen er zelf geen te maken.

De tijd begon op te raken.

Was misschien al op.

'Problemen?'

Hij draaide zich om en zag Elena in de deuropening staan. 'Nog niet.' Hij stond op. 'Kom, help me met het avondeten. Barry heeft me in de steek gelaten sinds Dominic hem leert op dat keyboard te spelen. Je kunt tegenwoordig gewoon geen betrouwbare hulp meer krijgen.'

'Je houdt iets voor me verborgen.'

'Carmichael is dood. Waarschijnlijk vermoord door Gomez.' Hij liep richting keuken. 'Maar hij wist niets belangrijks. We zijn nog veilig.'

'Chavez?'

'Nog in Colombia. Vind je dit schort leuk? Judd heeft het in de stad gekocht.' Hij knoopte een opzichtig groen schort met dansende paprika's in balletrokjes en op blauwe tennisschoenen om. 'Hij denkt dat ik hem niet wil dragen.'

'Het is volslagen belachelijk.'

'Ja, maar ik voel me niet bedreigd. Mijn mannelijkheid is iedere uitdaging de baas. Bovendien moet ik ervan glimlachen.' Hij pakte een braadpan. 'En een glimlach heb ik nu nodig. Ik mocht Carmichael.'

'Het spijt me. Was hij een goede vriend?'

'Nee, maar ik kende hem al heel lang.'

Ze was even stil. 'Hij is dood vanwege mij.'

'Hij is dood omdat hij niet als de bliksem is uitgeweken. Je hoeft je niet schuldig te voelen.'

'Ik voel me wel schuldig.' Ze keek hem recht in zijn ogen. 'Maar dat zou me niet verhinderen om het opnieuw te doen. Ik kan me geen zorgen maken om iemand anders dan Barry. Niets anders mag belangrijk voor me zijn.'

'Je hebt het niet over Carmichael. Ik heb je gisteravond bang gemaakt, is het niet? Ik wist het wel.' Hij pakte een schilmesje uit de la. 'Pak die rode aardappelen uit de bak, wil je?'

'Luister je naar me?'

'Natuurlijk luister ik. Je bent bang dat je iets voor mij zou kunnen voelen en dat je mij zou moeten offeren op het altaar van Barry.' Hij pakte de aardappelen zelf. 'Het geeft niet. Dat wist ik de hele tijd al. We komen er wel doorheen. Barry heeft een voorsprong, maar geef me zes maanden en je zult verbaasd staan over mijn vorderingen.'

'Galen, ik wil niet –'

'Je gaat me vertellen dat we niet meer met elkaar moeten slapen. Overhaast het niet. Seks bevalt je op het ogenblik. Ik beval je. Hoeveel afstand je ook van me wilt houden, ik zal niet ontmoedigd zijn. Dus we kunnen er net zo goed van genieten. Goed?'

'Fout.'

'Oké, een compromis. Tot we horen dat Chavez in beweging komt.'

'Het is niet eerlijk.'

'Maak je je zorgen over mijn tedere gevoelens?' Hij grinnikte. 'Geen probleem. Misschien krijg ik genoeg van je. Je weet hoe rusteloos ik ben.'

Ze was een ogenblik stil en glimlachte toen moeizaam. 'Je ziet er echt belachelijk uit in dat schort.'

'Voor die opmerking mag je de aardappels schillen.' Hij gaf haar het mesje. 'Ga daar aan de tafel zitten waar ik je kan zien.'

'Denk je dat ik het niet kan?'

'Dat is het niet,' zei hij zacht. 'Ik vind het prettig om op te kij-ken en jou te zien. Het geeft me een... warm gevoel.'

'Val dood, Galen.'

'Niet sentimenteel worden. Ik kan er niets aan doen. Mijn moe-der zei altijd dat ik een optimist was die – oeps.'

'Inderdaad, oeps.'

'Het wordt nog moeilijk om niet op mijn oude moedertje te ver-trouwen.'

'Die wist dat je een optimist was.'

Hij knikte. 'En dat ik geloofde in genieten van het moment. Dus ga daar zitten en laat me in ieder geval van dit moment genieten. Oké?'

Ze staarde hem aan terwijl een veelvoud aan gevoelens over haar gezicht trok voordat ze langzaam bewoog in de richting van de stoel die hij haar had gewezen. 'Geef die aardappels maar hier.'

9

San Francisco

'Mevrouw Russell?'

'Wat is er?' Clara keek over haar schouder naar de twee mannen die de trap opkwamen. Haar hand klemde zich om de sleutels die ze had gepakt om de deur van haar appartement te openen, haar vingers bewogen naar de pepperspray aan de sleutelketting. Haar zoon had haar die spray zes maanden geleden gegeven en gezegd hem te gebruiken als ze problemen had. Paul was altijd bezorgd vanwege haar nachtwerk en al die griezels die in de stad rondliepen. Deze mannen zagen er niet uit als griezels. Ze herkende dure pakken als ze die zag. Ze had bij Macy's op de afdeling herenkleding gewerkt tot ze werd overgeplaatst naar de schoenenafdeling. Ze zagen er ook niet uit als belastingambtenaren. Ze waren te... glad. Beiden waren donkerharig en gebruind. Mogelijk Mexicanen. De Mexicanen leken Californië wel over te nemen. 'Wat wilt u?'

'Mogen we binnenkomen?'

'Nee. Wie bent u?'

'Carlos Gomez.' Hij glimlachte. 'Ik moet uw zoon spreken.'

Misschien waren ze toch van de belasting. Ze verstijfde. 'Ik weet niet waar hij is. Ik heb hem in jaren niet gezien.'

'Ik denk niet dat dat waar is. We moeten praten.'

'Nee, dat moeten we niet. Zoek hem zelf maar.'

Gomez kwam een stap dichterbij. 'U werkt niet mee, dat is niet erg verstandig.'

'Donder op.' De hand met de pepperspray kwam omhoog. 'Ik wil jullie niet –' Ze hapte naar lucht toen Gomez opzij dook en zijn hand zo om haar pols klemde dat ze er geen gevoel meer in had. De sleutelring viel op de grond. 'Pak de sleutels. Doe de deur open,' zei Gomez tegen de kleinere man terwijl zijn andere hand haar mond afdekte.

'Vlug.'

Ze worstelde, haar voet trof het scheenbeen van Gomez. Ze hoorde hem kreunen toen ze haar tanden in zijn hand zette.

'Shit.' Hij duwde haar het appartement in en sloeg de deur dicht.

'Rotwijf.' Hij stompte haar in haar maag en gaf haar een klap in haar gezicht.

De pijn. Ze kon geen adem krijgen. Naar adem snakkend zakte ze op haar knieën. Door een donker waas kon ze hem over haar heen gebogen zien staan.

Gomez glimlachte. 'Zo, laten we opnieuw beginnen. Ik moet je zoon spreken.'

'We moeten praten, Galen.' Judd stond in de deuropening van de bibliotheek. 'Heb je even?'

Galen knikte en legde zijn boek weg. 'Wat is er?'

'Het is nu al maanden geleden en Logan is er nog niet in geslaagd het bureau te bewegen mij met rust te laten.

'Het lukt hem wel.'

'Maar hoelang moet ik nog wachten? Ik ben dol op je boerderij, maar ik vind het niet prettig me een gevangene te voelen terwijl die hufters in Washington vrij rondlopen. Ik heb genoeg van het wachten. Het wordt tijd dat ik zelf iets onderneem.'

'Wat?'

'Daar denk ik over na.' Hij glimlachte vals. 'Als ik iets besloten heb ben jij de eerste die het te horen krijgt. Ik wilde je alleen maar laten weten dat ik niet langer jouw probleem ben.' Hij draaide zich om en liep naar de deur. 'Is het goed dat ik hier blijf hangen tot ik een besluit heb genomen?'

Galen knikte.

'Mooi,' zei Judd ernstig. 'Want ik verlang ernaar je dat schort weer te zien dragen. Heb ik je verteld hoe schattig je eruitzag?'

'Destin, zijn vrouw en hun kind zijn dood,' zei Manero. 'Destins auto vloog in Antigua van de weg, de oceaan in.'

'Wanneer?'

'Gisteren. Verdachte omstandigheden. Ik heb een man in San Francisco die bezig is contact op te nemen met Clara Russell. Ze neemt de telefoon niet op.'

'Niks contact. Haal haar daar weg. Zeg je man dat hij haast moet maken.' Hij hing de telefoon op. Het kon al te laat zijn. Hij had Clara Russell maar een keer ontmoet, maar ze had hem een flinke, hard werkende en huiselijke vrouw geleken, die voor haar eigen welzijn een beetje te loyaal was aan haar zoon.

Het was pas een dag geleden sinds Destin omkwam. Maar Chavez' mannen zouden snel handelen. Chavez zat achter hen aan, dreef hen op.

Ze kwamen te dicht bij Elena. Hij moest gaan zitten en de mogelijke scenario's doornemen om te zien of hij een oplossing kon vinden.

'Dat wijf heeft Paul Russell gebeld,' zei Gomez tegen Chavez. 'We zullen hem over twee uur ontmoeten. Ze was erg overtuigend. Hij heeft vast geen argwaan.'

'Je hebt veel tijd nodig gehad om haar te breken,' zei Chavez.

'Zeven uur. Ze was erg koppig. Moeders zijn dat meestal, hè?'

'Ja, dat is zo,' zei hij met iets van irritatie in zijn stem. 'Laten we hopen dat haar zoon niet even halsstarrig is. Ik begin ongeduldig te worden.'

'Ik bel je binnen vijf uur terug.' Hij hing op.

Vijf uur. Opwinding begon zich van Chavez meester te maken. Binnenkort zou hij de informatie hebben die hij nodig had om zijn zoon te vinden.

En dat kreng dat hem gestolen had.

'Chavez is onderweg,' zei Manero. 'Hij heeft twee uur geleden Colombia in zijn privéjet verlaten.'

'Jezus.' Galen had geweten dat het kwam, maar toch sloeg het nieuws in als een bom. 'Clara Russell?'

'Mijn man vond haar in haar appartement. Wat hij daar zag had hij liever niet gezien. Een smeerboel. Ik ken niemand die zo'n afstraffing zou kunnen doorstaan zonder alles te vertellen wat hij wist. Wat wil je dat ik nu doe?'

'Ik neem contact met je op.' Hij verbrak de verbinding en stond op. Ze moesten in beweging komen. Nu.

Hij nam de traptreden met twee tegelijk. 'Elena!'

Ze keek op van het boek dat ze met Barry aan het lezen was.

'Wat...' Ze stopte toen ze de uitdrukking op zijn gezicht zag. 'Is het gebeurd?'

Hij kwam dichterbij en knielde bij Barry. 'Tijd voor een nieuw avontuur. Wil je kamperen in de bergen?'

Barry's ogen lichtten op. 'Echt?'

'Echt.' Galen gaf hem een mep op zijn achterste. 'Ga het Dominic maar vertellen. We gaan allemaal.'

Elena kwam overeind toen Barry de kamer uit rende. 'Hoeveel tijd hebben we?'

'Dat weet ik niet precies. Chavez heeft Colombia twee uur geleden verlaten, maar Gomez is hem vooruit. Hoe dan ook, wij moeten hier weg. Je kunt beter snel pakken.'

Ze ging naar de kast. 'Ik heb vrijwel gepakt.' Ze haalde haar jas eruit en rekte zich om haar pistool van de bovenste plank te pakken. 'Nu ben ik helemaal gepakt.'

'Daar hou ik van. Een vrouw die altijd klaar is,' zei Galen. 'Ik neem aan dat ik dat van je had kunnen verwachten.'

'Ja, dat had je.'

'Maar ik vraag me af of je klaar was voor een noodaftocht of dat je van plan was om er in je eentje vandoor te gaan.'

'De ene reden is net zo goed als de andere.'

'Nee, dat is niet zo.' Hij klemde zijn lippen op elkaar. 'Maar we zullen het er nu bij laten. Haal Barry en Dominic. Ik zal Judd vertellen dat we allemaal op pad moeten.'

'Komt hij met ons mee?'

'Zou je hem liever achterlaten voor Chavez? Hij zou het geweldig vinden om hem te ondervragen; het zou een echte uitdaging zijn om iemand als Judd te breken.'

'Ja.' Ze liep naar de deur. 'Maar hij zou het nog leuker vinden om jou te breken. Vergeet dat niet.'

Judd was bezig zijn dozen in de achterbak van de pick-up te schuiven, maar hij keek op toen Elena en Galen uit het huis kwamen. 'Ik ga mijn hond en de katjes naar je dichtstbij zijnde buren brengen en ze vragen ze een tijdje bij zich te houden. Moet voor de dieren zorgen nu er bezoek komt.' Hij plaatste de doos met de drie katjes voorzichtig op de vloer en floot zijn Duitse herder. Mac sprong in de wagen en Judd startte de motor. 'Ik zie jullie wel in het kamp.'

Galen knikte afwezig toen Judd wegreed.

Elena hoorde Judd nauwelijks terwijl ze Barry's keyboard in de kofferbak van de auto gooide. 'Ben je er absoluut zeker van dat hij onderweg is?'

'Ik weet het zeker. Gomez heeft een spoor van lijken achtergelaten bij zijn zoektocht naar deze plek, en Chavez verliet Colombia een paar uur geleden. Redelijkerwijs kunnen we aannemen dat hij nu weet wat hij wilde weten.'

'Hij komt...' Ze staarde naar de bergen. Chavez zou spoedig hier zijn, langs die weg. Vanaf het moment dat Galen haar over Chavez had verteld had ze zich verlamd, als versteend gevoeld. Ze had zes jaar op dit moment gewacht en nu het zover was, was ze bijna in shock. En wat ze voelde was angst, besefte ze. Ze had niet verwacht bang te zijn. Ze had gedacht dat de haat heftig genoeg zou zijn om ieder spoor van angst te overwinnen. Toch verzwakte de herinnering aan vroeger haar. Sluit het buiten. Angst was de vijand. Chavez zou er kracht uit putten. Geef hem de kans niet.

'Elena.'

Haar blik ging naar het gezicht van Galen. 'Heb je explosieven?'

Hij glimlachte. 'Denk je erover mijn huis met Chavez erin op te blazen?'

'Ja.'

'Ik heb geen explosieven. Dat is niet iets wat ik bij de hand hou als ik hier ben. Dus mijn huis is veilig voor jou.'

'Ik zou een manier hebben gevonden om je ervoor te betalen.'

'Ik maakte maar een grapje. Maar ik merk dat je gevoel voor humor op het ogenblik ernstig is verzwakt.'

'Gaan we echt kamperen?'

'Een poosje. Ik ken deze bergen en er zijn wel honderd kleine grotten waar we ons kunnen schuilhouden. Ik heb Judd een paar dagen geleden naar boven gestuurd om een kamp op te zetten waar we veilig zijn en van waaruit we de boerderij in de gaten kunnen houden. Ik denk niet dat Chavez zal vermoeden dat we ons in de buurt ophouden. Hij is er te veel aan gewend dat mensen voor hem vluchten. Ik wil zeker zijn dat Chavez hier echt is.'

'Ik ook.' Ze keek om naar de bergen. 'Ik ook....'

'Zijn ze er niet?' Chavez kwam uit de wagen die voor het huis stond. 'Wat bedoel je met ze zijn er niet? Je stelt me teleur, Gomez.'

'Ze waren hier. Er is vers voedsel in de ijskast. Kleren in de kasten.' Gomez hield een kinderboek op. 'Dit lag in een van de slaapkamers.'

'Maar ze zijn weg. Is ze weer ontsnapt?'

'We hebben de schuur en de hele omgeving van het huis doorzocht.'

'Val dood.'

Gomez stapte haastig achteruit. 'Hij moet gewaarschuwd zijn.'

'Dat heb je ook over de wijngaard gezegd. Het komt omdat je niet snel genoeg hebt gehandeld.' Hij keek naar de bergen. 'Doorzoek de uitlopers van de bergen.'

'Ze zouden hier niet blijven als ze wisten dat we kwamen. Ze zijn waarschijnlijk inmiddels halverwege Portland.'

'Zoek toch maar. Ze was een guerrilla. Ze zal zich op haar gemak voelen in de bergen.'

'We zullen tot morgenochtend moeten wachten. Het wordt donker. De mannen die ik hier heb, zijn geen spoorzoekers. Ze zouden alleen maar wat rondstrompelen. We hebben daglicht nodig.'

Chavez balde zijn vuisten. 'Zonsopgang. Ik wil iedere man bij het eerste licht daar hebben.' Hij draaide zich om en keek naar de bergen.

Ben je daar, Elena? Ik kom je halen, kreng.

Hij draaide zich om naar het huis. 'Ik ga door Galens persoonlijke papieren om te kijken of ik daar iets uit kan halen. Heb je het huis gecontroleerd op boobytraps?'

Gomez knikte. 'Het is veilig.'

'Veiligheid is iets zeer kwetsbaars.' Hij liep de trap van de veranda op. 'Ik zou dat in gedachten houden, Gomez.'

'Een lange, gespierde man, ziet er niet slecht uit, grijs aan de slapen.' Galen regelde de krachtige verrekijker. 'Is dat Chavez?'

'Klinkt alsof hij het is,' zei Elena. 'Geef mij de kijker eens.' Ze bracht hem langzaam naar haar ogen. Jezus, ze wilde hem niet terugzien. Ze dwong zichzelf te kijken naar de man die op de veranda stond.

Macht. Kracht. Wreedheid.

De mat.

Ze liet de verrekijker haastig zakken. 'Dat is hem.'

'Dan had je gelijk: Barry heeft hem hierheen gelokt,' zei Galen. 'Ik was er niet zeker van dat een egoïstische schoft als hij echt achter het kind aan zou komen.'

'Ik was er zeker van. Achter het kind aankomen heeft alles met egoïsme te maken. Hij wil voor god spelen.' Ze kneep haar lippen samen. 'Niet met mijn Barry.'

'Rustig.' Hij legde zijn hand op haar schouder. 'Je spieren zitten helemaal in de knoop.'

'Hoe denk je dat ik me voel?' Ze haalde diep adem. 'Wanneer gaan we hier weg?'

'Morgenochtend.' Hij bracht de verrekijker weer naar zijn ogen. 'Ik tel acht man in die twee auto's. Het ziet ernaar uit dat ze in het huis overnachten. Help me herinneren dat ik de lakens verbrand als we terug zijn. Kom op, laten we terug gaan naar het kamp.' Hij begon de helling af te lopen. 'Ik ga straks nog een keer kijken.'

Ze wierp nog één blik op de boerderij voor ze hem langzaam volgde naar het kamp.

Barry zat naast Judd Morgan. 'Judd leert me houtsnijden. Heb je dat grote mes van hem gezien?'

Ze herinnerde zich het lemmet dat tegen Galens keel gedrukt werd. 'Ja, dat heb ik gezien.'

Judd glimlachte. 'Ik laat het hem niet gebruiken, hoor. Dat is voor gevorderden.'

Hij gluurde naar Galen. 'Iets interessants te zien?'

'Wat ik verwachtte. Er lopen wat beesten rond, daar. Niets om ons druk over te maken, maar misschien is het toch beter als we beurtelings de wacht houden.'

'Ik neem de eerste wacht,' zei Elena.

'Ik was niet van plan je te beledigen door je erbuiten te laten,' zei Galen. 'Maar jij neemt de tweede wacht. Dan kun je Barry eerst naar bed brengen.' Hij ging naar de grot. 'Ik denk niet dat we vannacht een vuur aansteken, dus ik moet even kijken wat ik te bieden heb aan koude rantsoenen. Ik ben er zeker van dat ik iets uitstekends kan samenstellen.'

Galens mobiele telefoon belde toen ze aan het eind van de maaltijd waren.

'Waar ben je, Galen?' Een zware stem met een zwaar accent.

Galen verstrakte. 'Chavez?'

Elena's blik schoot naar zijn gezicht.

'Ja, ik begin ongeduldig te worden. Ik wil mijn zoon. Geef hem aan me.'

'Val dood.' Hij stond op en liep de grot uit, buiten het gehoor van Barry. 'Je hebt geen zoon. Hij is van Elena. En zo zal het blijven.'

'Zo zal het niet blijven.' Hij wachtte even. 'Ik was erg kwaad over jouw inmenging en ik wilde je straffen. Maar ik ben een redelijke man en ik weet hoe ik mijn verliezen kan beperken. Ik ben bereid om te betalen als je mijn zoon aan mij overdraagt. Vijf miljoen dollar. Jij stelt de voorwaarden voor de overdracht'.

'Vergeet het maar.'

'Tien miljoen.'

'We doen geen zaken, Chavez.'

'Ik zal hoger gaan.'

'En je krijgt hetzelfde antwoord.'

'Zo goed is dat wijf niet in bed.'

'Ik beëindig het gesprek.'

'Denk erover. Ik zal je mijn telefoonnummer geven.'

Onderdruk je woede. Ze zouden het kunnen gebruiken. Hij pakte zijn pen en notitieboekje. 'Zeg het maar.'

Chavez ratelde het nummer af. 'Wees redelijk. Ik krijg hem toch wel. Als je hem overdraagt wordt je een heel rijke man.'

'Geen interesse.' Hij verbrak de verbinding.

'Wat wilde hij?'

Hij draaide zich om en zag dat Elena en Judd achter hem stonden.

'Wat hij aldoor al heeft gewild. Alleen bood hij aan voor hem te betalen.' Hij vertrok zijn lippen. 'Het laatste bod was tien miljoen, maar hij was bereid om hoger te gaan.'

Judd floot tussen zijn tanden. 'Dat is een indrukwekkende hoop geld. Daarvoor zouden heel wat mensen verrader worden. Je kunt het moeilijk krijgen om het kind te houden als hij met zulke bedragen gaat strooien.'

'Je hebt zijn telefoonnummer opgeschreven,' zei Elena.

'O, in 's hemelsnaam, ik dacht dat we het nodig zouden kunnen hebben. Dacht je dat ik mijn belangen aan het veilig stellen was?'

'Nee.' Ze keek een andere kant op. 'Ik weet niet wat ik moet denken.'

Maar ze had een ogenblik aan hem getwijfeld. Wat kon hij anders verwachten? Vanaf het moment dat ze wist dat Chavez onderweg was, was ze veranderd. Ze was teruggegaan naar wat ze van kinds af aan had geleerd om te overleven – wees behoedzaam, gespannen, vertrouw niemand.

Dat deed pijn, verdomme. 'Nee, ik ga dat ellendige geld niet aannemen.'

Judd keek van de een naar de ander en veranderde van onderwerp. 'Wie neemt de eerste wacht?'

'Ik,' zei Galen kortaf. 'Ik heb wat ruimte nodig.'

Hij liep weg.

Elena zag maar één bewaker om het huis lopen.

Ze kroop langzaam, geluidloos verder, het geweer in haar linkerhand geklemd.

Er was niet veel struikgewas in dit vlakke weideland en ze moest laag blijven en uiterst zorgvuldig bewegen.

Het licht in het kantoor brandde. Chavez was waarschijnlijk op zoek naar een manier om hen op te sporen.

Als ze eenmaal de schuur had bereikt zou die haar beschutting geven zodat ze om zich heen kon kijken. Ze zou de eerste bewaker moeten uitschakelen en ze had inmiddels al een tweede man bij de kraal gezien. Als ze die ook uitschakelde, had ze misschien een kans om in het huis te komen.

Terwijl ze verder kroop bleven haar ogen gericht op het raam van de studeerkamer.

Ik kom eraan, Chavez. Voel je het?

Ze kon zich hem voorstellen terwijl hij aan het bureau zat en in papieren rommelde. Nee, niet aan denken. Doe het gewoon. Ze moest afstand nemen, zoals haar vader haar had geleerd. Doe wat je te doen hebt en de –

Er viel iets zwaars op haar.

Ze vocht zich op haar rug en reikte naar haar pistool.

'Nee,' fluisterde Galen terwijl hij haar op de grond hield. 'Als je schiet, komen Chavez' mannen allemaal naar buiten rennen en dan zal Barry geen moeder meer hebben. Is dat wat je wilt?'

Ze verstijfde. 'Wat ben je aan het doen?'

'Ik probeer te verhinderen dat je vermoord wordt.'

'Ga van me af. Ik laat me niet vermoorden. Ik weet hoe ik dit moet doen. Mijn vader stuurde me altijd vooruit om –'

'Dat heb je me verteld. Maar dat betekent niet dat je Chavez te pakken kunt nemen terwijl hij door vijftien man wordt bewaakt.'

'Het zijn er maar acht.'

'Dat dacht ik ook. De anderen moeten na donker zijn aangekomen. Waarnaar was je op weg? De studeerkamer? Er is een man om de hoek en een binnen bij Chavez. Ze zijn overal en ze zijn nogal goed. Ik was bijna gepakt toen ik de omgeving aan het verkennen was.'

'Verkennen? Wanneer?'

'Toen ik verondersteld werd op wacht te staan. Dacht je dat jij de enige was die hoopte dat we de zaak met één kogel konden regelen? Het heeft geen zin, Elena. Ik wilde je gaan vertellen dat de kansen nihil waren, maar toen ik terugkwam in het kamp was je al vertrokken.'

'Laat me los.'

'Niet voordat je belooft dat je terug zult gaan naar het kamp.'

'Het enige dat ik je beloof is dat als je niet van me af gaat, ik je ribben zal breken en dan je ballen zal kraken.'

'O.' Hij bestudeerde een ogenblik haar gezicht. 'Je bent een heel overtuigende vrouw.' Hij liet haar los. 'Wat nu?'

'We gaan terug naar het kamp. Ik ben niet gek.' Ze keerde zich om en begon door het gras te kruipen. 'Maar overrompel me nooit meer op die manier, Galen.'

'Het leek de enige manier om je aandacht te trekken. Nu stel ik voor dat we onze mond houden tot we terug zijn in de bergen.'

Na een paar honderd meter bereikten ze de eerste bomen die het begin van de heuvels aankondigden. Galen trok haar overeind. 'Hoe kom je aan dat geweer?'

'Uit Judds truck gepakt. Ik dacht wel dat hij er een zou hebben. Ik wist niet of ik dichtbij genoeg kon komen om mijn eigen pistool te kunnen gebruiken.'

'Je bent dit van plan geweest vanaf het moment dat je wist dat we hier de nacht zouden doorbrengen.'

'Jij blijkbaar ook. Ik vroeg me al af waarom je niet wilde vertrekken zodra je zeker wist dat Chavez hier was.'

'En ik wist dat je iedere kans zou grijpen om Chavez te pakken. Ik wilde je voor zijn.' Hij vertrok zijn lippen. 'We denken te veel op dezelfde manier. Zoals Forbes zei: de privéclub.'

'Privacy is niet verkeerd,' zei Judd, die van achter de bomen te voorschijn kwam. Hij stak zijn hand uit naar Elena. 'Mijn eigendom, alsjeblieft.'

Ze gaf hem het geweer. 'Het spijt me, ik had het nodig.'

'Je had het kunnen vragen.'

'Zou je het me geleend hebben?'

'Nee.' Zijn hand gleed strelend over de loop. 'Ik heb een heel bijzondere relatie met dit geweer.'

'Het is een Heckler en Koch PSG1, hè? Speciaal gemodificeerd?'

'Ja.'

'Ik verwachtte niet dat je het me zou lenen. Daarom heb ik het je niet gevraagd.'

'Klinkt logisch. Maar doe het niet nog eens, of je zult er spijt van krijgen. Ik geef nooit een tweede waarschuwing.' Hij draaide zich om en liep voor hen uit naar hun kamp.

'Hij meende het,' zei Galen. 'Dat geweer is al heel lang een deel van hem.'

'Ik had een geweer nodig. En ik zou het opnieuw doen. Maar ik heb er toch niets aan gehad. Ik had gehoopt...' Ze haalde haar schouders op. 'Het is niet gebeurd. Dus kunnen we net zo goed onze biezen pakken en vertrekken. Ik wil Barry ergens in veiligheid brengen.'

'Hij zal nu nergens meer veilig zijn, Elena.'

Ze wist dat dat waar was. Nu Chavez hier in de Verenigde Staten was zou het alleen een kwestie van tijd zijn voor hij hen weer vond. 'Veiliger. Heb je suggesties?'

'Hij is waarschijnlijk getipt over mijn huis in New Orleans. Ik heb een idee voor een plek die voor ons zou kunnen werken. Maar ik wil geen van mijn vrienden er rechtstreeks bij betrekken, want het zal er smerig aan toe gaan.'

'Waar gaan we naartoe?'

'Laat je dat aan mij over? Verbazingwekkend.' Zijn toon was lichtelijk sarcastisch.

'Ik ben een vreemdeling in dit land.'

'Je lijkt al het andere in je eentje te willen doen.'

Ze draaide zich snel naar hem om. 'Wat wil je dat ik zeg? Ik deed wat ik moest doen.'

'En dat deed je alleen,' zei hij met opeengeklemde tanden. 'Je kon niet om hulp vragen. Je kon me niet vragen met je mee te gaan.'

'Ik ben er niet aan gewend om hulp te vragen.'

'Dat is heel duidelijk. Wat moet ik doen om tot je door te dringen?' Hij pakte haar schouders en schudde haar heen en weer. 'Je bent níét alleen. Hoor je me. Laat me je helpen. Je bent niet alleen.'

Hij begreep het niet. Sinds ze de boerderij hadden verlaten waren er momenten geweest dat ze te bang was om te denken. Ze was te lang alleen geweest, en ze was bang om anders te handelen dan op de manier die ze uit ervaring kende.

'Vertrouw me, Elena.'

'Ik vertrouw je.'

'Niet genoeg. Niet genoeg om door die ijslaag te breken die je om je heen hebt sinds Chavez op het toneel verscheen.'

Ze keek hem hulpeloos aan.

Hij schudde zijn hoofd en zijn handen ontspanden zich. 'Verloren zaak.'

'Het... spijt me.'

'Mij ook. Het gaat alles een verrekte hoop moeilijker maken.' Hij keek op zijn horloge. 'Ik moet een paar telefoontjes plegen en zien wat ik kan doen om een veilig onderkomen te vinden. Ik heb al voorlopige plannen in gang gezet voor het geval dit zou gebeuren. Er is een klein vliegveld in de buurt waar we een vlucht naar Portland kunnen krijgen. Van daaruit kunnen we verder met een straalvliegtuig.' Hij krulde zijn lippen. 'Per slot van rekening heb ik mijn reputatie als groot verzorger hoog te houden.'

Ze had hem gekwetst. Hij deed of het niet zo was, maar de pijn was er. Ze wilde haar armen uitstrekken en hem troosten zoals ze bij Barry deed, maar ze leek niet te kunnen bewegen. 'Dank je. Ik weet dat het moeilijk is voor –'

'Hou in godsnaam je mond.' Hij haalde diep adem en probeerde

zijn stem te matigen. 'We laten iedereen nog een uurtje slapen terwijl ik me ervan vergewis dat we een plek hebben om naartoe te
gaan.'
'Je hebt me niet verteld waar we heen gaan.'
Hij wendde zich af. 'Atlanta.'

10

Atlanta

De bungalow aan het meer was eenvoudig maar ruim, en de omgeving was absoluut prachtig, vond Elena. De heuvels en het
woud en het meer zelf waren spectaculair.

'Hé, kom terug jij.'

Ze draaide zich om en zag Judd achter Barry aan hollen die op
het meer afrende. 'Barry!'

'Ik heb hem.' Judd schepte Barry van de grond en stopte de gie-
chelende jongen onder zijn arm.

'Hier jij, snotaap. Als je zo graag in het meer wilt springen zal ik
kijken of ik iets kan vinden dat je bij wijze van zwembroek kunt
dragen. Kan hij zwemmen, Elena?'

'Als een vis,' zei Dominic. 'Ik heb het hem geleerd in een kreek
niet ver van ons huis.'

'Dan kun je beter komen en hem in de gaten houden,' zei Judd.
Hij zette Barry neer en begon de wagen uit te laden.

Judd leek goed werk te doen, dacht Elena. Hij had ervoor gezorgd dat Barry vrolijk bleef en hij had hem bezig gehouden tijdens de lange vlucht dwars over het continent hierheen. In feite
verbaasde het haar dat een zo eenzelvige man als Judd zich zo
had ingespannen om voor Barry te zorgen.

Hij ving haar blik op. 'Ik hou van kinderen,' zei hij rustig alsof
hij haar gedachten had gelezen. Hij pakte een jas en greep Barry's hand. 'Kom op, laten we jouw spullen gaan uitpakken.'

Ze wendde zich tot Galen. 'Van wie is dit huis?'

'Van Joe Quinn. Hij en Eve Duncan zijn met hun kind voor een
paar maanden naar Hawaï. Ze hebben gezegd dat ik het huis kon
gebruiken zolang ze weg waren. Het is afgelegen en ik dacht dat
Barry het meer leuk zou vinden.' Hij pakte de twee andere koffers
op en sloot de kofferbak. 'Ik weet zeker dat je niet kunt wachten om de buurt te verkennen en je ervan te overtuigen dat het

veilig is, maar zorg ervoor dat je voor het eten terug bent.' Hij draaide zich naar het huis. 'Ik heb al contact opgenomen met David Hughes, die de veiligheidsmensen leverde die ik eerder in Atlanta heb gebruikt. Ze zullen morgen hier zijn, dan kun je ze keuren. Ik zou niet willen dat je een van hen per ongeluk zou neerhalen. Hughes zou zeer ontsteld zijn. Ik ga ervan uit dat Judd en ik de veiligheid van het huis aankunnen, maar we hebben een paar goede mensen nodig om in het bos en langs het meer te patrouilleren. We zullen geen last van ze hebben.'

'Je schijnt aan alles gedacht te hebben. Heb je ook een sleutel van het huis?'

'Nee, maar ik heb een talent.' Hij droeg de koffers de trap op naar de veranda, waar Barry en Judd stonden te wachten. Hij probeerde de deur en knielde voor het slot. Een paar seconden later zwaaide de deur open. 'Een makkie. Help me herinneren dat ik Quinn vertel dat zijn beveiliging waardeloos is.' Hij wuifde Judd en Barry het huis in en ging toen zelf naar binnen.

'Judd kan goed met Barry opschieten,' zei Dominic achter haar. 'Het maakt dat ik me een beetje nutteloos ga voelen.'

'Doe niet zo gek.' Ze draaide zich om en keek hem aan. 'Judd en Galen zijn nieuw en anders voor hem. Hij komt wel bij ons terug als het nieuwtje eraf is.'

'Ik was me niet aan het beklagen. Ik weet dat het natuurlijk is en misschien zelfs gezond. Ik stelde alleen maar een feit vast. Je hebt me misschien niet langer nodig. Ik zou voor een tijdje naar huis kunnen gaan.'

'Ik zal je altijd nodig hebben, Dominic.' Ze pakte zijn arm. 'En er is geen huis om naar terug te gaan.'

'Ik zou het opnieuw kunnen bouwen. Ik ben daar nodig, Elena.'

Een golf van angst joeg door haar heen toen ze besefte dat het hem ernst was. 'Het is niet veilig. Wat als Chavez het gebied in de gaten laat houden?'

'Dat is niet waarschijnlijk.'

'Ik wil geen risico nemen. Niet met jou, Dominic.' Ze kwam dichterbij en legde haar hoofd op zijn borst. Ze fluisterde: 'Ik weet niet wat ik zonder jou zou moeten beginnen. Jij en Barry zijn mijn familie.'

'Ik laat je nu nog niet in de steek, en ik zeg ook niet dat ik je voorgoed ga verlaten. Jij en Barry betekenen te veel voor me.' Hij klopte zachtjes op haar schouder. 'Maar ik moest je vertellen wat ik denk. Ik kan niet blijven waar ik geen doel heb, Elena.' Hij duwde haar van zich af. 'En nu ga ik zwemmen met Judd en Barry. Waarom ga je niet met ons mee?'

'Ik ga de omgeving verkennen. Ik wil vertrouwd zijn met iedere inham en iedere boom.'

Hij glimlachte. 'Dat is wat Galen zei dat je zou doen. Hij kent je beter dan ik.'

'Nee, dat doet hij niet.'

Hij schudde zijn hoofd. 'Misschien niet in ervaring, maar zijn instincten zijn heel goed. Hij weet dat je geobsedeerd bent.'

'Dat weet jij ook, Dominic. We zijn zo lang samen geweest.' Ze trok een lelijk gezicht. 'En waarom praten we over Galen? Jij zei dat we hem niet echt kenden.'

'Dingen veranderen.' Hij draaide zich om en liep naar het huis. 'Chavez is aan de andere kant van het land. Het zal hem wat tijd kosten om te hergroeperen en zijn jachthonden op pad te sturen. We hebben waarschijnlijk de kans om op adem te komen. Waarom neem je niet wat tijd om je te ontspannen?'

Het had niet meer dan vijf uur geduurd om naar deze mooie, vreedzame plek te komen. Als Chavez ontdekte waar ze waren zou hij als een gier op hen neerduiken. 'Dat kan ik niet.'

Hij keek haar over zijn schouder aan. 'Nee, ik zie dat je dat niet kunt,' zei hij bedroefd. 'Dat is jammer.'

'Ze zijn niet in de bergen,' zei Gomez. 'Maar de man die ik de omgeving heb laten verkennen meldt dat er ongeveer honderddertig kilometer hiervandaan een klein vliegveld is. Hij is nu bezig het personeel daar te ondervragen.'

'Als Galen een vliegveld heeft weten te bereiken zijn we hem kwijt. Hij zal ervoor zorgen dat hij geen sporen achterlaat.' Chavez gluurde gefrustreerd naar de stapel papieren op het bureau. Geen aanknopingspunten. Niets.

'We blijven het proberen,' zei Gomez.

'Reken maar dat je dat doet,' antwoordde Chavez. 'Er is geen sprake van dat ik opgeef. Ik heb nog een paar troeven in handen.'

Hij pakte zijn telefoon en begon te bellen.

'Mama, kijk, ik ga in het water duiken!'

'Ik kijk.'

Barry sprong op de autoband die Judd had opgehangen aan een tak van de eikenboom die dicht bij het meer stond. Judd trok de band een paar meter achteruit en liet hem toen los. De band zwaaide over het water en Barry sprong juichend van de band in het meer.

Hij kwam proestend boven. 'Heb je me gezien?'

'Ik had blind moeten zijn om je niet te zien,' riep Elena. 'En doof.'

'Ik ga het nog een keer doen.'

Hij zwom naar de rand van het meer en Dominic hielp hem op de oever. 'Kijken, hoor.'

'Nog maar een paar keer. Het zal nu gauw donker worden.'

Maar het was nog niet donker, en de ondergaande zon overgoot het meer met gouden schoonheid. Jezus, wat was het hier vredig. Ondanks haar spanning was ze de laatste drie dagen niet in staat geweest de gezegende rust van de omgeving te negeren.

'Mooi.' Galen viel naast haar neer op de schommelbank op de veranda. 'Ik hou wel van schommelbanken.'

'Op je veranda van de ranch heb je een hangmat.'

'Hangmatten zijn om in te dutten. Schommelstoelen zijn voor de gezelligheid. Ik kan me voorstellen dat wij twee hier de komende vijftig jaar of zo zitten, en luisteren naar de vogels en het kraken van de schommel.'

'Ik niet.'

'Omdat je te veel in de knoop zit om je ook maar iets voor te kunnen stellen.'

Hij pakte haar hand. 'Niet verstrakken, ik wil alleen maar je hand vasthouden. Ik probeer je niet terug te lokken in mijn bed.' Zijn duim masseerde de binnenkant van haar pols waar hij haar hartslag voelde.

'Ik ben er niet zeker van dat je niet zou instorten als ik met je ging vrijen.'

'Zo zwak ben ik nou ook weer niet.'

'De hemel verhoede dat ik je daarvan beschuldig.' Hij begon verstrooid met haar vingers te spelen. 'Geen zwakheid. Dat sta je niet toe.'

'Ik kan het niet toestaan. Ik kan me nu op niets anders concentreren dan op Chavez.' Haar blik gleed naar Barry in het water. 'Al die jaren geleden was ik zwak. Ik was zo bang, iedere dag nadat hij klaar was met me. Ik was vastgebonden en hulpeloos, en ik wist dat hij de volgende dag terug zou komen en dat het opnieuw zou beginnen. Ik stond mezelf niet toe te huilen, maar ik kon niet ophouden met beven. Het enige moment waarop ik me niet zwak voelde was als we vochten. Maar ik wist dat ik zou sterven als ik dan de angst aan de oppervlakte liet komen.'

'We zijn allemaal soms bang.'

'Ik kan me dat nu niet veroorloven. Ik heb Barry.'

'En mij.' Hij tilde haar pols naar zijn lippen. 'Vergeet mij niet.'

Dat gevaar bestond niet. Hij was er altijd, pratend, bewegend, haar verwarrend. Hij verwarde haar nu.

'Je hart klopt sneller.' Hij streek zijn lippen heen en weer over haar pols. 'Ik moet erop wijzen dat seks wordt beschouwd als een uitstekend middel om te ontspannen.'

'Maar ik zou kunnen instorten.'

'Dat risico zou ik nemen.'

'Ik kan het risico niet nemen.'

Hij keek haar aan. 'Als ik zou doorzetten zou je van gedachten veranderen.'

'Mogelijk. Maar ik zou het je kwalijk nemen.'

'Dat weet ik.' Hij kuste haar pols en legde hem terug op haar schoot. 'Wat een dilemma voor een naar seks hongerende man. Ik denk dat we hier maar gewoon moeten blijven zitten schommelen en aan de volgende vijftig jaar denken. 'Sst,' zei hij toen ze iets wilde gaan zeggen. 'Ik zei denken, niet praten. Maak je geen zorgen. Je kunt je tot niets verplichten als je niet praat.'

Het kraken van de schommel was heel kalmerend, en de nabijheid van Galen was ook rustgevend. Hij had de seksuele lading uitgeschakeld alsof hij een schakelaar had ingedrukt. Wat een ongelooflijk gecompliceerde man was hij, dacht ze. Gecompliceerd en opmerkzaam en met een op het oog onbeperkte reeks talenten en capaciteiten. Het was een verbazingwekkend –

Galens telefoon ging over.

Ze verstrakte.

'Rustig.' Hij drukte de antwoordknop in. 'Galen.'

Elena voelde zijn spieren zich spannen. 'Geen sprake van. Praat maar met mij.'

'Wie is het?' vroeg ze.

'Chavez.'

Ze werd koud. 'Wil hij met mij praten?'

Hij knikte. 'Maar we geven hem niet wat hij wil. Je hoeft niet met hem te praten.'

'Ja, dat moet ik wel. Geef me de telefoon.'

'Ik kan het wel met hem af.'

'Geef me de telefoon.'

Hij aarzelde en gaf hem toen aan haar. 'Twee minuten en dan breek je af.'

Ze hoorde hem nauwelijks. 'Hier ben ik, Chavez.'

'Ik moet weten waar híér is, Elena. Je hebt voor een lange achtervolging gezorgd.'

Hij klonk zo dichtbij, alsof hij maar een paar meter, niet honderden kilometers van haar verwijderd was. Hij is niet dichtbij, vertelde ze zichzelf. Hij kan me niets doen. Hij kan Barry of Galen niets doen. 'Ga naar huis, Chavez. Je vindt ons toch niet.'

'Je stem trilt, Elena. Je bent bang, hè?'

'Ik ben niet bang voor jou.'

'Je liegt. Ik wist altijd wanneer je bang was. Het maakte de strijd altijd boeiender. Omdat je zowel tegen jezelf als tegen mij moest vechten. Maar de angst won, is het niet? Uiteindelijk versloeg ik je.'

'Je hebt me niet verslagen.'

'Natuurlijk wel.'

'Ik deed alsof, klootzak. En je was zo zelfingenomen dat je je liet bedonderen.'

Stilte. 'Dat is niet waar.'

'Ja, dat is het wel. Herken je de waarheid niet als je die hoort?'

'Jij, *puta*.'

'Nee, je wilde me breken en me tot je hoer maken, maar ik heb je de kans niet gegeven. Je hebt verloren, Chavez.'

Ze kon zijn woede door de telefoon voelen trillen. 'Als je de waarheid zegt heb ik alleen maar meer redenen om je te vinden. We hebben onafgedane zaken te regelen. Ik ben er bijna net zo op gebrand om jou in handen te krijgen als om mijn zoon te vinden.

Herinner je je hoe het voelde om in mijn handen te zijn?'

De touwen die in haar polsen sneden, zijn handen die over haar lichaam gleden. Niet aan denken. 'Dat ben ik vergeten. En Barry zul je nooit krijgen.'

'Ik ga zijn naam veranderen. Ik geef hem de mijne. Kleine Rico.'

'Nee.'

'Ja. Hij is tenslotte mijn kind. Ik zal degene zijn die hem vertelt wat hij moet doen en wat niet.'

Bedwing de angst en de woede. 'Waarom wilde je met me praten? Je denkt toch niet echt dat ik je iets ga vertellen?'

'Ik wilde je stem horen. Het brengt zulke plezierige herinneringen terug.' Hij zweeg even. 'En ik heb hier iemand die ook je stem wil horen. Ik geef de telefoon nu aan hem.'

'Elena?'

O, mijn god. Ze sloot haar ogen. 'Luís.'

'Je moet doen wat hij zegt.' De stem van haar broer was gebroken. 'Ik kan niet nog meer pijn verdragen. Hij zegt dat hij me zal doden.'

'Waarom zou ik me daar iets van aantrekken? Je hebt me verraden, Luís. Je hebt Chavez over Barry verteld.'

'Ik kon er niets aan doen. Ik had pijn. Ik moest scoren. Dominic had het me niet moeten vertellen. Ik wilde het niet doen.'

'Maar je deed het. Je gaf niet om mij of om Dominic of om Barry. Het enige waar je om gaf waren die verdomde drugs.'

Ze pinkte haar tranen weg. 'Nou, ik kan me er niets van aantrekken wat er nu met je gebeurt. Ik moet me zorgen maken over de mensen die jij aan Chavez hebt aangeboden.'

'Je trekt het je wel aan.' Zijn stem klonk wanhopig. 'Weet je nog toen we kinderen waren? Al die goede tijden... Help me, Elena.'

'Door mijn zoon op te geven? Je lijkt wel gek.'

'Ik kon het niet helpen wat ik deed. Jij was altijd de sterkere. Je hebt het nooit begrepen. Ik kan niet tegen pijn, Elena. Ze zullen me pijn doen.'

'Het spijt me, Luís,' fluisterde ze. 'Ik kan je niet helpen.'

'Je moet me...'

Hij werd onderbroken toen Chavez de telefoon overnam.

'Wat een harde vrouw ben je, Elena,' zei Chavez. 'Hij klinkt werkelijk meelijwekkend. Raakt hij je hart niet?'

'Je kunt hem net zo goed laten gaan.' Ze probeerde haar stem kalm te houden. 'Hoe kwam je op het idee dat ik Barry zou opgeven voor een man die me verraden heeft? Denk je dat ik nog enig gevoel voor hem heb?'

'Ik dacht dat het mogelijk was. Je bent een uitzonderlijke vrouw, maar je hebt vast nog een zwak voor de broer met wie je bent opgegroeid. Je deelde gevaar en goede tijden. Ja, je voelt ongetwijfeld iets voor hem.'

'Ik voel niets voor hem.'

'Dan zul je het niet erg vinden dat ik nog een beetje met hem speel, hè? Hij is een slappeling, maar misschien is er ook iets van jou in hem. Het zou langer kunnen duren dan je denkt. Ik zal hem jou laten bellen als ik klaar ben met hem.' Hij hing op.

Luís...

Ze gooide de telefoon naar Galen. 'Hij... liet mijn broer met me praten.'

'Dat heb ik gehoord, ja.'

'Hij gaat hem pijnigen.' Ze probeerde haar lippen niet te laten trillen. 'Het kan me niet schelen. Ik geef niets meer om hem. Hij verdient het.'

'Ja.'

'Ik heb geprobeerd hem van de drugs af te krijgen. Ik heb alles gedaan wat ik kon. Hij wilde niet luisteren. Het is niet mijn schuld...' Tranen liepen over haar wangen. 'Ik kan het niet doen, Galen. Ik kan hem niet helpen.'

'Ik weet het.' Hij nam haar in zijn armen. 'Stil maar, ik weet het.'

'Je weet het niet.' Haar handen grepen zijn shirt. 'Ik gaf om hem. Ik denk dat ik nog steeds om hem geef. Ik wil het niet, maar hij deed me terugdenken...'

'Wat is er aan de hand?' Dominic kwam met gefronst voorhoofd de verandatrap op. 'Wat is er gebeurd, Elena?'

'Luís...' Ze duwde Galen weg en veegde met de rug van haar hand over haar ogen. 'Chavez heeft Luís bij zich, Dominic.'

Hij bleef geschrokken staan. 'Luís.'

'Hij gaat hem pijn doen.'

Dominic had even tijd nodig om zich te herstellen. 'Maar Luís heeft hem geholpen.' Hij schudde zijn hoofd alsof hij het helder wilde maken. 'Dat maakt geen enkel verschil, hè? Soms vergeet ik hoe slecht Chavez is.'

'Ik niet.'

'Kunnen we hem redden?'

'Niet zonder Barry op te geven. En je weet dat ik dat niet kan doen.'

'Er moet iets zijn dat je kunt doen.'

'Hij gebruikt Luís als lokaas. Hij wil zowel Elena als Barry,' zei Galen. 'Als ze probeert achter Luís aan te gaan laat hij de val dichtslaan. Trouwens, we weten niet eens waar hij is.'

'Zou hij nog op de ranch kunnen zijn?'

Galen schudde zijn hoofd. 'Ik heb de DEA gebeld zodra we op het vliegveld waren en heb ze verteld waar ze Chavez konden vinden. Hij had de ranch verlaten tegen de tijd dat ze daar aankwamen.'

'Dat heb je me niet verteld,' zei Elena.

'De DEA was niet zo goed als een kogel, maar ik dacht dat het ons tijd zou geven tot hij zich uit de gevangenis had gekocht.'

'Je had het me moeten vertellen.'

'Waarom zou ik je slecht nieuws vertellen? Ik hoopte dat we geluk zouden hebben.'

'Te veel gevraagd.'

'Belt Chavez nog terug?' vroeg Dominic.

'Ja.' Elena stond op. 'Ik ga naar het meer, naar Barry. Ik moet...' Ze wilde dicht bij Barry zijn, hem aanraken.

Ze rende de trap en het pad af.

'Ik zou Chavez op een laag vuurtje willen roosteren,' zei Galen terwijl hij Elena nakeek. 'Hoe hecht waren zij en Luís?'

'Als kinderen waren ze heel hecht. Het was die twee tegen de rest van de wereld. Later groeiden ze uit elkaar. Haar vader trok Elena openlijk voor. Dat kwetste Luís en gaf Elena een schuldgevoel. Luís was geen kwade jongen. Hij was alleen maar zwak. Toen hij aan de drugs raakte heeft Elena al het menselijk mogelijke gedaan om hem te helpen. Iedere keer als ze hem even alleen moest laten ging hij terug naar de drugs.' Dominic schudde zijn hoofd. 'Het is afschuwelijk wat Chavez die twee aandoet.'

'Het kan me niet schelen wat hij Luís aandoet. Die hufter heeft haar verraden.'

Dominic knikte. 'Ik weet zeker dat hij niet de bedoeling had Elena te kwetsen.'

'Ik ben nergens zeker van.' Galen stond op. 'Behalve dat ze, als ze erover heeft nagedacht, zou kunnen besluiten een poging te wagen om die klojo te helpen. Zelfs als ze dat niet doet, wil ik niet dat ze zichzelf kwelt omdat ze moest kiezen tussen haar broer en haar zoon. Ik wil niet dat ze zelfs maar een zweempje schuldgevoel heeft.'

'Wat ga je doen?'

'Ik heb een paar mogelijkheden.' Hij staarde naar Elena die op de oever met Barry zat te praten. Ze glimlachte, maar hij kon de nerveuze spanning van haar spieren zien. Hij had haar nog nooit helemaal ontspannen, volkomen tevreden gezien. Jezus, wat wilde hij haar graag zo zien.

'Ik wil helpen,' zei Dominic. 'Tenslotte is het mijn fout dat ik Luís heb vertrouwd.' Zijn lippen trilden. 'Ik wilde dat hij zou veranderen, dat hij bij ons zou komen en een nieuw leven zou beginnen. In plaats daarvan heb ik Elena's leven bijna vernietigd. Ik heb wat goed te maken.'

'Ik verdrink nog in alle schuld die hier opborrelt,' zei Galen. 'Je bent hoogstens schuldig aan een slechte beoordeling en Elena is nergens schuldig aan. Om te beginnen zou Luís niet in deze situatie zijn als hij haar niet had verraden. Ze weet dat, rationeel, maar emotioneel ligt het waarschijnlijk heel anders.' Hij draaide zich om om naar binnen te gaan. 'Als ik je kan gebruiken zal ik dat doen. Maar je bent in dit soort situaties niet zo gekwalificeerd als Judd. Je principes zouden in de weg staan.'

'Weer de tweede viool achter Judd.' Dominic trok een quasi-zielig gezicht. 'Ik ben niet zo zachtaardig als je wellicht denkt. Laat me helpen.'

'Ik zal het je laten weten.' Galen keek nog eens naar Elena. Ze staarde langs Barry naar de ondergaande zon, maar hij wist dat ze die niet zag. Ze dacht aan haar broer en aan de last die Chavez op haar schouders had gelegd.

Tijd om aan het werk te gaan. Hij zou een paar telefoontjes plegen en vanavond, als Elena naar bed was, zou hij met Judd gaan praten.

'Ga je achter hem aan?' Judd schudde zijn hoofd. 'Laat Chavez hem maar afmaken. Die snotterende klootzak verdient het.'

'Je hebt waarschijnlijk gelijk. Hoe dan ook, ik ga de boel verkennen om er zeker van te zijn dat Luís echt in het nauw zit voordat ik besluit binnen te vallen of niet.'

'Waar val je dan binnen? Weet je waar Chavez is?'

'Miami, of daar in de buurt. Hij is daar van de ranch rechtstreeks naartoe gegaan. Manero heeft zojuist ontdekt dat hij langs de kust cruist op een jacht dat *The Prize* heet.'

Judds ogen vernauwden zich. 'En hoe weet jij dat?'

'Toen ik hoorde dat Chavez op weg was naar de ranch heb ik meteen Manero gebeld. Ik heb hem gezegd dat hij er een man heen moest sturen om de situatie in de gaten te houden en om Chavez te volgen als hij vertrok. Hij heeft me op de hoogte gehouden.'

'Hoelang weet je dat al?'

'Ik heb geweten dat hij naar Miami ging sinds de dag dat ik hier kwam. Zoals ik zei, Manero heeft dat van het jacht net ontdekt.'

'En je hebt het Elena niet verteld.' Het was een vaststelling, geen vraag. 'Je was bang dat ze weer achter hem aan zou gaan.'

'Ik wilde het risico niet lopen. Ik denk dat ze alles zou doen om een einde te maken aan deze bedreiging van Barry.'

'Ze zal het niet leuk vinden.'

'Dat vind ik niet erg. Ik wil dat ze veilig is.' Hij vertrok zijn lippen. 'Jezus, is dat te veel gevraagd? Ze is nog nooit in haar leven veilig geweest.'

'Wil je dat ik met je meega?'

'Misschien heb ik hulp nodig.'

'Goeie god, geef je zomaar toe dat je niet almachtig bent? Waar gaat het heen met de wereld?'

'Doe je het?'

'Het zal moeilijk worden. Een jacht is niet hetzelfde als een huis. Ze kunnen je zien aankomen.'

'Het is te doen.'

'Wanneer?'

'Morgenavond.'

Judd was even stil. 'Ik zal erover denken.'

'Ik ga er niet op af tenzij ik denk dat we een kans hebben.'

Hij knikte. 'Ik weet dat je geen amateur bent. Het is alleen dat ik juist nu een hoop heb om voor te leven. Dat wil ik niet verspelen.'

Galen wendde zich af om te vertrekken. 'Laat het me weten.'

Judd grinnikte. 'Je zult de allereerste zijn.'

De mat.

Elena werd gillend wakker.

Het was maar een droom.

Ze hijgde en was kletsnat van het zweet.

Ze kwam uit bed, ging naar de badkamer en plensde water tegen haar gezicht. Toen trok ze een ander nachthemd aan en ging terug naar bed.

Nee, ze kon het wel vergeten dat ze zich zou kunnen ontspannen. Haar hart bonsde nog zo heftig dat ze het er benauwd van kreeg. Ze had lucht nodig.

Een ogenblik later was ze op de veranda en ademde met volle teugen de koele lucht in.

'Gaat-ie?'

Ze keek over haar schouder en zag Galen in de deuropening staan. 'Ik had frisse lucht nodig.'

'Kon je niet slapen?'

'O, ik heb wel geslapen,' zei ze. 'Nachtmerries.'

'Over Luís?'

'Ja. Hij was op de mat en Chavez sloeg hem en sloeg hem en sloeg hem.' Ze haalde diep adem. 'Luís was nooit goed in man-tegen-mangevechten. Mijn vader en ik probeerden allebei het hem te leren, maar hij wilde het niet. Misschien was het leven dat we leidden te ruw voor hem. Misschien was hij anders geweest, gelukkiger, als hij in een stabiel gezin was opgegroeid. Iedereen zou de kans moeten hebben om gelukkig te zijn.'

'Zolang ze die kans niet wegnemen van iemand anders.'

'Je hebt gelijk. Ik weet dat je gelijk hebt.' Ze beet op haar lip. 'Maar ik kan hier niet gewoon zitten terwijl Chavez hem aan het martelen is. Ik moet hem helpen. Als hij vrij is kan ik hem de rug toekeren, maar nu niet.'

'En Barry?'

'Jij en Dominic zullen hem beschermen.'

'O, dus ik wordt verondersteld hier te blijven als babysitter.'

'Ja. Luís is niet jouw verantwoordelijkheid. Ik wil maar een ding van je. Ik moet weten waar Chavez is.'

'En je denkt dat ik dat aan de weet kan komen?'

'Natuurlijk.' Ze probeerde te glimlachen. 'Jij bent de grote probleemoplosser. Dit probleem kun je ook oplossen, is het niet?'

'Misschien.'

'Doe je best.' Goeie god, wat had ze het koud. Ze kruiste haar armen voor haar borst. 'Alsjeblieft. Vind hem. Ik wil niet voor de rest van mijn leven zulke nachtmerries hebben.'

'Dat zul je niet. Ga weer naar binnen.'

'Doe je het?'

'Er is niet veel dat ik niet voor je zou doen.' Een glimlach verhelderde zijn gezicht. 'Ik zou met draken voor je vechten, windmolens bestormen, een wildernis verkennen...'

Ze hield van die glimlach. Ze wilde wel altijd naar hem blijven kijken als hij tegen haar lachte. 'Alleen een lokatie.'

'Je begrijpt het niet. Je moet me dwingen mijn capaciteiten te forceren. Volgende keer wil ik een uitdaging.' Hij opende de hordeur. 'Nou, duik je bed weer in. Ik moet nadenken.'

Ze bewoog niet. 'Wil je... met me op de schommelbank gaan zitten?'

Hij werd stil. 'Waarom?'

Ze wilde niet naar binnen gaan. Ze wilde hem niet verlaten. 'Het zou fijn zijn. Ik voel me een beetje... Het zou fijn zijn.'

Hij nam haar hand en leidde haar naar de bank. 'Ja, dat zou het.' Hij trok haar naast zich en sloeg een arm om haar heen. 'Kruip tegen me aan. Het is fris.'

Maar hij was warm en sterk en rook naar citroenen. Het was goed om hier te zitten en aan niets anders te denken dan aan het kraken van de schommel en hoe vertroostend het was om door hem vastgehouden te worden. 'Dit is heel aardig van je. Als je wilt... we zouden straks naar binnen kunnen gaan en vrijen.'

Hij grinnikte. 'Nee, dat kunnen we niet. Dat is niet wat je nu nodig hebt. Je blijft maar proberen me te betalen. Hoelang gaat het nog duren voor je begrijpt dat momenten als deze hun eigen waarde voor me hebben? Uiteraard geldt dat alleen wanneer ik geen hitsig zwijn ben.'

'Of een klootzak.'

'Je glimlacht.' Zijn hand masseerde zacht de zijkant van haar hals. 'Dat is een goed teken. Doe je ogen dicht, dan vertel ik je over mijn leven als smokkelaar in de Oriënt, vroeger toen ik jong en onstuimig was. Ik ben natuurlijk nog steeds jong en onstuimig, maar misschien niet meer zo roekeloos. Ik herinner me een keer toen ik in Sjanghai een schip probeerde te vinden...

11

Chavez' telefoontje kwam de volgende ochtend.

'Heb je goed geslapen?' vroeg hij nadat Galen haar de telefoon had gegeven. 'Ik ben bang dat die arme Luís dat niet heeft gedaan. Uiteraard heb ik heel goed geslapen.'

'Ik ga jou Barry niet geven.' Ze wachtte even. 'Maar hij is niet de enige die je wilt hebben. Ik zal je ontmoeten, als je dat wilt. Wil je geen nieuwe kans met me?'

'Zo graag dat ik bijna in de verleiding zou komen. Bijna. Maar eerst moet ik mijn zoon hebben. Als je eenmaal dood bent kun je me niet meer vertellen waar hij is. Dan moet ik met iemand anders onderhandelen.'

'Misschien heb je geluk en slaag je erin me in leven te houden. Ik weet zeker dat je liever míj zou martelen dan Luís.'

'Veel liever. Maar er zijn kleine compensaties. Zijn ogen lijken een beetje op die van jou. Geef me mijn zoon.'

'Laat me met Luís praten.'

'Ik ben bang dat hij op het ogenblik niet tot een gesprek in staat is. Misschien de volgende keer als ik bel.' Hij hing op.

'Hij wilde me niet met hem laten praten.' Ze gaf de telefoon terug aan Galen. 'Hij zei dat hij niet kon praten.'

'Hij zou kunnen liegen,' zei Judd vanuit zijn stoel aan de andere kant van de kamer.

'Dat weet ik.' Ze haalde diep adem. 'Zoek Chavez voor me, Galen.' Ze ging naar buiten naar de veranda. Ze probeerde geen uitdrukking op haar gezicht te hebben toen ze Barry op de schommelbank zag zitten met Dominic. 'Hoi. Heb je honger?'

'Nee.' Barry staarde haar bezorgd aan. 'Je kijkt verdrietig, mama.'

'Nee hoor, ik ben in orde. Ik dacht dat we misschien een wandeling langs het meer konden maken. Ik hoorde wilde ganzen toen ik vannacht hier buiten was.'

'Natuurlijk.' Hij sprong van de bank. 'Ik ga Galen zeggen dat ik hem niet kan helpen met het ontbijt.' Hij rende langs haar het huis in.

'Het wordt moeilijker om dingen voor hem verborgen te houden,' zei Dominic. 'Hij is een slimme jongen en al dat rondtrekken zou iedereen argwanend maken. Je moet misschien eens met hem praten.'

'En wat ga ik hem dan vertellen? Dat zijn vader een monster is dat zijn moeder wil vermoorden?' Ze schudde haar hoofd. 'Het is mijn taak Barry te beschermen.'

'En Luís?'

Ze schudde haar hoofd. 'Ik weet het niet. Chavez liet me niet met hem praten.'

'Ik ben klaar.' Barry opende de hordeur. 'Galen zei dat hij toch nog dingen te doen had vanochtend en dat ik hem als ik terug ben kan helpen met de brunch. Dat is half ontbijt, half lunch.' Hij rende de trap van de veranda af. 'Laten we naar die ganzen gaan kijken.'

'En?' vroeg Galen aan Judd.

'Je pakt dit misschien niet goed aan,' zei Judd. 'Ik heb erover nagedacht en misschien zouden we meer geduld moeten hebben. Chavez schijnt geen haast te hebben om haar broer te vermoorden.'

'Wat niet echt goed is voor Luís.'

Hij trok zijn wenkbrauwen op. 'Vinden we dat erg?'

'Nee, maar Elena wel. En zij zal niet geduldig zijn.'

'Dat is zo.' Judd staarde nadenkend door het raam naar het meer. 'Chavez speelt op haar emoties. Hij rekent erop dat ze zal instorten.'

'Niet rekenen – gokken op de lange termijn. Hij weet hoe taai ze is.'

'Dan kan hij wel net zo wanhopig zijn als zij.'

'Ga je me helpen of niet?'

Judd knikte. 'Maar we gaan er niet vanavond tegenaan. Morgen. Ik wil er nog wat langer over nadenken.'

Galen haalde zijn schouders op. 'Waarom niet? Morgen.'

Chavez keek met weerzin neer op Luís die bewusteloos op het bed lag uitgespreid.

Slap ongedierte. Hij kon niets van Elena in haar broer ontdekken. Daarover had hij tegen haar gelogen. Zo'n slappeling zou geen recht op leven moeten hebben. De aarde zou alleen voor de sterken moeten zijn.

'We zijn er nog niet in geslaagd Galen op te sporen,' zei Gomez achter hem. 'We zoeken nu alles uit over zijn vrienden en partners.' Hij keek naar Luís. 'Is het nog steeds nodig dat we ze vinden?'

'Blijf zoeken.' Hij wendde zich af van Luís. Hij had zich aan een strohalm vastgeklampt toen hij Elena's broer in de onderhandelingen bracht. Hij moest een manier bedenken om hem te gebruiken, behalve als handelswaar. Hij geloofde er niet in dat ze zou toegeven om haar broer te redden. Hij zou het voor zijn eigen broer ook niet doen, en zij kon bijna even sterk zijn als hij. Maar niet even sterk. Ze had gelogen toen ze zei dat ze gedaan had alsof toen ze hem liet winnen. Dat kon niet waar zijn. Hij kon de gedachte dat ze hem niet alleen had verslagen maar ook nog voor de gek had gehouden niet accepteren.

De afgelopen twee nachten had hij gedroomd dat hij haar terug had in de gymzaal. Geweldige, opwindende dromen over triomf. Die móésten werkelijkheid worden.

De telefoon rinkelde die ochtend om tien over halftwaalf.

Elena verstarde.

'Chavez.' Galen gaf haar de telefoon.

'Ik weet niet hoeveel Luís nog kan hebben,' zei Chavez. 'Geef me de jongen.'

'Dat hebben we al besproken.' Haar stem beefde. 'Vergeet het maar.'

'Je bent overstuur. Volgens mij ben je aan het verslappen.' Hij wachtte even. 'En je zult zelfs nog meer geneigd zijn om hem te redden als je ziet wat voor afstraffing hij door jou moet ondergaan. Ja, ik denk dat ik jou en Luís bij elkaar moet brengen. Eens kijken. Zal ik je broer over twee dagen naar Orlando brengen? De tuin van het Kissimmee Hotel. De bank naast de koi-vijver. Tien uur 's morgens.'

'Denk je dat ik gek ben?'

'O, hij zal alleen zijn, hoor. Ik heb begrepen dat Galen de DEA over me heeft getipt toen ik op de ranch was. Denk je dat ik niet weet dat hij een trucklading agenten bij het hotel zou stationeren om me te pakken? Het zou niet erg slim zijn om mezelf in die positie te plaatsen.'

'Wat houdt me dan tegen om Luís mee te nemen?'

'Het feit dat ik een heel goede scherpschutter in de omgeving heb met zijn vizier op Luís. Als hij de tuin verlaat is hij dood.'

'En diezelfde schutter zou mij kunnen uitschakelen.'

'Dat is jouw probleem. Ik weet zeker dat je dat naar jouw volle tevredenheid kunt oplossen.'

'Ik zal er niet zijn.'

'Na nog twee nachten vol zorgen om je dierbare Luís? Ik denk dat je er zult zijn.' Hij hing op.

'Hij gaat Luís naar het Kissimmee Hotel in Orlando brengen. Tien uur in de ochtend, over twee dagen,' zei ze. 'Hij denkt dat ik verslap. Hij wil me zijn handwerk laten zien. Hij zegt dat Luís alleen zal zijn.'

'Niet waarschijnlijk.'

Ze knikte. 'Valstrik.'

'Maar er zou een kans kunnen zijn,' zei Dominic. 'Misschien kunnen we Luís weghalen voordat ze de val laten dichtslaan.'

'Hij wil Elena,' zei Galen. 'En ik wil niet dat die val op haar dichtklapt.'

'Wacht eens, misschien heeft Dominic gelijk.' Ze masseerde haar slaap. 'Ik kan geloof ik even niet denken. Het ligt voor de hand dat hij niet zelf of met een ploeg zal komen opdagen, nu hij weet dat je de DEA al eerder op zijn spoor hebt gezet. Hij zei dat er een schutter zou zijn met zijn vizier op Luís.'

'Hij verwacht heus niet dat je daar binnenwandelt, naar die arme, arme Luís kijkt en vertrekt. De schutter zal proberen jou uit te schakelen, of er zit een andere joker in het spel.'

'Dat weet ik.' Ze bevochtigde haar lippen. 'Maar ik krijg misschien nooit meer een betere kans.'

Galens lippen vertrokken. 'En de weg vrijmaken?'

'Hij is haar broer,' zei Dominic rustig. 'Hij is zwak, niet slecht, en hij verdient beter dan op die manier door Chavez te worden behandeld.'

'Verdomme, je hoeft haar niet ook nog eens aan te moedigen, Dominic.'

'Jij hebt hem nooit gekend,' zei Dominic. 'Ik wel. En ik hield van hem. Nee, ik hou van hem.' Hij glimlachte tegen Elena. 'Je hoeft je er niet voor te schamen dat je nog van Luís houdt. Vergiffenis is een goede zaak.'

'O, in godsnaam.' Galen gooide zijn handen in de lucht. 'Waarom maak ik hier nog woorden aan vuil? Je gaat erheen, hè?'

'Ik moet het proberen,' fluisterde ze.

'Het is een groot risico.'

'Dan moet ik iets bedenken om het minder groot te maken.'

Hij staarde haar even geërgerd aan en draaide zich toen om. 'Oké, we gaan erop af. Ik zal Manero bellen en hem de situatie bij het hotel laten opnemen.'

'Nee, ik ga alleen. Dominic zal me helpen en ik heb iemand die ik vertrouw nodig om op Barry te passen. Ik vind het idee niet prettig bij hem weg te gaan. Niet dat ik jouw mannen hier niet vertrouw, maar ik –'

'Maar niemand kan voor je zoon zorgen zoals jij. Ik neem aan dat ik me gevleid moet voelen dat je mij beschouwt als een betrouwbare babysitter.' Galen schudde zijn hoofd. 'Ik ga met je mee. Dominic zorgt voor Barry. Als je dat wilt kunnen we Barry meenemen tot een vliegveld buiten Orlando waar we hem en Dominic achterlaten in de helikopter als wij de stad ingaan. Bij het eerste teken van gevaar kan Dominic 'm smeren met het kind.'

Ze dacht erover na. Het idee om Barry mee te nemen beviel haar niet, maar het alternatief om hem honderden kilometers ver achter zich te laten was totaal onaanvaardbaar. 'Oké, ik denk dat dat veilig genoeg is.'

'Veiliger dan wij zullen zijn.' Hij draaide zich om en verliet de kamer.

Ze kon hem niet kwalijk nemen dat hij geërgerd was. Alles kon de mist ingaan door een gemoedsbeweging en haar redenen om achter Luís aan te gaan waren puur emotioneel.

'Het is goed dat je dit doet, Elena,' zei Dominic.

'In tegenstelling tot wat de ridders van Camelot beweerden overwint het goede niet altijd de macht.' Ze keek Dominic in de ogen. 'Ik zei dat ik het zou proberen, Dominic. Maar als ik denk dat ik mijn zoon in gevaar breng of dat de kans groot is dat hij daardoor zijn moeder zal verliezen, ga ik terug. Barry is onschuldig en dat laat de balans in zijn voordeel doorslaan.'

Hij knikte langzaam. 'Ik begrijp het. Onschuld is een helder en stralend iets. Maar iemand zal ook de verloren zielen moeten redden.'

'Daarom ga ik.' Ze stond op. 'En nu moet ik een plan maken. Twee dagen is niet zo erg lang.'

Zou ze komen?

Chavez staarde in gedachten over de reling naar de wolkenkrabbers van Miami Beach.

De kansen dat Elena haar zoon zou ruilen voor die slappeling van een broer waren voor hem niet groot genoeg om op te vertrouwen. Toch zou ze kunnen worden verleid om te proberen hem te bevrijden als de omstandigheden goed waren geënsceneerd. Het was het soort actie dat een vrouw met haar karakter zou aanspreken. Het was een gok, maar hij had op dit moment niet veel keus. Hij had geen enkel idee waar Elena en Galen zouden kunnen zijn.

'Gaan we naar Orlando?' vroeg Gomez achter hem.

Chavez knikte. 'Twee dagen.' Het plan zou hem waarschijnlijk niet zijn zoon opleveren, maar het kon de jongen van zijn vurigste beschermer ontdoen. Hij had haar liever gevangengenomen, maar dat zou wel niet gebeuren. Het was waarschijnlijker dat ze die teef zouden moeten afmaken, en dat was ook niet zo slecht. Galen was misschien eerder bereid over de jongen te onderhandelen als zij niet meer meetelde. 'Hoe is het met Luís?'

'Van de wereld'

'Maak hem wakker. We moeten hem klaarmaken.' Hij zweeg, dacht even na. Het moest voorzichtig worden aangepakt. 'En ik wil dat de bloeduitstortingen heel goed zichtbaar zijn, Gomez. Ik wil dat haar lieve, vriendelijke hartje voor hem bloedt.'

'Manero heeft een schets van het hotel en de omgeving gefaxt.' Galen spreidde het blad uit op de keukentafel. 'Hier is de brug over de koi-vijver waar Luís geacht wordt te wachten. Het hotel heeft zes etages, maar de tuin kan alleen maar worden gezien vanuit ongeveer een derde van de ramen aan de zuidzijde van het gebouw.' Hij trok een cirkel om de ramen die uitzicht hadden op de tuin. 'Dit is dus sluipschuttersland.'

'Misschien.' Judd tikte op het hotel aan de overkant van de straat. 'Hoeveel van de tuin kun je van daaruit zien?'

'Dat is het Mirado Hotel. Het staat er haaks op. Er zijn maar vier kamers met uitzicht.' Galen omcirkelde die kamers. 'Er zijn in de buurt geen andere hotels die erop uitzien. Dat betekent natuurlijk niet dat iemand die vertrekt niet kan worden opgepikt door een langsrijdende auto.'

'Zorg jij daar dan voor,' zei Judd. 'Jij bent goed in het afvoeren. Voer ons maar af.' Hij wees naar de ramen van het Kissimmee Hotel. 'Ik zuiver de grond hier en verken het hotel aan de overkant. Wie gaat naar Luís?'

'Dat doe ik,' zei Elena. 'En we hebben een wagen nodig die buiten dat tuinhek wacht. Ik ga geen tijd verspillen aan praten. Ik haal hem gewoon weg.'

'Je weet niet eens of hij in staat is om te lopen,' zei Galen.

'Ik krijg hem er weg.' Elena's lippen kregen een vastberaden trek. 'Zorg er nou maar voor dat die wagen daar wacht.'

Galen knikte. 'Voor jij erin gaat zal ik de tuin nog een keer uitkammen om te kijken of er geen verrassingen zijn.'

'Nee, jij hebt jouw taak, ik heb de mijne.' Ze wendde zich af. 'Ik zal hem zelf controleren.'

'Zoals je wilt.' Galen richtte zich tot Judd. 'Hoeveel tijd heb je nodig?'

'Ik ga er vanavond heen en kijk rond. Chavez kan geregeld hebben dat zijn schutter op het laatste moment in het Kissimmee Hotel aankomt. Dus ga ik aan de overkant van de straat in het Mikado zitten en hou de wacht als Elena Luís ontmoet.'

'Goed idee.'

'Als je me maar niet vergeet als je de anderen weghaalt.' Hij glimlachte sardonisch. 'Ik zou me ernstig beledigd voelen.'

'Verspil dan geen tijd als je Elena en Luís naar het hek ziet gaan. Wacht buiten.' Hij vouwde het papier op en stak het in zijn zak. 'Ik heb een piloot en een helikopter geregeld om ons op te pikken en naar Orlando te brengen. Josie McFee. Ik heb eerder van haar diensten gebruik gemaakt. Ze is goed, betrouwbaar en hard als een spijker. Ze zal op een privéveld aan de rand van Orlando landen.'

'Is dat niet erg dichtbij?' Elena fronste haar wenkbrauwen. 'Ik wil Barry of Dominic niet in gevaar brengen.'

'Het vliegveld is veilig. Als we denken dat we gevolgd worden gaan we daar niet naar terug. Oké?'

Het was niet oké. Het hele plan was riskant, maar Barry's aandeel erin leek tenminste redelijk veilig. Ze knikte langzaam. 'Ja, ik neem aan van wel.'

'Goed.' Hij liep naar de deur. 'Als jullie me nu willen excuseren, ik ga kijken of ik een konijn uit een hoge hoed kan toveren zodat we heelhuids uit Orlando kunnen vertrekken.'

'Hoe ga je dat doen?'

'Joost mag het weten. Dat is het terrein van Disney World. Misschien dat ik Donald Duck ook in het spel breng.'

'Veel geluk,' mompelde Judd ironisch.

'Nou?' Elena keek Judd recht aan toen Galen vertrokken was. Zeg je niets tegen me? Is dit niet precies waarvoor je me hebt gewaarschuwd het niet te doen? Ik zet Galens leven op het spel.'

Hij schudde zijn hoofd. 'Dat doet hij zelf. Je kunt hem niet meer tegenhouden, al zou je dat willen.'

'Ik wil hem inderdaad tegenhouden.'

'Blaas het dan af. Dit is een plan waarbij niet te winnen valt. Wat gaan we doen met je broer als we hem wegkrijgen van Chavez?'

Ze wist het niet. Het was een probleem waar ze niet op zat te wachten, maar dat deed er niet toe. 'Ik moet dit doen, Judd.'

Hij schudde zijn hoofd. 'Emotie is een afknapper. Het staat helder denken in de weg.'

'En natuurlijk laat jij je daar nooit door hinderen.'

'Het hindert me, maar ik heb mezelf erop getraind me er niet door te laten beïnvloeden. Het doet je aarzelen en dat kan fataal zijn.'

Hij glimlachte. 'Je zou niet willen dat ik aarzel als ik die schutter op jou zie richten.'

'Nee.'

'Praat dan niet tegen mij over emotie. Ik zie je wel in Orlando.'

Ze volgde hem naar de veranda en keek naar hem toen hij in de jeep stapte.

'Hou op met tobben, Elena.'

Ze draaide zich om en zag Dominic het pad van het meer opkomen.

'Waar was je?'

'Ik heb gewoon zitten denken. Niets is beter om de ziel te troosten dan kijken naar Gods wonderen. Je zou het moeten proberen.' Hij liet zich op de verandatrap zakken. 'Jouw ziel heeft wel wat troost nodig.'

Ze ging naast hem zitten. 'Ja.'

'Je bent altijd een tobber geweest. Zelfs als klein meisje piekerde je over ieder klein detail. Luís was anders. Hij leefde voor het ogenblik. Maar hij was goed voor je. Hij hielp je herinneren dat je nog een kind was.'

'Is hij degene aan wie je dacht daar bij het meer?'

'Hoe zou ik aan iemand anders kunnen denken? Zal het ons lukken hem te redden?'

'Ik hoop het. Galen en Judd zijn slim en ervaren. Dat maakt heel veel uit.'

'Ik bid dat alles goed zal gaan.'

Ze legde haar hoofd tegen zijn arm. Hoe vaak hadden ze zo gezeten op de trap voor hun huis in Tomaco? Ze voelde op een prettig vertrouwde manier troost door zich heen stromen. 'Dan weet ik dat het goed zal gaan. Jij hebt vrienden op hoge plaatsen.'

Hij grinnikte. 'Laten we hopen dat ze de dingen op mijn manier zien.' Hij kuste haar op haar hoofd. 'En nu ga je zelf een wandeling maken. Kijk naar het meer en naar de lucht, en als je terugkomt zul je je beter voelen.'

'Als jij het zegt.' Ze stond op en liep het pad af. 'Ik zal het proberen. Ik zou je hooggeplaatste vrienden niet graag kwetsen.'

12

Arm kind.
Dominic keek Elena na toen ze het pad afliep. Zoveel kwelling, zoveel pijn en... spijt. Ze vond dat iedereen verantwoordelijk was voor zijn eigen leven, maar het had haar altijd gekweld dat ze niet in staat was geweest Luís van zijn eigen daden te redden. Ze had tegen Dominic een keer gezegd dat ze misschien succes had gehad als ze het nog een keer had geprobeerd. Ze was altijd de verantwoordelijke geweest, degene die de lasten gedragen had. Maar ze was niet in staat geweest die van Luís te dragen.
Dominic ook niet. Evenmin was hij in staat geweest Luís te leren zijn eigen lasten te dragen. Misschien zouden hij en Elena, als ze hem konden bevrijden, nog een kans krijgen om zowel zijn ziel als zijn lichaam te redden.
'Waar gaat ze naartoe?' vroeg Galen vanuit de deuropening.
'Gewoon een stukje lopen. Ik dacht dat ze dat nodig had.'
'Ik wou dat dat alles was wat ze nodig had.'
'Je maakt je zorgen over haar.'
'Dat doe ik zeker.' Galens stem trilde van emotie. 'Wat is daar mis mee? Iemand moet zich er druk over maken of ze leeft of sterft. Ze duikt erin om een klootzak te redden die – Sorry, ik weet dat jij ook om hem geeft. Ik zal mijn mond houden.'
'Doe dat maar niet.' Hij glimlachte. 'Kom naast me zitten, dan praten we wat.'

'Kijk, daar helemaal beneden,' schreeuwde Josie McFee boven het geluid van de rotors uit tegen Barry in de stoel achter haar. 'Dat is Disney World. Daar woont Mickey Mouse.'
Barry duwde gretig zijn gezicht tegen het raam. 'Ik zie een kasteel en een –' Hij draaide zich om naar Elena. 'Gaan we daar naartoe?'
'Niet op deze trip. We hebben hier zaken te doen en we dachten

dat jij de vlucht met de helikopter leuk zou vinden. Elena keek naar Galen, die in de stoel van de copiloot zat. 'Hoe lang nog?'

'Nog vijf minuten,' antwoordde Josie McFee in zijn plaats. 'Het is een beetje afgelegen, maar Galen zei dat het privé is. Er wacht een auto in de hangar.' Ze lachte weer tegen Barry. 'Ik hoor dat jij met mij gaat wachten in de helikopter. Misschien kunnen we een beetje gaan toeren.'

'Mama?'

Ze schudde haar hoofd. 'Het is nodig dat Josie op ons wacht.'

'We zijn in tien minuten terug op het vliegveld,' zei Josie. 'In die tijd kun je niet eens naar Kissimmee rijden.'

'Het is geen slecht idee,' zei Dominic.

Ze veronderstelde dat het in orde was als Dominic en Barry voor zo'n korte tijd het vliegveld zouden verlaten. Het zou voorkomen dat Barry verveeld en onrustig zou worden. Het was alleen raar om aan pleziertripjes te denken in verband met hun missie hier. Maar het was nog raarder om gedwongen te zijn een kind mee te nemen op diezelfde missie. 'Tien minuten.'

'Goed,' zei Josie. 'Vertrouw me maar. Ik heb zelf kleinkinderen. Ik bezorg hem een fijne toer.'

Ze vertrouwde de vrouw. Het was eigenaardig dat ze zich zo op haar gemak kon voelen met een vrouw die ze net had ontmoet. Maar Josie McFee boezemde vertrouwen in. Ze was een vrouw van in de vijftig met grijzend haar, gezet en opgewekt. 'Daar ben ik van overtuigd. Zorg er alleen voor dat je je niet te dicht bij dat kasteel laat zakken.'

'Maak je daar maar geen zorgen over,' zei Galen. 'Deze hele stad staat onder toezicht van Disney, het luchtruim inbegrepen. Ze zijn heel gevoelig voor alles wat de familiepret zou kunnen verstoren.'

'We gaan landen.' Josie deed de helikopter hellen. 'Over een paar minuten staan we op de grond.'

Het leek of het korter geduurd had toen de helikopter op het beton tot rust kwam.

'Daar is de wagen. Ik ga hem even checken. Wacht hier.' Galen sprong uit de helikopter en dook onder de zoemende rotorbladen door om naar de hangar te rennen.

'Wil je voorin zitten bij Josie?' vroeg Dominic aan Barry. 'Daar heb je een beter uitzicht.'

Het gezicht van Barry klaarde op. 'Mag dat?'

'Natuurlijk,' zei Josie. 'Kom maar naar voren.'

Dominic was al uit de heli gestapt en tilde Barry in de stoel van de copiloot. 'Daar ga je.' Hij maakte de veiligheidsgordel vast. 'Let goed op alles wat Josie doet. Misschien leer je hoe je met dit insect kunt vliegen.'

Barry's ogen gleden enthousiast over het dashboard. 'Wow! Het lijkt wel een ruimteschip.'

'Niet echt.' Hij streelde Barry's haar en stapte achteruit. 'Ik geloof dat ik een stuk papier heb laten vallen toen ik uitstapte. Wil je even kijken of het op de vloer ligt, Elena?'

Hij had gelijk, er lag een vierkant stuk papier op de vloer. Ze boog voorover om het te pakken.

'Goede reis.' Hij sloeg de deur dicht en gebaarde naar Josie.

Elena staarde hem vol ongeloof aan. 'Dominic!'

De helikopter kwam van de grond, draaide en liet Dominic achter op de grond.

'Land, verdomme.'

'Ik kan je niet verstaan,' riep Josie over haar schouder. 'En ik denk niet dat je wilt dat mijn copiloot je hoort. Je hebt een brief die je moet lezen.'

Elena wierp een laatste woedende blik op Dominic die naar de wagen liep waar Galen wachtte. Het was verdomme een samenzwering.

De brief.

Ze vouwde het papier open.

Elena,

Dit is mijn taak, denk ik. Dat is niet alleen omdat jij en Luís en Barry nooit in deze situatie waren beland als ik Luís niet had vertrouwd. Ik heb altijd geloofd dat hij kon worden gered als ik alleen maar die extra mijl voor hem wilde gaan.

Dit is die extra mijl.

Ik ben geen held. Galen heeft beloofd de tuin te checken en hem zo veilig mogelijk voor me te maken. Ik zal Luís alleen maar naar de wagen brengen en proberen zijn angst weg te nemen. Hij is altijd een angstige jongen geweest en

angst is iets vreselijks, zoals jij je zoon hebt geleerd. Je
moet niemand de schuld hiervoor geven, alleen mij. Ik heb
Galen overtuigd en Galen overtuigde Josie.
Nu moet ik jou ervan overtuigen dat zelfs als je Josie
dwingt te landen de actie voorbij zal zijn tegen de tijd dat
je een manier hebt gevonden om bij het hotel te komen.
Daar komt bij dat je dan Barry onbeschermd moet
achterlaten en hem waarschijnlijk doodsbang maakt.
Overtuigd?
Ik hoop het met heel mijn hart. Want je zult de tanden op
elkaar moeten zetten en het aan iemand anders over
moeten laten deze last op zijn schouders te nemen. Het is
jouw taak voor onze jongen te zorgen.

Met al mijn liefde,
Dominic

Tranen prikten in haar ogen terwijl ze het papier verkreukelde. 'Verdomme. Verdomme, Dominic.'
Josie keek over haar schouder. 'Sorry. Ik volg bevelen op, en Galen is de baas.'
Maar Galen was in dit geval niet de baas geweest. Na jarenlang op de achtergrond te zijn gebleven was Dominic naar voren gestapt en had de show overgenomen.
God, wat was ze bang.

'Wat stelt dit voor?' Terwijl hij de deur opende staarde Judd spottend naar het politie-uniform dat Galen droeg. 'Je moet het me niet kwalijk nemen als ik zeg dat dat uniform je niet staat. Het vraagt een bepaalde houding om het geloofwaardig te maken.'
'Mensen twijfelen zelden aan politieagenten.' Galen kwam de kamer binnen en gooide de grote koffer die hij droeg op het bed voordat hij naar het raam stapte. 'Heb je de kamers van dit hotel gecontroleerd?'
'Ik neem niet eens de moeite om die vraag te beantwoorden.' Hij volgde Galen naar het raam. 'De sluipschutter was in de derde kamer van rechts op de vierde verdieping van het Kissemmee aan de overkant. Pat Reilly, voormalig IRA, behoorlijk goed.'

'Niet goed genoeg?'

'Een en al passie, geen verstand. Zijn overlijden zal ons niet in verlegenheid brengen. Ik heb een bordje met NIET STOREN op de deur van zijn kamer gehangen.' Hij gebaarde naar een andere kamer op de vijfde verdieping. 'Die baart me enige zorgen. Gisteravond was er niemand in die kamer en ik heb hem twee uur geleden opnieuw gecontroleerd, maar nu zijn de gordijnen dicht. Het is niet onmogelijk dat iemand het slot heeft geforceerd en in die kamer is gaan zitten.'

'Een tweede schutter.'

'We zullen zien. Geen tijd om er nu heen te gaan. Ik zal het hiervandaan moeten regelen.' Hij gaf Galen zijn verrekijker. 'Luís Kyler is zojuist door twee mannen op de bank bij de koi-vijver afgeleverd. Hij ziet er niet prettig uit.'

Galen richtte de verrekijker op de man op de bank. Luís Kyler was misschien eens een knappe jongeman geweest, maar hij was nu zo pijnlijk mager dat zijn keurige grijze pak los om hem heen hing. Zijn gezicht was gekneusd en gezwollen en hij zat op de rand van de bank alsof hij te nerveus of te gekwetst was om achterover te leunen.'

'Kan hij lopen?'

Judd knikte. 'Hij kreeg wat ondersteuning maar hij is mobiel.'

'Dat is dan alles wat we nodig hebben. Zijn z'n bewakers weg?'

'Via de achteruitgang.'

'Ik loop er voor alle zekerheid nog even door. Dan laat ik Dominic op Luís afgaan.' Hij gaf de verrekijker terug aan Judd. 'Over vijftien minuten zou alles voorbij moeten zijn.'

'Als we geluk hebben.' Judd pakte zijn geweer van het bed en ging terug naar het raam. 'En als jij het niet verprutst als je ons hier weghaalt. Ik durf te wedden dat die straat daar wemelt van Chavez' mannen.'

Galen opende de deur. 'Daar wed ik niet om.'

'Wat zit er in die doos op het bed?'

'Jouw vermomming.'

'Vermomming? Die doos is nogal groot voor een politie-uniform. Hij liep terug naar het bed, opende de doos en keek erin. 'Mijn god, dat meen je niet serieus.'

'Klaar?' vroeg Galen aan Dominic. 'Je kunt nog van gedachten veranderen. Dan ga ik hem halen.'

Dominic schudde zijn hoofd. 'Hij zou jou niet vertrouwen. Bovendien ben jij de ontsnappingsman.' Hij glimlachte. 'Dat klinkt als een van die oude gangsterfilms.'

'De tuin is schoon en Judd is op zijn post, maar dat betekent niet dat er niet iets onverwachts kan gebeuren.'

'Je vergeet dat ik jaren met de guerrilla's heb doorgebracht. Ik weet dat niets veilig is.'

'Dit kan maar beter verdomd veilig zijn,' zei Galen op dreigende toon. 'Anders vliegt Elena me naar m'n strot.'

'Hou op met piekeren en doe je werk.' Dominic opende het hek van de tuin. 'En laat mij het mijne doen.'

Dominic was in de tuin.

Judd stelde het vizier van zijn telescoopgeweer scherp terwijl Dominic het pad afliep naar de koi-vijver.

Hij bewoog snel, bijna gretig toen hij Luís Kyler zag.

Judd zag plotseling iets in zijn ooghoek. Hij zwaaide het geweer naar het raam op de vijfde verdieping van het hotel.

Had het gordijn bewogen?

Lieve god, de jongen zag er vreselijk uit, dacht Dominic terwijl hij dichter bij de bank kwam. 'Luís.'

Luís sperde zijn ogen open. 'Wat doe jij hier?'

'Ik ben gekomen om je weg te halen.'

Luís worstelde zich overeind. 'Jij hoort hier niet te zijn.' Zijn stem klonk schril. 'Elena hoort hier te zijn. Het moet Elena zijn.'

'We gaan je hier weghalen. Je zult Elena gauw zien.' Hij kwam dichterbij. 'Kom mee, Luís.'

'Ga weg, Dominic. Zeg tegen Elena dat zij moet komen.' Zijn ogen gloeiden koortsachtig. 'Het moet Elena zijn.'

'Je bent gewond. Je voelt je niet goed. Luister goed. Elena wacht op je. Je moet met me meekomen.'

'Ik kan niet weg. Ik moet doen wat ze zeggen. Als ik niet doe wat ze zeggen, geven ze me niets.' Zijn stem trilde. 'Ze hebben me al twee dagen niets gegeven. Ik moet het hebben.'

'Coke?'

'Heroïne.'

Dominic voelde zich ziek. 'We krijgen je er wel vanaf.' Hij pakte Luís' arm. 'Kom op.'

Luís rukte zich los. 'Daar ben ik nou juist bang voor. Ik kan dat niet verdragen. Ik heb... pijn. Stuur Elena.'

Hij trok een pistool uit de zak van zijn jasje. 'Ik moet haar neerschieten. Ik moet Elena neerschieten.'

Dominic verstijfde. 'Dat kun je niet menen.'

'Ze zeiden dat ik het moest doen. Ze zeiden dat ze me mijn injectie zouden geven als ik het deed. Ik moet het doen...'

'Ze is je zus. Ze houdt van je.'

Luís keek hem verwonderd aan. 'Maakt niets uit. Waarom zou het iets uitmaken? Ik moet het doen.'

Dominic was vervuld van afgrijzen. 'Geef me het pistool, Luís. Dat ben jij niet die daar praat. Geef me het pistool.'

'Jij hebt je altijd overal mee bemoeid. Je had ervoor moeten zorgen dat ze kwam. Zij moet komen.'

Hij reikte naar het pistool. 'Laat je dit niet aandoen door Chavez en zijn drugs. Laat me je helpen.'

Luís' lippen trilden. 'Je had ervoor moeten zorgen dat ze kwam. Je hebt alles verpest.'

Zijn vinger haalde de trekker over.

Pijn scheurde door Dominics borst. Lieve hemel, hij was geraakt, besefte hij. Hij staarde Luís vol ongeloof aan.

'Kijk me niet zo aan. Het is jouw schuld,' zei Luís schel. Hij haalde de trekker over, opnieuw en opnieuw. 'Je had ervoor moeten zorgen dat ze kwam...'

Drie schoten.

Verdomme. Galen sprong uit de truck en rende de tuin in.

Nog een schot.

Dominic lag op de grond en Luís stond over hem heen gebogen. Nog een schot en Luís zakte in elkaar.

Waar was het vandaan gekomen? Geen tijd om het na te gaan. Hij moest Dominic hier weg krijgen.

Hij viel op zijn knieën naast hem. 'Kom Dominic. Laat me je overeind helpen. We moeten –'

Shit. Shit. Shit.

Judd waggelde langzaam het hotel uit.

De straat gonsde van de activiteit. Vier politiewagens stonden geparkeerd voor het hotel. Gasten stroomden naar buiten en werden van het hotel weggeleid.

Galen stond naast een truck die bij de stoep geparkeerde was. Op de zijkant van de witte truck stond in felle groene letters BOMOPRUIMING ORLANDO.

'Stap in.' Galen opende de achterdeur van de truck. 'We moeten hier weg zijn voordat de echte bomploeg aankomt.'

'Dit zal ik je betaald zetten,' zei Judd dreigend door zijn veiligheidsmasker. 'Ik zie eruit als een ruimtemannetje.'

'Iemand moest de bomexpert zijn.'

'En je hebt mij benoemd.' Hij gooide zijn geweerfoedraal in de truck. 'Verdomme, ik denk dat ik niet eens in staat ben erin te klimmen. Heb je een bommelding doorgegeven?'

'Het was het enige dat ik kon bedenken om er zeker van te zijn dat de politie iedereen uit de buurt zou verwijderen. Het was niet gemakkelijk. Ik moest een heel scenario in elkaar zetten om ze te overtuigen dat er een opruimploeg moest worden gestuurd. Ik dacht dat de truck Luís en Dominic zou beschermen.' Galen hielp hem in de truck. 'Je kunt jezelf van dat pak verlossen zodra we de stad uit zijn.'

'Ik hoop het. Het is bloedheet.'

'Was er nog een schutter?'

'Ja, het raam op de vijfde verdieping. Ik heb het geregeld.' Hij stopte. 'Is Dominic dood?'

'Ja, hij is dood.' Galen smeet het portier van de truck dicht.

Galen parkeerde de truck naast de hangar en staarde zonder iets te zien naar de helikopter.

Doe iets, klojo. Vertel het haar. Bijt door de zure appel heen.

Hij hoorde dat achter hem het portier van de truck openging en dat Judd uitstapte. Een ogenblik later stond Judd naast het raam van de bestuurder. 'Jij blijft hier. Ik stuur haar naar je toe.' Hij draaide zich om en rende naar de helikopter.

Ja, haal haar weg bij Barry. Als hij niet zo van slag was geweest zou hij zelf aan de jongen gedacht hebben.

Elena kwam naar hem toe. Ze liep langzaam, behoedzaam, alsof ze bang was op een landmijn te stappen. Ze wist dat er iets mis was. Maar jezus, ze wist niet hoe mis.

Ze bleef staan en keek hem aan. Misschien wist ze het wel. Hij moest het toch zeggen.

Hij reikte opzij en opende het portier voor haar. 'Stap in. Je zult niet willen dat Barry je ziet.'

Ze kon niet huilen. Ze mocht niet huilen. Als ze begon zou ze misschien nooit meer ophouden.

'Alle twee?' vroeg Elena dof. 'Luís en Dominic...'

'Alles ging fout.'

'Waarom?'

'Er was een tweede schutter.'

'Maar je verwachtte dat die er zou zijn. Ik had daar moeten zijn. Je had Dominic niet moeten laten gaan. Ik zou voorzichtiger geweest zijn, en misschien was het dan anders gelopen.'

'Oké, je hebt gelijk. Ik heb een fout gemaakt.'

'Hou in godsnaam op met dat nobele gedoe.' Judd stond weer naast het raam. 'Ik ben blij dat ik teruggekomen ben. Vertel haar de waarheid.'

'De waarheid?' herhaalde Elena.

'Chavez haalde een streek uit die jij noch Dominic kon verwachten. Hij gaf Luís een pistool, blijkbaar met de opdracht jou neer te schieten. Hij doodde Dominic in jouw plaats.'

'Luís...' Verschrikking op verschrikking. 'Dat zou Luís nooit doen.'

'Ik heb alles zien gebeuren,' zei Judd. 'Hij heeft het gedaan.'

'En heeft de schutter toen Luís gedood?' Haar lippen vertrokken van pijn. 'Ik veronderstel dat Chavez niet blij was met de plaatsvervanger.'

'Verrek jij, ze hoefde het niet te weten,' zei Galen tegen Judd.

'Nee, maar ik kies altijd voor helderheid. Het is beter dat ze beseft dat jij dit niet kon voorzien. O, ik heb trouwens tegen Barry gezegd dat Dominic voor zaken hier moest blijven.' Judd draaide zich om en liep terug naar de helikopter.

'Wat is er met de schutter gebeurd?'

'Judd heeft hem uitgeschakeld. Hij verwachtte al dat er iemand in die kamer zou zijn.' Galen keek een andere kant op. 'Ik wil je niet haasten, maar we moeten maken dat we hier wegkomen. We zijn niet gevolgd, maar we moeten zo ver mogelijk weggaan.'

'Ja, natuurlijk.' Ze moest de truck uit en terug naar de helikopter. Ze moest niet aan Dominic of Luís denken. Ze moet doen wat nodig was en later treuren. Dat kon ze best. Ze was soldaat geweest. Ze had meer mensen verloren in het verleden.

Maar niet Dominic, haar beste vriend, haar leraar...

De pijn was te hevig. Ze moest nu gaan of ze zou instorten. Ze opende de deur en sprong uit de truck. 'Laten we gaan.'

13

Het was donker toen ze terugkwamen in de bungalow.

'Ik breng de jongen wel naar bed.' Judd tilde Barry op en droeg hem het huis binnen.

Dat was aardig van hem, dacht Elena vermoeid. Gedurende de terugreis van Orlando had hij Barry beziggehouden, zodat hij zich alleen maar bewust was van zichzelf en niet op anderen lette. Wat een vreemde man. Vreemd en gewelddadig, en toch moest hij ergens diep vanbinnen een zacht trekje hebben.

'Ik ben blij dat hij Barry heeft beziggehouden. Ik wist niet wat ik ermee aan moest, wat ik tegen hem moest zeggen.'

'Zeg nog maar niets tot de tijd er rijp voor is.' Hij hielp haar uit de wagen. 'Je zult het weten als het goed voelt.'

'Denk je dat?' Ze was nergens zeker van. 'Ik wil hem geen pijn doen. Hij is zo klein. Hij begrijpt het niet.'

'Niemand begrijpt de dood. Het is ook goed waardeloos.' Galen leidde haar naar het huis. 'Zodra ik jou geïnstalleerd heb zal ik Logan bellen en hem vragen ervoor te zorgen dat er iets geregeld wordt voor Dominic en je broer. De autoriteiten zullen de lichamen niet meteen vrij willen geven.'

'Ik weet het. Het geeft niet. Ik neem aan dat we Dominic een katholieke begrafenis zouden moeten geven, maar ik geloof niet dat het hem werkelijk iets zou kunnen schelen wat er met zijn lichaam gebeurt. Hij wist dat zijn ziel daar niet meer zou zijn.' Ze zweeg even. 'En Luís? Ik weet het niet. Ik kan nu niet aan hem denken. Dominic zou hem een verloren ziel noemen en hem vergeven. Maar ik geloof niet dat ik dat kan. Nog niet. Misschien wel nooit.'

'Ik ook niet.' Hij opende de voordeur. 'Laten we je in bed zien te krijgen.'

'Dat kan ik zelf wel.'

'Ik weet dat je dat kunt. Ik zou me alleen prettiger voelen als ik je mocht helpen.'

Ze was te verdoofd om te argumenteren toen hij haar in haar kamer bracht en haar uit haar kleren en in bed hielp. Hij haalde een washandje en veegde haar gezicht en haar handen af voor hij in de stoel naast haar bed ging zitten. 'Wil je praten?'

Ze schudde haar hoofd. 'Er is niets om over te praten. Het is gebeurd. Ze zijn dood.'

Hij bleef even stil. 'Verwijt je het mij?'

'Nee, het was Dominics beslissing. Hij deed wat hij wilde doen, wat hij voor zijn gevoel moest doen. Jij ging er alleen maar mee akkoord.'

'Dat is niet helemaal waar. Ik greep de kans die hij me bood. Ik zocht naar een mogelijkheid, welke dan ook, om jou uit die tuin te houden.'

'Zoals je die avond deed toen ik op de ranch op Chavez afging?'

Hij knikte. 'Ik... heb iets in jou gevonden. Dat is me nooit eerder overkomen. Dat wilde ik niet kwijt.'

'Het was verkeerd van je om me buiten te sluiten.'

'Ik zal het nooit meer doen. Ik beloof het je.'

Ze wendde haar blik af. 'Ga nu alsjeblieft weg.'

'Laat me blijven. Ik zal niet meer praten.'

'Alsjeblieft,' fluisterde ze. 'Ik ga huilen. Ik... kan het niet tegenhouden. Ik wil aan Dominic denken en om hem treuren. Het is een persoonlijk iets.'

Hij stond op en keek naar haar. 'Ik wil bij je zijn.'

Ze schudde haar hoofd. 'Je kunt mijn verdriet niet met me delen. Je hield niet van hem zoals ik dat deed. Ik moet afscheid van hem nemen.'

Hij leunde voorover en kuste haar voorhoofd. 'Ik kom later nog even kijken.' Hij draaide het licht uit.

De tranen liepen al over haar wangen toen hij de kamer verliet. Denk aan Dominic. Denk aan de goede tijden. Denk aan de geschenken die hij je heeft gegeven: het lachen, de zorg, het begrip. Verdring de ondraaglijke pijn, denk aan hem en zeg hem vaarwel...

Galen vond Judd op de veranda. 'Slaapt de jongen?'

'Meteen van de wereld. Hoe gaat het met haar?'

'Het doet natuurlijk pijn. Tenslotte heeft ze haar broer en haar beste vriend verloren.'

Judd knikte.

'Nadat je in de bomtruck sprong vroeg je of Dominic dood was. Waarom vroeg je niet naar Luís?'

Judd glimlachte.

Galen staarde over het meer. 'Ik had eigenlijk verwacht dat je die sluipschutter zou kunnen pakken voordat hij Luís neerschoot. Je bent kennelijk niet zo goed als ik dacht.'

'We maken allemaal fouten.'

'Als het een fout was.'

'Waar wil je naartoe?'

'De sluipschutter kan natuurlijk de opdracht hebben gehad Luís te doden als hij in de fout ging, of als er een kans was dat we hem konden redden.' Hij wachtte even. 'Aan de andere kant, stel dat dat niet zo is?'

'Het eeuwige "stel dat",' mompelde Judd.

'Stel dat jij een schot op die sluipschutter kon afvuren voordat hij kans zag te schieten? Stel dat je je wapen terug liet zwaaien en zelf Luís uitschakelde?'

'En waarom zou ik dat willen doen?'

'Zeg jij het maar.'

Judd tilde zijn hoofd op. 'Hmm. Wil je dat ik jouw spelletje meespeel? Oké. Waarom zou ik Luís willen uitschakelen? Eens kijken... Hij was een drugsverslaafde die Elena had verraden. Of we hem zouden redden of niet, hij zou een zwakke schakel zijn en haar en ons constant in gevaar brengen. Hij zou waarschijnlijk voor de rest van haar leven een plaag voor haar zijn geweest. We zouden hem nooit hebben kunnen vertrouwen als Chavez hem wenkte. Heldere, koele logica zou dicteren dat hij uitgeschakeld zou moeten worden. Is dat reden genoeg?' Hij glimlachte vaag. 'Niet dat ik iets erken, begrijp je wel?'

'Ik begrijp het.'

'Dan zie ik je morgenochtend.' Judd liep langs hem heen en wilde het huis binnengaan, maar stopte en keek over zijn schouder. 'O, en nog een reden. Ik mócht Dominic Sanders en de schoft die hem doodde verdiende het niet om te leven.'

Barry keek heel ernstig toen hij de pijl van zijn boog naar achteren trok.

'Goed zo,' mompelde Judd. 'Concentreer je nu op het doel.'

Elena stopte op de veranda en keek toe hoe de twee richtten op een doelschijf die op een pijnboom was geprikt.

Barry liet de pijl gaan en joelde toen hij de schijf raakte. 'Deze keer heb ik hem geraakt!'

'Ja, je hebt hem geraakt.' Judd gaf hem nog een pijl. 'Laten we nu eens kijken of je dichter bij de roos kunt komen.'

'Je zoon heeft een scherp oog,' zei Galen achter haar.

'Hoe is hij aan die pijl en boog gekomen? Ik moest die van hem in Tomaco achterlaten.'

'Die heeft Judd voor hem gemaakt. Ze hebben de laatste dagen een hechte band gesmeed.'

'Dat zie ik. Ik ben hem dankbaar. Ik heb de laatste tijd niet veel voor Barry betekend.'

'Je had recht op wat tijd om te genezen.'

En ze hadden haar die tijd gegeven. Geen vragen. Weinig conversatie. Alleen rust. 'Barry is mijn verantwoordelijkheid. Ik kan het nu weer overnemen.'

'Het doet Judd of mij geen pijn om op te passen. We zijn erg op de jongen gesteld.'

'Heb je niets meer van Chavez gehoord?'

Hij schudde zijn hoofd. 'Hij is hier niet zo best uitgekomen. Ik zou denken dat hij zijn wonden likt.'

'Wij zijn er ook niet zo goed uitgekomen.' Haar lippen trilden. 'Ik ben er zeker van dat hij binnenkort uit zijn hol komt sluipen en het mes trekt.'

'Probeer dan van de tijdelijke rust te genieten.'

Ze kon op het ogenblik nergens van genieten. Het was al een hele inspanning om haar kalmte te bewaren en niet in duizend stukken uiteen te vallen. Maar ze voelde zich veel beter dan gisteren, vertelde ze zichzelf. Genezen kostte tijd. Morgen zou ze zich nog beter voelen. 'Heeft Barry nog iets over Dominic gezegd?'

Hij schudde zijn hoofd. 'Nog niet. Kinderen accepteren veranderingen makkelijker dan volwassenen, en Judd heeft hem beziggehouden.'

'Hij hield van Dominic. Hij zal naar hem vragen.'

'Roep de problemen nou niet op. Ga liever een wandeling maken en ontspan je.'

Dat had Dominic haar die laatste avond ook aangeraden, en ze had gedaan wat hij vroeg. Terwijl ze over het meer staarde en zich door de natuur liet kalmeren, had hij zijn plannen gemaakt. Dominic hield van alles op deze aarde en hij had haar geleerd er ook van te houden. Ze zou naar beneden gaan en de naar pijnbomen ruikende lucht inademen en kijken naar de hemel en naar het meer.

En, wie weet, zou ze hem daar voelen.

De ochtend kleurde de hemel parelgrijs.

Elena stond bij het raam van haar slaapkamer en keek naar het meer. Ze had de hele nacht alleen met tussenpozen geslapen, maar ze wist dat het geen nut had om terug naar bed te gaan. Als ze sliep droomde ze van Dominic – en van Luís.

Het had geleken alsof haar leven de laatste paar dagen stil had gestaan, maar dat zou beslist veranderen. Chavez zou bellen en alles zou opnieuw beginnen. Hij zou nooit ophouden met zoeken, plannen maken. Misschien was hij op dit moment op weg hierheen.

Niet aan denken. Ze moest geen nieuwe zorgen op zich nemen voordat ze aankon wat ze nu had.

Ze wendde zich af van het raam. Alles goed en wel, ze kon zichzelf opleggen niet aan Chavez' plannen te denken, het was moeilijker hemzelf uit haar gedachten te bannen.

Maar Barry kon haar helpen. Ze zou naar zijn kamer gaan, bij zijn bed gaan zitten en naar hem kijken terwijl hij sliep. Ze zou het wonder dat hij voor haar was over zich heen laten komen en kalmer worden. Ze zou geen gemoedsrust hebben, maar beter in staat zijn om te leven met haar herinneringen aan Dominic en met het telefoontje van Chavez dat op de loer lag, in het verschiet.

Ze trok haar ochtendjas aan en liep stilletjes van haar kamer naar die aan de overkant van de gang. Ze opende voorzichtig de deur en bleef daar staan. Barry lag weggekropen onder de dekens en ze ging in de schommelstoel naast het bed zitten. Kinderen sliepen zo vast...

Ze verstijfde. Maar ze zou zijn ademhaling moeten kunnen horen.

Ze leunde voorover en trok de dekens weg.

Kussens. Geen Barry. Kussens!

'Nee!'

Ze rende naar de deur. 'Barry!'

'Wat is er in vredesnaam aan de hand?' Ze kwam Galen tegen in de gang. 'Is hij ziek?'

'Hij is er niet. Hij is weg. Ik moet hem zoeken.'

'Is hij niet in zijn kamer?'

'Ik zeg net dat hij er niet is. Chavez heeft hem gepakt.'

'Hou op. Je denkt niet na.'

'Natuurlijk denk ik niet na,' zei ze vinnig. 'Ik ben doodsbang. Barry is weg.'

'En als hij gewoon naar het meer is gegaan?'

'Hij weet dat hij niet alleen in de buurt van het water mag komen.'

'Kinderen zijn niet altijd voorspelbaar. En waarom zou Chavez ons niet allemaal hebben gedood als hij had ontdekt waar we zijn?'

Galen liep langs haar heen naar Barry's kamer en deed het licht aan. 'Het raam is nog afgesloten. Als iemand hem heeft weggehaald moet hij door het huis zijn gekomen.'

'Dat zouden we gehoord hebben.'

'Misschien niet.' Hij liep naar het bed. 'Het ligt eraan hoe goed –'

Hij pakte een vel papier van het nachtkastje. 'Shit.'

'Wat is het?' Ze rende op hem af. 'Wat staat erop?'

Hij gaf het haar.

Sorry Galen. Ik moet het geld hebben. Het is de sleutel die ik nodig heb om me uit de puree te halen. Ik bel je nog.

Judd

Ze kon het niet geloven. Ze herinnerde zich hoe Judd naar Barry had geglimlacht toen haar zoon de boog spande die hij voor hem had gemaakt. Hij kon het niet gedaan hebben. Het klopte niet.

Ze moest het wel geloven. Haar zoon was verdwenen.

Het briefje viel uit haar hand. 'Ik vermoord hem.'

'Achter mij aansluiten.' Hij liep naar de deur. 'Ik ga wat kleren aantrekken en kijken of Hughes of een van zijn bewakers ze heeft zien vertrekken. Als ik een aanknopingspunt heb, kom ik je halen, Elena.'

'Dat is je geraden.' Ze was al op weg naar haar kamer. 'Geef me twee minuten. Ik ga met je mee.'

Geen van de bewakers had iets gezien van Judd of Barry.

'Ik vermoord hem,' herhaalde ze tussen haar tanden toen ze terugliepen naar de bungalow. 'En als hij Barry iets aandoet ga ik hem kruisigen.'

'Ik denk niet dat hij hem iets aan zal doen.'

'Maar je weet het niet. Ik had ook nooit gedacht dat hij hem zou ontvoeren. Hoe kan ik er zeker van zijn wat hij nog meer gaat doen? De schoft is een moordenaar.'

'Je zag iets in hem waardoor je hem ging vertrouwen voordat dit gebeurde.'

'En hij heeft me verraden. Net als Luís me heeft verraden.' Ze keek hem aan. 'En jij hebt hem in ons leven gebracht.'

'Dat is waar,' zei hij bedaard.

'Je had nooit –' Ze slikte. 'Waarom verwijt ik jou iets? Barry is mijn verantwoordelijkheid. Ik hoefde Judd niet te vertrouwen. Ik had hem moeten doorzien.'

'Ik zou liever hebben dat je mij de schuld gaf in plaats van jezelf.' Hij begon de trap van de veranda op te lopen. 'Kom, laten we een kopje koffie nemen.'

Ze staarde hem ongelovig aan. 'Zomaar koffie gaan zitten drinken?'

'Nee, gaan zitten wachten op het telefoontje van Judd.'

'Ik kan hier niet langer blijven zitten.' Elena stond op en liep naar het raam. 'Stel dat hij niet belt?'

'Hij belt wel.'

'Hoe weet je dat?' Hij zal niet proberen met ons te onderhandelen. Hij gaat rechtstreeks naar Chavez.'

'Hij zei dat hij zou bellen.'

'Nou, dat heeft hij niet gedaan. Het is bijna donker. Barry is al de hele dag weg.'

'Hij probeert waarschijnlijk eerst een veilige plek te vinden van waaruit hij actie kan ondernemen.' Voor ons lijkt het alleen maar zo lang te duren.'

'Het lijkt een eeuwigheid.' Haar hand beefde toen ze die omhoogbracht om haar slaap te masseren. 'Wat als Barry bang wordt? Wat als hij gewond is?'

'Het zou niet in Judds belang zijn om Barry iets aan te doen. Hij is nu een handelsartikel.'

'Een handelsartikel? Hij is geen artikel. Hij is een menselijk wezen, een kleine jongen.' Ze slikte om het brok in haar keel weg te krijgen. 'En hij is alleen met een vervloekte moordenaar.'

'Luister naar me. Judd zal hem geen kwaad doen. Als hij geld wil zal Barry levend en wel moeten zijn. Dat is het enige –'

De vaste telefoon van het huis rinkelde. Ze rende door de kamer en nam de hoorn op. 'Hallo.'

'Hallo, Elena,' zei Judd. 'Ik heb het huisnummer gedraaid zodat jij en Galen allebei een toestel kunnen pakken.'

'Schoft die je bent. Waar is mijn zoon?'

'Hij is veilig.'

Galen verdween naar de woonkamer en ze hoorde hem daar de hoorn opnemen. 'Wat ben je verdomme aan het doen, Judd?'

'Overleven. Ik heb je gezegd dat ik mijn lot zelf in de hand zou nemen. Logan heeft te veel tijd nodig. Ik zou dood kunnen zijn tegen de tijd dat hij erin slaagt de druk van me af te nemen.'

'En overleven betekent het kidnappen van Barry?'

'Overleven betekent miljoenen dollars van Chavez krijgen om al de mensen om te kopen die ik moet omkopen. Zoveel geld doet een hoop mensen vergeten dat ik ooit heb bestaan.'

'Leuk. En een kind verhandelen voor het geld is echt geweldig.'

'Lieverkoekjes worden niet gebakken. Ik heb nooit beweerd dat ik een engel ben.'

'Ik wil mijn zoon terug,' zei Elena. 'Als ik hem niet krijg zal ik je opsporen en je strot doorsnijden.'

'Altijd de vriendelijke dame,' zei Judd. 'Ik kan het je niet kwalijk nemen. Ik belde niet om mijn excuses aan te bieden. Ik wilde je laten weten dat Barry van mij niets te vrezen heeft. Ik mag de jongen. Hij is niet bang en hij heeft het redelijk goed naar zijn zin.'

'Je liegt.'

'Nee, hij denkt dat hij op avontuur is en dat jij daar alles van af weet.'

'Wat?'

'Ik heb tegen hem gelogen. Ik heb hem overgehaald met me mee te gaan. Hij vond dat niet vreemd als je bedenkt dat jij de laatste tijd een hoop haastige aftochten hebt gemaakt. Ik heb hem verteld dat we zouden doen alsof we indianen zijn. Hij vond het wel leuk om midden in de nacht weg te sluipen. Hij pakte zijn pijl en boog en kroop door die gang als een geveltoerist.'

'Heb je tegen hem gelogen?'

'Had je liever gehad dat ik hem met chloroform had verdoofd en hem met geweld had meegenomen? Dit is veel beter voor hem.'

'Je was dit al van plan toen je die pijl en boog voor hem maakte. Mijn god, en ik was je dankbaar.'

'Breng hem terug, Judd,' zei Galen.

'Sorry. Ik wil graag in leven blijven.'

'Ga je hem aan Chavez verkopen?'

'Chavez zal hem niets doen. Het is Elena die hij wil doden.'

'Dat kun je niet doen,' zei Elena.

'Probeer het op mijn manier te zien. Ik leef op geleende tijd. Als ik het niet doe, zullen ze me te pakken krijgen en doden. Als ik het doe zal het kind overstuur zijn, maar hij zal niet sterven. Misschien heb je zelfs een kans om hem bij Chavez weg te krijgen nadat ik mijn geld heb opgehaald.'

'Het zal het duizendmaal moeilijker maken,' zei Galen.

'Je hebt altijd van een uitdaging gehouden,' zei Judd. 'Elena, ik ga naar de kamer hiernaast, dan kun je met Barry praten. Ik zal meeluisteren en als je hem vragen gaat stellen pak ik de telefoon van hem af. Ik wil dat niet doen. Ik wil hem kalm en gelukkig houden. Laat hem denken dat je alles af weet van ons kleine avontuur en dat je het geweldig vindt.'

'Loop naar de hel.'

'Je bent kwaad. Denk erover na. Ik wil Barry niet bang maken en dat wil jij ook niet. Het is aan jou om dat te voorkomen.'

Elena was zo kwaad dat ze een ogenblik niet kon praten. 'Hoe denk je dat hij zich zal voelen als je hem overdraagt aan Chavez? Hij zal doodsbang zijn.'

'Ik weet het. Ik vind het ook niet leuk. Laten we het daarom zo lang mogelijk uitstellen. Ga je met Barry praten?'

Ze had geen andere keus. Maar ze zou proberen zoveel uit Judd te krijgen als mogelijk was. 'Ik zal met hem praten. Maar niet alleen vandaag. Ik wil dat je me iedere dag belt en me met hem laat praten. Ik wil weten dat hij veilig is.'

'En proberen uit te vinden waar we zijn?' Hij grinnikte plotseling. 'Goed idee. Oké, maar het zal je niet helpen. We gaan rondtrekken.' Ze hoorde een deur opengaan. 'Hé, verkenner, wil je met je mama praten?'

Barry lachte toen hij aan de lijn kwam. 'Mama, je zou hier moeten zijn. Ik heb leeuwen en tijgers gezien. En er waren apen en gekke mannen in rokken.'

'Ik ben blij dat je een leuke tijd hebt, schatje.'

'Maar wanneer kom je?'

'Ik heb het op het ogenblik een beetje druk. Is alles goed met je?'

'Natuurlijk. Judd en ik gaan morgenavond naar een kermis. Hij zegt dat ze daar een reuzenrad hebben en botsautootjes, en tenten waar je prijzen kunt winnen. Hij gaat een suikerspin voor me kopen.'

'Dat is leuk. Snoep niet te veel.' Verdomme, ze begon te huilen. 'Ik hou van je, Barry.'

'Mama?'

'Galen is aan de lijn,' zei ze haastig. Hij wil met je praten. Galen?'

'Ik ben er, Elena.'

'Dag Barry. Ik praat morgen weer met je.' Ze hing op en sloot haar ogen. Vervloekte Judd. Hij kon doodvallen.

'Barry klinkt oké,' zei Galen toen hij terug kwam in de kamer. 'Opgetogen zelfs.'

'Waarom ook niet? Hij denkt dat hij een geweldige vakantie heeft. Die abrupt zal eindigen als Judd hem aan Chavez verkoopt.'

'Judd is een keiharde, maar hij vecht voor zijn leven.'

'Verdedig hem niet.'

'Dat doe ik niet. Ik probeer zijn manier van denken te verklaren. Ik ben hels op hem.'

'Laten we dan achter hem aan gaan.' Ze liet zich op een keukenstoel zakken. 'Als hij zaken wil doen met Chavez zal hij ergens in de buurt blijven. Barry zei dat ze morgenavond naar een kermis zouden gaan. Hoe kunnen we uitvinden waar in het zuid-oosten een kermis draait?'

'Lokale licentiebureaus misschien? Internet? Ik zal ze alle twee proberen.'

'Hij had het over leeuwen en tijgers. Zouden ze in de buurt van een safaripark zijn?'

'Als dat zo is, beperkt dat het gebied.'

'Is er hier in de bungalow een computer?'

'Ja, in de werkkamer van onze gastvrouw, Eve. Kun je met een computer omgaan?'

'Ik ken de basishandelingen. Zelfs een guerrillaoorlog is tegenwoordig afhankelijk van technologie. Ik zal op internet kijken wat voor safariparken er zijn, terwijl jij de licentiebureaus belt.'

Hij keek op zijn horloge. 'Die zullen nu wel gesloten zijn. Ik denk dat we tot morgen moeten wachten.'

'Ik wil niet wachten tot –' Ze was onredelijk. Het kwam gewoon omdat ze niet wist hoelang het allemaal zou gaan duren. 'Bel je ze dan zodra ze open zijn?'

'Je weet dat ik dat zal doen.'

Ja, ze wist dat hij overal bovenop zou zitten. 'Dan ga ik aan de gang op internet. Misschien zijn daarop ook een paar kermissen te vinden.'

'Het ligt er waarschijnlijk aan hoe klein ze zijn. We hebben vierentwintig uur. Maar je moet er rekening mee houden dat we hem kunnen missen. Judd zei dat hij ging rondtrekken.'

'Het zal ons in ieder geval een beginpunt opleveren. Ik kan hier niet gewoon maar zitten nietsdoen.'

'Dat weet ik.' Hij zweeg even. 'We hebben nog een andere optie als we Judd niet vinden. We kunnen bij Chavez gaan posten.'

Ze verstarde. 'Wat?'

'Hij zit op een jacht dat voor de kust van Florida cruist.'

'En hoelang weet je dat al?'

'Sinds kort voor we naar Orlando gingen.'

'En dat heb je me niet verteld?' Ze bestudeerde zijn gezicht. 'Je was van plan zelf achter hem aan te gaan.'

Hij gaf geen antwoord.

'Verdomme, ik wíl niet dat je me beschermt.'

Hij knikte. 'Ik stel voor dat we wat achter ons ligt laten rusten, en dat we ons concentreren op het vinden van Barry. Ik dacht dat je blij zou zijn te weten dat we nog een mogelijkheid hebben.'

Ze was heel blij, en haar ergernis en verontwaardiging vielen daarbij in het niet. 'Doe dat niet nog eens. Je moet open en eerlijk zijn.'

'Oké.' Hij stak troostend een hand uit, maar liet hem zakken voor hij haar aanraakte. 'Je moet niet vergeten dat ik ook om Barry geef. Ik zal alles doen wat ik kan, en zo snel als ik kan.'

'Dank je. Ik weet dat je dat zult doen,' fluisterde ze. 'Ik wilde je niet –'

'Het is in orde. Je hebt de laatste paar dagen een hoop moeten incasseren en hier zat je al helemaal niet op te wachten.' Hij keerde zich om en ging terug naar de woonkamer. 'Ik moet de veiligheidsjongens gaan vertellen dat ze extra waakzaam moeten zijn. Ik denk niet dat we bang hoeven zijn dat Judd onze verblijfplaats aan Chavez zal verraden, nu Barry de prijs is. Maar het kan geen kwaad om een paar voorzorgsmaatregelen te nemen. Dan ga ik aan de telefoon hangen en bel de kranten om uit te vinden of ze een lijst hebben met advertenties voor kermissen.'

Ze was blij dat hij haar alleen had gelaten. Ze had even tijd nodig om tot zichzelf te komen. Ze kon maar net haar kalmte bewaren. Galen deed wat hij kon, en ze had niet zo scherp tegen hem moeten zijn. Het was alleen dat –

Barry.

O, god, stort nou niet in. Ga aan het werk. Ze hadden een kans om Judd te vinden.

Zouden ze op tijd zijn?

'Chavez? Met Judd Morgan. Je kent me niet, maar we gaan zaken doen.'

'Je hebt gelijk, ik ken je niet, en ik doe geen zaken met mensen die ik niet ken. Hoe ben je aan mijn telefoonnummer gekomen?'

'Sean Galen.'

Het bleef even stil. 'Laat me met hem praten.'

'Dat gaat niet. Onze wegen hebben zich gescheiden, maar ik heb een afscheidscadeautje meegenomen. Vijf jaar oud, bijdehand knulletje.'

Weer een stilte. 'Je liegt.'

'Ik lieg niet. Weet je hoe het joch eruitziet?'

'Ik heb foto's van hem gezien.'

'Dan ontvang je morgen een andere waarop Barry de krant van vandaag vasthoudt. Pak je vergrootglas en controleer de datum.'

'Je biedt aan hem aan mij te verkopen.'

'Als de prijs goed is. Als dat niet zo is stuur ik hem terug naar Elena. Ik ben erg van haar gaan houden de afgelopen weken. Er is een hoop geld nodig om mijn geweten te sussen.'

'Wie ben je?'

'Je hebt mijn naam. Het is geen valse. Ik weet zeker dat je me tegen de tijd dat je die foto ontvangt hebt nagetrokken.' Hij wachtte even. 'Wil je meer identificatie? Ik was de schutter bij het Kissimmee Hotel. Behalve Luís heb ik twee van je mannen neergehaald.'

'Waarom loop je dan over en neem je de jongen?'

'Omdat jij een man bent die weet dat loyaliteit duurt zolang er voordeel uit te halen is.'

'En welke prijs wil je voor mijn zoon?'

'Daar zullen we over praten als ik je morgen weer bel. Ik wil dat je weet dat ik de handelswaar heb en kan leveren.'

'Het zou een val kunnen zijn.'

'Dan zal ik je hetzelfde advies geven dat jij Elena gaf toen je Luís tegen haar uitspeelde. Bescherm jezelf. Jij wilt de jongen, ik wil geld.' Judd hing op en leunde achterover in de stoel.

Dit was de eerste stap en het was gelopen zoals hij had verwacht. Chavez was achterdochtig, maar dat zou voor een deel verdwijnen als hij de foto zag. Daarna zou het op onderhandelen neerkomen. Jezus, hij haatte het om zaken te doen met die gluiperd. Maar hij had al eerder met slangen als Chavez zaken gedaan, en daar had minder tegenover gestaan.

Elena en Galen kregen de informatie die ze nodig hadden pas de volgende ochtend.

'Er zijn in Georgia drie rondtrekkende kermissen actief, één in Alabama, één in North-Carolina, en in South-Carolina en Florida geen,' zei Galen. 'En de enige die in de buurt van een safaripark is, is die buiten Birmingham, Alabama.'

'Hoe ver is Alabama?' vroeg Elena.

'Ongeveer tweeënhalf uur rijden.'

'Waarom gaan we dan niet vliegen?'

'Tegen de tijd dat we op het vliegveld zijn, een vlucht hebben gevonden en een huurwagen in Birmingham hebben geregeld, kunnen we er al zijn.'

'Laten we dan gaan.' Ze liep naar de deur. 'Het is pas zes uur. Misschien kunnen we –'

'Het is een gok, Elena.'

'Dat kan me niet schelen. Heb jij een beter idee?'

Hij schudde zijn hoofd. 'Ik wil je alleen geen valse hoop geven.'

'Hoop is alles wat ik heb. En die ga ik niet opgeven. Ze opende de voordeur. 'Ik ga naar Birmingham.'

'En ik ga met je mee.' Hij volgde haar naar buiten, naar de veranda. 'Je moet er wel aan denken dat Judd alles wat Barry tegen jou heeft gezegd kon horen. Misschien gaat hij helemaal niet met hem naar de kermis.'

Ze had al aan die mogelijkheid gedacht. 'Hij probeert Barry zo tevreden te houden dat hij geen tijd heeft om te twijfelen aan wat Judd zegt of doet. Een uitspraak als deze betekent veel in het leven van een kleine jongen. Hij zal hem niet willen teleurstellen. Ik denk dat hij zal proberen erheen te gaan, desnoods maar voor even.' Haar mond vertrok bitter. 'Ik heb nooit de kans gehad om met Barry naar een kermis te gaan. Ik ga het die schoft betaald zetten dat hij me dat ook nog heeft afgenomen.'

'Ach, wat maakt het uit. We gaan met hem naar Disney World als we hem terug hebben.'

'Als, niet wanneer?'

'We krijgen hem terug,' zei hij zacht, als antwoord op haar onuitgesproken vraag. 'Zelfs als we hem bij Chavez moeten weghalen.'

'Als Chavez hem het land uit krijgt, zal het –'

Galens telefoon ging over. 'Galen.' Hij gaf de telefoon aan Elena. 'Chavez.'

Ze bracht de telefoon langzaam naar haar oor. 'Jij schoft.'

'Waarom ben je zo boos op mij? Het was je lieve broer die je oude mentor doodde.'

'Jij bent degene die hem een pistool in de hand drukte en hem genoeg heroïne gaf dat het hem niet kon schelen of hij zijn zuster vermoordde of de man die nooit anders dan een vriend voor hem was geweest.'

'Luís werd niet verondersteld Dominic Sanders te doden. Ik verwachtte jou bij het hotel en heb tegen Luís gezegd dat het zijn taak was met jou af te rekenen. Die drugsverslaafden doen nooit iets goed.'

Ze was zo kwaad dat ze moest wachten voor ze kon antwoorden. 'Jij hebt het ook niet goed gedaan. Luís is dood en ik heb geen reden meer om met je te praten.'

'Dat was betreurenswaardig. Maar in ruil daarvoor heb je twee van mijn mannen uitgeschakeld. Ik verwachtte niet dat je een scherpschutter bij de hand zou hebben. Hij was bijzonder goed. Galen?'

'Nee.'

'Wie was het dan?'

'Waarom wil je dat weten? Wil je een huurmoordenaar op hem afsturen?'

'Ik ben gewoon nieuwsgierig. Hoe is het met mijn zoon?'

'Hij is jouw zoon niet.'

'Ik heb het gevoel dat hij dat binnenkort zal zijn. Wat zeggen ze ook weer over "hebben en krijgen"?'

'Ik heb hem.'

'Is dat zo?'

'Ja, verdomme.' Ze hing op en keek naar Galen. 'Ik denk dat Judd al contact met hem heeft opgenomen. Hij was me aan het uithoren. Jezus, Judd werkt snel.'

'Dan kunnen wij beter hetzelfde doen.' Hij liep de trap af. 'Kom op, we gaan kijken of we die kermis kunnen vinden voor hij sluit voor de nacht.'

14

Het kermisterrein rook naar suikerspinnen, popcorn en het zweet van de mensen die tussen de tenten rondliepen. Het schelle geluid van het kermisorgel werkte Elena op de zenuwen terwijl haar blik wanhopig in het rond ging.

'Waar beginnen we?' mompelde Elena. 'Het reuzenrad. Hij noemde het reuzenrad.'

'Dat kan overal zijn.' Galen pakte haar elleboog en was al bezig haar door de menigte te duwen. 'Heb je zijn foto bij je om aan mensen te laten zien?'

Ze knikte. Haar ogen gleden angstig over de massa. Waar ben je, Barry? Waar ben je, kindje? Ze keek omhoog naar het gigantische rad, probeerde te zien of hij in een van de cabines zat. Die helemaal bovenin was gestopt kon ze niet goed zien...

Het rad bewoog weer en de mensen in de hoogste cabine werden zichtbaar.

Twee tieners.

'Laten we gaan,' zei Galen. 'We gaan uit elkaar. Jij begint bij de schiettent en ik zoek in tegengestelde richting. We ontmoeten elkaar bij de hoofdingang.'

'Goed.' Ze was al onderweg, zoekend, luisterend of ze Barry's stem in de menigte hoorde. Ze kwam langs een hengeltent, een tent waar ze hootchykootchydanseressen aanprezen, een draaiende schotel. Waar wás hij, verdomme?

Het kostte haar maar vijftien minuten om weer bij de kaartverkoop bij de ingang te komen.

'Niets?' vroeg Galen.

Ze schudde neerslachtig haar hoofd. 'Misschien hebben we ons vergist en is dit niet de kermis die we zoeken. Of het zou kunnen dat –'

'Jezus.' Galens hand sloot zich om haar arm. 'Dat is Judds truck die daar het parkeerterrein afrijdt.' Galen rende naar hun auto.

'Hij moet ons gezien hebben. Hij gaat ervandoor.'

Elena keek over haar schouder terwijl ze in de passagiersstoel sprong. Ze ving een glimp op van een zwarte truck met twee inzittenden. Een man en een kleine jongen.

Barry!

Toen verdween de truck met hoge snelheid.

'Haal hem in.' Haar handen balden zich tot vuisten. 'We moeten hem inhalen.'

'Ik weet het.' Met gillende banden reed Galen achteruit de parkeerplaats af. 'Maak je gordel vast.'

Tegen de tijd dat ze de weg bereikten, was Judd bijna uit het zicht. Galen plantte zijn voet met kracht op het gaspedaal en de wagen sprong vooruit.

Sneller.

Benzinestations, avondwinkels.

Sneller.

Ze kon de zwarte truck niet meer zien.

Anderhalve kilometer.

Drie kilometer.

Waar was die verrekte truck?

'Waar is hij?' fluisterde ze.

'We zijn hem kwijt. Hij moet ergens afgeslagen zijn.' Hij draaide om. 'We gaan terug en nemen een paar zijstraten.'

Het daaropvolgende uur besteedden ze aan het doorkruisen van de hoofdweg.

Geen zwarte truck.

Geen Barry.

Galen stopte ten slotte aan de kant van de weg. 'Hij is ontsnapt.'

'Ik weet het.' Haar teleurstelling was zo hevig dat het bijna fysiek was. 'We waren zo dichtbij.'

'Dat zal weer gebeuren.' Galen stuurde de wagen terug in het verkeer. 'Wat nu?'

Ze probeerde te denken. 'Motels. Ze moeten in een motel in de omgeving gelogeerd hebben. Laten we een telefoonboek zoeken en de motels natrekken.'

'Een kleine kans.'

'Dat gold ook voor de kermis.'

'Daar zit wat in. We stoppen bij de eerstvolgende winkel en lopen het telefoonboek na.'

Ze belden dertien receptionisten van allerlei motels voor ze succes hadden. Tien minuten later stonden ze aan de balie.

'Dat is meneer Donovan,' zei de vrouw. 'Echt een vriendelijke heer, en zijn zoon was een kleine charmeur.'

'Hebt u hem de naam van de jongen horen noemen?' vroeg Galen.

Ze trok rimpels in haar voorhoofd. 'Larry, geloof ik.'

'Barry?'

Ze glimlachte. 'Dat is hem.'

'In welke kamer was hij?'

'Tweeënveertig. Maar hij is eerder vanavond vertrokken.'

'Mag ik even in de kamer rondkijken?'

Ze verloor iets van haar vriendelijkheid. 'Waarom?'

'Ik hoop een aanwijzing te vinden over waar hij nu naartoe gaat. Ik moet hem vinden.' Hij maakte een gebaar naar Elena. 'Ze zitten midden in een heel nare scheiding en hij heeft haar zoon meegenomen.'

De vrouw keek naar Elena. 'Dat spijt me. Ik zag al dat u van streek was.'

'Ja, dat ben ik. Zouden we de kamer mogen zien? Het zal maar een paar minuten duren.'

'Ik zal met u meegaan en erbij moeten blijven zolang u daar bent.'

'Prima.' Galen draaide zich naar de deur. 'Laten we dan gaan.'

De motelkamer was in werkelijkheid een suite met woonkamer, slaapkamer en kitchenette. De kamermeisjes hadden kennelijk nog niet opgeruimd. Er lagen kranten op het salontafeltje en in de gootsteen stonden sodaglazen.

Op het nachtkastje lag een vel papier waarop met oranje kleurkrijt een tijger en bloemen waren gekrabbeld. Ze pakte het op en er ging een ondraaglijke pijn door haar heen.

Ik heb leeuwen en tijgers gezien...

'Rustig, maar,' zei Galen naast haar. 'Er ligt een enveloppe onder.' Hij pakte hem op en opende hem. 'Het schijnt dat we verwacht werden. Mijn naam staat erop.' Hij las hem vluchtig door en gaf hem aan Elena. 'Helpt ons niet verder.'

Galen,
Sorry dat we je gemist hebben. Maar goed werk, hoor.

Judd

'We kunnen hier niets meer doen,' zei Galen zacht. 'Laten we terug gaan naar de bungalow. Ben je klaar, Elena?'
Ze knikte krampachtig en gooide het briefje naar hem terug. Toen streek ze voorzichtig Barry's tekening glad en liep ermee naar de deur. 'Ik ben klaar. Je hebt gelijk, we kunnen niets meer doen.'
Ik heb leeuwen en tijgers gezien, mama.

'Dertig miljoen,' zei Judd kernachtig. 'Geen cent minder.'
'Je bent gek,' zei Chavez. 'Ik betaal niet meer dan tien.'
'Ja, dat doe je wel. Dertig miljoen is voor jou een druppel op een gloeiende plaat. Dat krijg je voor een kleine lading coke naar Miami.'
'Dat ik het kan krijgen betekent nog niet dat ik het wil geven.'
'Wat ik je verkoop is onbetaalbaar. Je kunt het nergens anders krijgen.'
'Ik betaal het niet.'
'Heb je de foto gekregen die ik je heb gestuurd?'
'Ja.'
'Op de volgende foto die ik je stuur zul je een dood jongetje zien. Dan geen dromen meer over vader-en-zoongedoe. Geen kind meer om te vormen.'
'Zou je een kind doden?'
'Heb je mijn achtergrond gecheckt? Een moord is een moord. Wil je de jongen of niet?'
'Vijftien miljoen.'
'Ik heb meer nodig dan dat. Zoals je ongetwijfeld hebt uitgevonden wordt het vuur me na aan de schenen gelegd. Er zal een berg contanten nodig zijn om dat vuur te blussen. Dertig.'
'Ik zal erover nadenken.'
'Ik geef je vierentwintig uur. Ik bel je morgen.' Hij hing op.
'Judd,' riep Barry uit de badkamer.
'Ik kom eraan.' Hij stond in de deuropening en keek naar Barry in de badkuip. 'Moeilijkheden met achter je oren wassen?'

'Nee.' Hij liet de rubber krokodil over het water glijden. 'Ik was alleen maar alleen. Ben jij nooit alleen, Judd?'

'Nee, ik denk dat ik te veel van mijn eigen gezelschap hou.'

'Ik mis mama en Dominic.'

'Vind je het niet leuk hier?'

Hij knikte. 'Maar ik maak me zorgen om mama.'

'Soms is het het beste eraan te wennen om zonder mensen te zijn. Dan doet het niet zoveel pijn meer.'

Hij schudde nadrukkelijk zijn hoofd. 'Met mama gaat dat niet. Als ze naar de stad moest om te werken, raakte ik daar nooit aan gewend. Misschien zouden we –'

'Je moeder wil dat je dit avontuur beleeft. Ze zal teleurgesteld zijn als ze denkt dat je het niet leuk vindt.'

Barry fronste bezorgd. 'Misschien wel.'

'Kom dan uit dat bad voor je in een pruimedant verandert.' Judd pakte een badhanddoek en hield die voor hem op. 'Je moet gaan slapen. Morgen gaan we naar een kinderboerderij. Zou je dat leuk vinden?'

Barry's gezicht klaarde op. 'O, ja. Hebben ze daar lama's? Ik heb een keer een lama gezien.'

'Ik heb geen idee. Dat zullen we morgen wel merken.'

'En mag ik dan met mama praten en haar erover vertellen?'

Hij wikkelde de handdoek om hem heen. 'Absoluut.'

'Dat is goed.' Hij rende de badkamer uit.

'Nou, verder was er niet veel goeds in dit hele scenario, dacht Judd vermoeid. De hele zaak maakte hem een beetje ziek. Niet dat de smerigheid ervan hem ertoe zou brengen op te geven. Dertig miljoen dollar was prettig. Vrij zijn om zijn eigen leven te leven was prettig. Hij kon het feit dat het een vuile zaak was, naast zich neerleggen en doen wat noodzakelijk was.

'Kom, bedtijd.' Galen hielp Elena uit de wagen. 'Judd belt morgen en misschien krijgen we een andere aanwijzing over waar hij is.'

'Ja.' Ze hield Barry's tekening stevig vast terwijl ze de trap opliep. 'Hij heeft het beloofd, hè?'

'Ja.' Hij bracht haar door het donkere huis naar haar slaapkamer. 'En hij zal zich aan zijn belofte houden.' Hij trok de tekening uit haar gebalde hand en legde hem op het nachtkastje. Hij begon haar shirt los te knopen.

'Dat kan ik zelf.'

'Zeker.' Hij knoopte het shirt helemaal los. 'Maar je hebt een dreun gehad. Laat mij maar.'

Het kon haar niet schelen. Het deed er niet toe.

Hij kleedde haar snel uit en stopte haar onder de deken. 'Ik ben zo terug. Ik ga een paar aspirientjes voor je halen.'

Hij gaf haar de aspirine en gleed toen naast haar in bed. 'God, wat ben je koud.' Hij kroop dichter tegen haar aan. 'Probeer te gaan slapen.'

Ze sloot haar ogen. 'Leeuwen en tijgers... Barry heeft een boek over een tijger die Sarina heet. Het was een heel speelse tijger en ik vroeg me af of de schrijver niet had moeten aangeven hoe gevaarlijk ze zijn. Maar ik dacht dat het in orde was omdat je niet iedere dag tijgers tegen het lijf loopt.'

'Heel zelden.'

'Maar Barry is tegen een tijger opgelopen en hoe speels hij ook lijkt, het gevaar is er. Het is niet te voorspellen wat Judd zal doen.'

'Er is nog niets gebeurd. Ik ben het met je eens dat Judd een mysterie is, maar we moeten er het beste van hopen.'

'Het beste is als hij me mijn zoon teruggeeft. Dat zal hij niet doen.'

'Nee.'

'Ik ga nu slapen. Het doet pijn om wakker te blijven. Het is zo eenzaam. Dominic is dood, Luís is dood en nu Barry...'

'Hoe vaak moet ik het je nog zeggen? Je bent niet alleen. Je zult nooit meer alleen zijn. Vertrouw me.'

'Het spijt me. Ik zeur. Het zal morgenochtend wel beter gaan. Welterusten.'

'Sluit me niet buiten. Laat me bij je komen. Ik zal je warmen.'

Hij verwarmde haar, maar niet genoeg om het ijs te laten smelten. 'Welterusten,' zei ze nog eens.

Hij slaakte een geërgerde zucht, en sloot zijn armen steviger om haar heen. 'Oké, maar ik ben er voor je. Vergeet dat niet.'

Ze knikte. Ergens in een afgelegen hoekje van haar geest wist ze dat het waar was en dat gaf haar troost. Ze moest over deze dodelijke malaise heenkomen. Het maakte het haar moeilijk om te functioneren. Het was een vijand. 'Ik zal beter zijn. Ik

moet beter zijn. Ik moet Barry...'
'Je zult spijkerhard zijn als je wat slaap gehad hebt.' Hij drukte zijn lippen op haar slaap. 'Ik beloof het je.'

Chavez belde om vier uur in de ochtend.
'Hij wil jou spreken,' zei Galen. 'Je bent niet bepaald in conditie. Laat mij het met hem afhandelen.'
Ze schudde haar hoofd en nam de telefoon aan. 'We hebben niets om over te praten, Chavez.'
'Dat ben ik niet met je eens. We hebben een hoop te bespreken. Je hebt me niet verteld dat je mijn zoon niet meer hebt.'
'Ik heb Barry wel.'
'Ik heb gesprekken gehad met een man die zegt hem onder zijn hoede te hebben en die bereid is hem tegen betaling aan mij te geven.'
'Hij liegt. Je zou wel gek zijn om met hem zaken te doen.'
'Ik doe nooit gek. Hij heeft me een foto van Barry gestuurd en hij vroeg dertig miljoen dollar.'
Ze gaf geen antwoord.
'Dat is een hoop geld. Ik heb uiteraard gezegd dat ik dat niet zou betalen. Weet je wat hij zei? Hij zei dat de volgende foto die hij me zou sturen die van een dood jongetje zou zijn.'
Ze haalde heftig adem, pijn sneed als een mes door haar heen.
'O, dat raakt je. Daar hoopte ik al op. Dus, zie je, de beslissing of de jongen zal leven of sterven, ligt bij mij. Ik ben echt geneigd om Morgan hem te laten vermoorden alleen om jou te zien lijden.'
'Morgan zal hem niet doden.'
'Een vrome wens. Hij is tot alles in staat. Hij heeft al zo vaak gedood. Ik heb grondig onderzoek naar hem gedaan, en zijn achtergrond is werkelijk heel onaangenaam.'
'Hij doet... het niet.'
'O jawel, als ik hem niet betaal. Vind je dat ik het moet doen? Is het me dat waard? Dat zul je je moeten afvragen, hè?'
'Je wilt mijn zoon. Het zal het je waard zijn.'
'Je stem trilt. Ik vind dit een heel stimulerend gesprek. Het is bijna even bevredigend als jou hier bij me hebben. Als ik beslis het losgeld voor mijn zoon te betalen heb ik de volledige controle

over zijn leven of sterven. Als ik tot de conclusie kom dat je mogelijke talenten van hem hebt verknoeid, ontdoe ik me van hem.'
'Om mij pijn te doen.'
'Ja, dat is mijn hoofddoel.'
'Ik geloof je niet. Je bluft. Het zou stom van je zijn om hem te
doden. Dat zou een nederlaag voor je zijn.'
'Maar je zult een heel klein beetje twijfel houden. Ondertussen
mag je je afvragen of ik Morgan echt zal betalen. Misschien laat
ik hem die volgende foto naar jou sturen.' Hij hing op.
'Ik heb je gezegd dat je mij met hem moest laten praten. Wat zei
hij?' vroeg Galen terwijl hij de telefoon uit haar slappe hand nam.
'Dertig miljoen dollar of Judd dreigt Barry te doden.'
Galen vloekte. 'Chavez zou kunnen liegen.'
'Dat denk ik niet.' Het deed hem te veel plezier om me te pijnigen.'
'Gaat hij betalen?'
'Dat wilde hij niet zeggen.'
'Hij betaalt wel.'
'Ik... denk het.' Ze kneep haar lippen op elkaar om ze niet te la-
ten trillen. 'Ik moet dat geloven.'
'Zelfs als hij het niet doet, zou Judd kunnen bluffen.'
'Judd heeft op mij nooit de indruk gemaakt van een man die
bluft.' Ze stapte uit het bed. 'We moeten hem vinden.'
'Hij zal vandaag bellen. Waar ga je naartoe? We kunnen nu niets
doen.'
'Ik kan niet in dat bed blijven. Ik moet iets doen, wat dan ook.'
Hij bekeek haar een ogenblik aandachtig en knikte toen lang-
zaam. 'Je hebt gelijk. Je moet iets doen.' Hij kwam uit bed en liep
naar de badkamer. 'Kleed je aan. Ik ben over vijf minuten bene-
den.'
'Waar gaan we naartoe?'
'Naar buiten. Het is de schuur dan wel niet, maar we zullen het
ermee moeten doen.'

'Geen grepen uitgesloten.' Galen gooide zijn shirt onder een
boom. 'Kom en pak me.'
'Ik wil niet met je vechten.'
'Je zult me geen pijn doen. Ik ben waarschijnlijk net zo goed als
jij.'

'Wat is dit? Een soort therapie? Dit is zinloos.'

Hij deed een bliksemsnelle stap voorwaarts en veegde haar benen onder haar vandaan. Ze zakte op de grond.

Hij rende op haar af en automatisch rolde ze om, greep zijn enkel en draaide die om. Ze sprong op, en toen hij overeind kwam, gaf ze hem met een wijde uithaal een slag in zijn buik.

Hij gromde voor hij haar met een ruk aan haar voet onderuithaalde.

Ze voelde een golf van woede vermengd met pure adrenaline door zich heengaan toen ze opzij sprong en opnieuw aanviel.

Het was anders dan trainen met Judd. Galen was beter, sneller, en hij leek de afstraffing die ze hem gaf niet te voelen.

'Is dat alles wat je kunt? Misschien kun je beter doen alsof ik Judd ben. Of anders Chavez.'

'Ik heb geen stimulans nodig.' Ze dook weg en viel opnieuw aan. Vijftien minuten gingen voorbij. Ze was buiten adem en wist niet meer zo zeker tegen wie ze vocht. Judd. Chavez. Galen. Ze tolden allemaal voor haar ogen terwijl ze aanviel en aanviel en opnieuw aanviel.

'Oké. Oké.' Galen was buiten adem toen hij zich ten slotte van haar terugtrok. 'Ik geef op. Meer schade heb ik niet nodig.'

Ze stond daar, haar borsten deinden bij iedere ademtocht op en neer. 'Heb je... genoeg gehad?'

'Wíj hebben genoeg gehad.' Hij veegde zijn bezwete gezicht af met zijn shirt. 'Laten we gaan douchen. Ik heb een paar blauwe plekken waar ik voor moet zorgen.'

'Heb ik je pijn gedaan?'

'Niet erger dan ik verwachtte. Ik neem aan dat jij ook een paar blauwe plekken zult hebben.' Hij hield de hordeur voor haar open. 'Als dat niet zo is, voel ik me nog meer een mislukkeling dan ik al doe.'

Het waas van adrenaline trok geleidelijk weg en ze was weer in staat om te denken. 'Je wilde me helemaal niet verslaan. Je hebt voor boksbal gespeeld.'

'Om de donder niet.' Zijn gezicht vertrok toen hij zijn arm strekte. 'Dat was zuiver een neveneffect. Kom op. Douchen.'

Ze bewoog niet. 'Waarom?'

'Omdat ik stink?'

'Waarom heb je het gedaan?'

'Wat kun je anders doen om vier uur in de ochtend? Niet antwoorden. Ik probeer niet aan de alternatieven te denken.'

'Dus besloot je me een pak slaag te geven.'

'Zo is het. Ik moest de vijandigheid in mij kwijt.'

'Onzin.'

Hij glimlachte. 'Hoe voel je je?'

Ze dacht erover na. 'Sterk. Heel sterk.'

'Niet weerloos?'

'Absoluut niet.'

'Dan stel ik de douche uit en zet koffie terwijl we beslissen wat jij voor ontbijt wilt.' Hij liep naar de keuken. 'Of misschien toch maar niet. Cafeïne zou de tijger in je weer los kunnen maken.'

Ik heb leeuwen en tijgers gezien...

De herinnering deed pijn, maar gaf niet het verschrikkelijke gevoel van hulpeloosheid.

'Je hebt een bijzondere manier om met depressie om te gaan, Galen. Je probeert een vrouw die toch al in de put zit, ook nog eens de grond in te stampen.'

'Als het maar werkt. Liefdevolle zorg had geen resultaat.' Hij deed het keukenlicht aan. 'Je kunt nu functioneren. God, wat kun jij functioneren.'

Ja dat kon ze. Ze voelde het bloed door haar aderen stromen en haar geest was waakzaam. Galen had haar bevrijding en zelfvertrouwen gegeven. God, wat een geweldige geschenken in deze tijd van nood.

Ze rukte haar blik van hem los. 'Je was zelf ook niet zo slecht.' Ze ging naar de kast en pakte twee kopjes. 'Oké, nu moeten we beslissen of we bij Chavez gaan posten of achter Judd blijven aangaan.'

'Ik zal betalen, Morgan,' zei Chavez. 'Maar ik wil een klein extraatje.'

'Je krijgt waar je voor betaalt. Niets meer.'

'Dertig miljoen is een buitensporig bedrag voor één kleine jongen. Ik denk dat ik meer verdien. Het zal niet iets zijn dat je niet gewend bent te doen.'

'En wat is dat?'

'Ik wil Elena Kyler. Liefst levend, maar als dat onmogelijk blijkt, mag het ook dood zijn.'

Judd was even stil. 'Waarom zou ik jou iets geven?'

'Het staat me tegen om jou zoveel geld te geven. Ik kan onze onderhandelingen lange tijd rekken en jij wilt ze afronden. Je moet je waarschijnlijk in allerlei bochten wringen om Galen en Elena voor te blijven. Alles wat je te doen hebt is me Elena geven, en de zaak is rond.'

'Ik zal erover denken.'

'Ik doe vijf miljoen extra in de pot als je me haar levend brengt. Ik zal ook druk uitoefenen op een paar senatoren die ik in mijn macht heb om de druk van je af te nemen.'

'Het is een interessant voorstel.'

'En een voorstel dat ik je niet nog een keer doe. Het zal makkelijk voor je zijn. Ik begrijp niet eens waarom je aarzelt.'

'Ik zal het je laten weten.' Hij hing de telefoon op.

Het zal gemakkelijk voor je zijn.

Het was normaal dat Chavez geloofde dat bedrog en moord eenvoudig voor hem zouden zijn. Dat was veel te lang zijn leven geweest. Hoe moeilijk kon het zijn om terug te vallen in de gewoontes van vroeger?

Chavez had gelijk. Judd moest de onderhandelingen afsluiten. Galen en Elena hadden hem gisteravond op de kermis bijna te pakken gehad. Hij had geluk dat Barry ze niet gezien had. Hij had het geld nodig. Hij moest het kind kwijt.

Dus wat stond hem te doen?

Chavez dacht dat hij wist wat zijn beslissing zou zijn. Had hij gelijk?

Bedrog en moord...

15

'Waar wachten we nog op? Judd belt niet.' Elena stond bij het raam en staarde nietsziend over het meer. 'Ik vind dat we naar Miami moeten gaan om Chavez te grazen te nemen.'

'Laten we nog even wachten.'

'Hij zei dat hij gisteren zou bellen en hij heeft het niet gedaan.' Haar hand kneep zo heftig in het gordijn dat haar knokkels wit werden. 'Hij heeft een deal gesloten met Chavez en hij gaat Barry overdragen. We moeten hem tegenhouden.'

'Wacht tot de middag, dan gaan we. We zijn hier wellicht in een betere positie om ze te onderscheppen. Hij of Barry zouden –'

'Nee.' Ze draaide zich om en liep naar de deur. 'Hij kan ons onderweg bellen. Ik ben te bang om –'

De telefoon rinkelde.

Ze sprong op. 'Hallo.'

'Is Galen aan de lijn?' vroeg Judd.

'Hij komt zo. Laat me met Barry praten.'

'Als wij klaar zijn. Alles is goed met hem.'

'Hoe kan ik dat geloven? Je hebt Chavez beloofd hem een foto van een dode jongen te sturen.'

'Heeft hij dat gezegd? Hij doet kennelijk alles om je te kwetsen.'

'Was het een leugen?'

Hij antwoordde niet direct. 'Nee.'

'Schoft.'

'Soms,' zei Judd. 'Maar het is niet aardig van je om dat te zeggen als ik bel om je een kans te geven.'

'Wat voor kans?' Galen had de hoorn van het andere toestel opgepakt.

'Om haar zoon terug te krijgen.'

Elena verstarde. 'Waar heb je het verdomme over?'

'Ik heb een deal gesloten met Chavez. Ik krijg mijn geld. Hij krijgt Barry. Maar ik bepaal de voorwaarden voor de overdracht.'

'Ga door.'

'Ik heb tegen Chavez gezegd dat hij de levering zelf moet doen. Hij brengt het geld, ik draag Barry over. Geen escorte, anders gaat het niet door.'

'En jij denkt dat hij zich daaraan zal houden?'

'Waarschijnlijk niet. Ik zal vooraf de boel een beetje verkennen om er zeker van te zijn dat ik veilig ben.'

'En waar komen wij in het spel?'

'Ik zal jullie vertellen waar en wanneer. Jullie komen als ik mijn geld heb ontvangen en nemen Barry van hem af. Eenvoudig.'

'Te eenvoudig,' zei Galen. 'Het riekt naar een valstrik.'

'Of een slecht geweten dat probeert het goede te doen,' zei Judd. 'Je mag kiezen.'

'Valstrik,' zei Elena.

'Ik bel je vanavond met de tijd en de plaats. Barry zal daar zijn. Ik weet zeker dat hij hoopt je te zien.' Hij riep: 'Barry, je moeder wil met je praten.'

'Galen, het is een val, hè?' Ze hing op nadat ze met Barry had gepraat en liep de keuken binnen. 'De sluwe schoft.'

'Waarschijnlijk.' Hij hing de hoorn op. 'Maar het is ook een kans, zoals Judd zei. Ik twijfel er niet aan dat Barry daar zal zijn. Hij is het enige lokaas dat zal werken.'

'En Chavez zal zijn mannen daar hebben.'

'Vrijwel zeker. Het is erg riskant.' Hij glimlachte zwakjes. 'Maar dat zal jou niet weerhouden erheen te gaan, hè?'

Als ik een kansje heb om Barry terug te krijgen? 'Nee, om de donder niet.'

'Dan wachten we op Judd om ons te vertellen waar en wanneer.'

Judd belde om halftien die avond.

'Morgennacht. Op de open plek op de top van Blackjack Mountain. Eén uur.'

'Als dit de val is die ik denk dat het is, zal ik je achtervolgen tot ik je heb en je vierendelen.' zei Galen.

'Denk je dat ik dat niet weet? Je moet doen wat je moet doen. Ik kan het onvoorspelbare niet garanderen, en alles in deze overdracht is onvoorspelbaar.'

'Met inbegrip van jou.'

'Met inbegrip van mij.' Judd hing op.

'Dat klonk als een waarschuwing,' zei Elena.

'Wie weet?' Galen liep naar het bureau in de woonkamer. 'We moeten op een landkaart kijken waar Blackjack Mountain is. We zullen vóór morgenavond het een en ander moeten verkennen.'

Ze volgde hem en keek toe terwijl hij de kaart pakte en Blackjack Mountain opzocht. 'Het is ongeveer zeventig kilometer ten noorden van de stad, bij snelweg 76. Ik zie geen plaatsen in de buurt. Blijkbaar wilde Judd zijn ontmoetingsplaats zo afgelegen hebben dat hij de buren niet zou storen.'

Ze knikte. 'We zullen niet veel tijd hebben om ons met de omgeving vertrouwd te maken.'

'Tijd genoeg. Ik denk toch al niet dat een van ons vannacht gaat slapen.'

Hij liep naar de deur. 'Laten we op weg gaan.'

'Galen.'

'Wat is er?'

'Ik wil dit heel duidelijk stellen. Hij is mijn zoon. We zullen alle twee alles op alles moeten zetten. Je gaat niet proberen me buiten te sluiten of me te beschermen.'

Hij aarzelde. 'Het zal moeilijk voor me zijn dat niet te doen.'

'Maar je zult het doen omdat je het me hebt beloofd.'

Hij trok een gezicht. 'En ik zal mijn belofte houden. We gaan er samen op af en we doen de klus samen. Oké?'

Ze knikte en volgde hem naar de deur. 'Als je dat maar begrijpt.'

'Ik heb je al eens verteld dat ik boordevol begrip ben. Sindsdien ben ik dat bijzondere talent gaan betreuren.'

Ze kwamen pas de volgende middag terug van Blackjack Mountain. Ze waren alle twee vuil en bezweet, en zaten vol schrammen van het struikgewas.

'Neem een douche en probeer even te slapen,' zei Galen. 'Ik moet een paar wapens en infrarode nachtkijkers van Hughes hebben.'

'Jij zou ook wat moeten slapen.'

'Dat doe ik ook. We zullen een aantal mannen van Hughes charteren om Chavez' mannen bij de weg uit te schakelen en paraat te zijn voor een oproep van ons. Maar als we die berg opgaan als een soort Bijzondere Bijstandseenheid is de kans dat Barry gewond raakt groter. We weten niet wat Chavez zal doen als hij in het nauw gedreven wordt.'

'Ik weet het.'

'En we kunnen ook niet weten hoeveel van Chavez' mannen de weg naar die open plek zullen bewaken. We zullen ze één voor één uit moeten schakelen op weg naar hem toe. We kunnen ons niet veroorloven lawaai te maken.'

Ze knikte. 'Messen en handen.'

'Precies.'

Ze hoorde de deur achter hem sluiten toen ze naar haar slaapkamer ging. Een paar minuten later stond ze onder de douche en het hete water waste het vuil weg, maar niet de koude angst die haar de hele nacht in zijn greep had gehouden. Jezus, wat was ze bang. Ze hadden die berg verkend tot ze er voldoende vertrouwd mee was om zich redelijk zeker te voelen dat ze niet tegen onbekende gevaren zou oplopen. De gevaren die ze wel kende waren erg genoeg.

Ze kwam onder de douche vandaan en droogde zich af. Het was niet alsof ze dit nooit eerder had gedaan, vertelde ze zichzelf. Ze zou gewoon doen wat haar jaren geleden was geleerd. Het zou goed komen.

Maar Barry's leven stond op het spel. De angst sloeg toe en ze moest de paniek die daarop volgde onderdrukken. Ze moest niet bang zijn. Ze moest aan iets denken dat haar kracht zou geven. Galen. De angst nam iets af. Ja, Galen zou dit keer bij haar zijn. Samen zouden ze het kunnen doen. Samen zouden ze in staat zijn haar zoon te redden.

Zorg voor onze jongen.

Dat was de laatste regel van de brief die Dominic haar had geschreven.

'Ik doe mijn best, Dominic,' fluisterde ze. 'Maar alles gaat verkeerd en ik ben bang. Als je ergens in de buurt bent, ik kan wel wat hulp gebruiken.'

12.05 uur
Blackjack Mountain

Waar was de schoft, vroeg Chavez zich ongeduldig af terwijl zijn ogen de bomen rondom de open plek afzochten.

'Chavez, neem ik aan.'

Chavez draaide zich snel om en zag een man in de schaduw van een grote eikenboom staan. 'Morgan?'

'Ja.'

'Je hebt me laten wachten,' zei Chavez. 'Kom te voorschijn, zodat ik je kan zien.'

'Dat moest ik maar niet doen. Ik zou een te gemakkelijk doel zijn. Niet dat ik geloof dat je me zult bedriegen. Is het geld in die koffer?'

'Ja, kom het maar halen.'

'Kom jij maar hier.'

'Waar is mijn zoon?'

'Hij is achter deze boom. Hij is vast in slaap. Ik heb hem een verdovingsmiddel gegeven en hij zal wel een paar uur van de wereld zijn.'

Chavez kwam langzaam naar voren tot hij tegenover Morgan stond.

'Geen onvriendelijke bewegingen.' Morgan richtte een pistool op hem. 'Ik heb gehoord dat je heel goed bent in man-tegen-mangevechten. Zet de koffer op de grond en maak hem open.'

Chavez klikte de koffer open. 'Het is in grote biljetten. Het is een hoop geld om in een koffer geprop te krijgen.'

'Daar heb ik niets op tegen.' Morgan scheen met een zaklampje op de biljetten, pikte een aantal stapels op en bladerde ze stuk voor stuk door. 'Het lijkt me in orde.' Hij sloot de koffer en liet het licht op Barry vallen, die achter de boom lag te slapen. 'Je koopwaar.'

Chavez keek naar de jongen. 'Waar is Elena?'

'Ze zal hier over een minuut of veertig zijn. Ik wilde eerst de hoofdzaak afronden en dan vertrekken.'

'En ik word geacht erop te vertrouwen dat ze zal komen?'

'Ze weet dat de jongen hier is. Bedenk wat ze al allemaal heeft moeten doorstaan om hem uit jouw klauwen te houden. Ze is nu wanhopig.'

'Jij blijft hier.'

'Neem me niet kwalijk, maar daar ben ik het niet mee eens. Maak je geen zorgen. Ik weet dat als ik je hier voor schut laat staan, je jacht op me zult blijven maken. Ik twijfel er geen moment aan dat je een huurmoordenaar achter me aan gaat sturen, maar daar weet ik alles van en kan ermee omgaan.' Hij begon achteruit het bos in te lopen. 'Ze komt beslist.'

'Dacht je dat ik je levend van deze berg zou laten vertrekken?'

'Denk wat je wilt. Maar dat is toch echt wat ik ga doen. In mijn vorige beroep heb ik een unieke routine opgedaan in ontsnappen en omzeilen. Ik weet dat deze berg krioelt van jouw mensen. Ik moest er een uit de weg ruimen om de door mij gekozen vertrekroute veilig te stellen. Ik weet zeker dat je het niet erg vindt. Hij was trouwens een stuntel...'

Hij was verdwenen.

'Gomez!'

De man kwam aan rennen van de bomen aan de andere kant van de open plek. 'Ik kon hem niet goed in het vizier krijgen. Moet ik achter hem aan gaan?'

'Ja. Nee. Elena kan onderweg zijn. Ik wil niet dat ze wordt afgeschrikt door patrouilles die door de struiken denderen. We krijgen hem nog wel. Geef me je zaklantaarn.' Hij liet het licht over de slapende jongen glijden. Het was zonder twijfel de jongen die hij op de foto had gezien. 'Ik heb mijn zoon, en de vrouw zal ik gauw hebben.' Hij voegde eraan toe: 'Als ze tot hier weet te komen wil ik dat je haar aan mij overlaat. Kom niet tussenbeide. Ga nu terug naar je positie.'

'Ben je klaar?' fluisterde Galen.

Elena knikte en zette haar infraroodbril op. 'Ik heb er vijf geteld. Er kunnen er meer zijn.'

'Vermoedelijk wel. Ze kunnen zich verplaatsen. Jij neemt het spoor links, ik rechts. We treffen elkaar boven bij de open plek.'

'Oké. Chavez heeft vast een paar man in de bossen rond de open plek. Schakel jij ze uit?'

'En wat ga jij doen?'

Ze gaf geen antwoord. 'Schakel je ze uit?'

Hij mompelde een vloek. 'Ja, verdomme. Je kunt me vertrouwen. Ik zorg er wel voor dat er geen verrassingen zijn. Tevreden?'

Ze knikte, haar blik op de top van de berg gericht.

Barry.

'Elena, alleen maar mij ontmoeten daarboven. Niet zonder mij erop afgaan. Heb je me gehoord?'
'Ik heb je gehoord. Wees voorzichtig.' Ze bukte en snelde naar links.
Maak de weg vrij, had haar vader haar geleerd. Wees stil maar schakel ze uit. Maak de weg vrij.
Maak de weg vrij naar Barry.

Twee uitgeschakeld.
Galen rolde het lichaam in de struiken en klemde het mes terug in zijn kalfsleren schede.
Geen geluid. Geen alarm.
Hij pauzeerde even om zijn richting en zijn volgende doel te bepalen. Een wacht, ongeveer honderd meter verder op het pad.
Hij kroop voorzichtig verder langs de kant van het pad.

De nek van de man brak toen ze hem van achteren omdraaide. Elena liet hem vallen en bleef doorlopen.
Niet stoppen.
Loop sneller.
Meer van Chavez' mannen verder op het pad.
Maar achter hen was de open plek.
Achter hen was Barry.
Maak de weg vrij.

Paniek welde in Elena op toen ze zag dat er niemand op de open plek was.
Chavez niet. Haar zoon niet.
'Chavez!'
Geen antwoord.
Met haar ogen doorzocht ze de bomen. 'Chavez, ik weet dat je er bent. Kom te voorschijn en laat je zien.'
'Ik wilde alleen maar zeker weten dat je niemand bij je had. Waar is Galen?'
Elena's blik schoot over de open plek naar waar de stem vandaan was gekomen. Ze had haar nachtbril afgedaan en had alleen het maanlicht om te zien. Waar was hij? 'Hopelijk bezig verwoesting aan te richten onder jouw mannen.'

'Dan is hij ongetwijfeld inmiddels dood. Ik hoop dat je niet op hem gesteld was.'

Denk niet na over zijn woorden. Hij wilde haar alleen maar schokken, zwak maken. 'Waar is mijn zoon?'

'Hier.' De stem van Chavez was verder naar links merkte Elena. Hij verplaatste zich kennelijk. 'Waar?'

'Waarom zou ik je dat vertellen? Het is niet meer belangrijk. Jouw status als zijn moeder is voorbij.'

'Onzin.'

'Ik heb gehoord dat moederliefde vrouwen in idioten kan veranderen en jij hebt dat vannacht bewezen. Ik had mijn twijfels of je in Morgans val zou lopen.'

'Ik ben erin gelopen en ik loop er weer uit. Mijn zoon neem ik mee. Je bent vijf meter naar links gegaan. Je probeert achter me te komen. Wil je me echt van achteren aanvallen? Ben je bang me in de ogen te zien?'

'Doe niet zo belachelijk. Denk je dat ik die leugen van je geloof dat je alleen deed alsof ik je had verslagen? Ik heb je toen verslagen. Ik zal je nu verslaan.'

'In je hart weet je dat ik de waarheid heb gezegd. Het moet een verschrikkelijke klap voor je trots zijn. Ben je bang dat je opnieuw zult falen als je tegenover me komt te staan?'

'Ik laat me niet door spot verleiden iets stoms te doen, Elena.'

'Zul je daar later aan denken en er spijt van hebben, Chavez? O, ik weet dat je me vast graag hulpeloos had gezien, niet in staat om me te verdedigen, maar dat zou juist bewijzen hoe incompetent je bent.'

'Je vond me niet incompetent toen ik tussen je benen kwam.'

Laat je niet aan het wankelen brengen. Herinneringen waren ook een wapen.

'De enige manier waarop je me kon verslaan was door me vast te binden. Wat voor overwinning is dat?'

Stilte. 'Kreng dat je bent. Mes?'

Ze haalde diep, opgelucht adem. 'Mes, handen, voeten. Gooi je andere wapens op de open plek. Ik zal hetzelfde doen.'

'Eindelijk het mes. Niet dat ik onze minder dodelijke partijtjes niet leuk vond. Herinner je je nog dat je op de mat lag en –'

'Gooi je wapens weg.'

'Jij eerst.'

'En neergeschoten worden door een van je mannen in het bos?'

'Je zult het erop moeten wagen. Misschien heb ik gezegd dat ze jou aan mij moeten overlaten. Misschien niet. Je bent er zo zeker van dat ik voor mezelf iets wil goedmaken. Ben je zeker genoeg om je wapens weg te gooien?'

Ze had gehoopt hem in een zwakke positie te brengen. Ze wist nog niet zeker of ze hem zou neerschieten als hij zich liet zien, maar het was beslist een mogelijkheid. Man tegen man was altijd riskant, en ze moest aan Barry denken. Nu had ze geen keus. Als er iemand anders in het bos was, moest ze erop vertrouwen dat Galen met hem zou afrekenen. Ze voelde plotseling zelfvertrouwen in zich opwellen. Ja, hij zou haar niet in de steek laten. Ze kon Galen vertrouwen.

Ze gooide haar geweer en pistool op het veld. 'Nu jij.'

Zou hij het doen?

Hij kwam uit het bos in het maanlicht, en gooide een geweer en een handwapen op het veld. 'Kom, Elena.' Zijn toon was spottend. 'Laat eens zien hoe je me al die jaren geleden hebt verslagen.'

Elena en Chavez cirkelden met getrokken messen om elkaar heen. Elena sprong naar voren. Chavez dook opzij en zijn mes schampte haar. Ze draaide weg voor hij het kon afmaken.

'Het eerste bloed, Elena,' mompelde hij. 'Dat had je kunnen verwachten.'

Ze draaide zich snel om en gaf hem stoot in de maag. 'Dat deed ik.'

Hij kreunde van pijn en zonk op zijn knieën.

Ze wist wel beter dan hem te naderen. Ze had hem zo vaak zwakte zien veinzen om vervolgens gebruik te maken van een moment van onoplettendheid.

Hij deed een zijwaartse uitval en kwam weer op de been. 'Goeie zet. Laten we nu eens naar je tegenaanval kijken.' Hij maakte een serie bliksemsnelle karatebewegingen die ze nauwelijks kon afweren. God, wat was hij snel. Te snel. De aanvallen hadden hem dicht genoeg bij haar gebracht om een stoot op haar kin te plaatsen.

Duisternis.

Snijdende pijn in haar armen toen zijn mes uitschoot.

Ze wankelde achteruit.

Maak je hoofd helder.

Ze had maar een paar seconden voor hij bovenop haar zou zijn.

Win tijd.

Ze schopte en raakte zijn kruis.

Ze was zich vaag bewust van zijn pijnlijke gegrom terwijl ze haar flauwte bevocht.

Chavez viel niet, maar ze was niet in staat om door te zetten.

Verdomme, ze moest doorzetten. Nu. Negeer de duizeligheid. Een betere kans kreeg ze niet.

Ze gaf hem een zijwaartse trap tegen zijn keel en hij viel op de grond. Ze stapte naar voren om tegen de zijkant van zijn hoofd te schoppen, maar hij greep haar enkel.

Ze lag op de grond.

Ze rolde om en ging schrijlings op hem zitten. Met haar knie hield ze zijn hand met het mes op de grond, terwijl het hare boven zijn keel hing.

'Heel goed,' fluisterde hij. 'Maar je kunt het niet, Elena. Dat zul je nooit kunnen.'

'Om de donder wel, verdomme.'

'Nee, je doet het niet. Weet je waarom? Omdat ik mijn man heb opgedragen de keel van je zoon door te snijden als hij ziet dat ik onder lig.'

'Je liegt.'

'Zie je het bloed er niet uit spuiten? Ik kan –' Hij spuugde in haar gezicht.

Ze deinsde instinctief terug en hij kon zijn geblokkeerde arm vrijmaken. Hij haalde naar haar uit met zijn mes.

Ze kon het maar op een paar centimeter ontwijken terwijl ze van hem wegrolde.

'Ik had je bijna. Je had me zoëven kunnen doden, maar dat nuttige moederinstinct stak de kop weer op.' Hij was opgestaan en kwam op haar af. Zijn voet schoot uit en raakte haar pols. Haar mes viel op de grond. Ze nam zijn enkels in een schaarbeweging tussen haar benen en haalde hem weer neer.

Hij herstelde zich en was boven op haar en zijn mes ging naar haar borst. Ze bracht snel haar arm omhoog om het af te weren. Een kogel schampte zijn wang.

Hij verstarde. 'Wat verd–'

Elena rolde om, greep zijn pols en kneep tegelijkertijd de zenuw af. Het mes viel uit zijn verlamde hand. Ze krabbelde opzij en pakte het.

Chavez viel weer aan. Ze kromde zich onder zijn lichaam en stootte omhoog met het mes.

Hij verstarde boven op haar. 'Elena?'

Ze duwde hem van zich af en ging zitten.

Het bloed gutste uit de wond in zijn borst en hij staarde er vol ongeloof naar.

'Ik zei toch dat ik het zou doen.' Jezus, ze beefde helemaal. 'Waar is mijn zoon?'

Hij schudde zijn hoofd.

'Klootzak, waar is hij?'

'Dood.'

Een golf van paniek overspoelde haar en ze greep hem bij zijn strot. 'Hou op met liegen. Waar is hij?'

'Elena...' Zijn ogen gingen dicht en hij zakte zijdelings in elkaar. Barry kon niet dood zijn. Zelfs met zijn laatste adem moest Chavez nog liegen om haar te pijnigen.

'Je bloedt.' Galen knielde naast haar. 'Waar ben je gewond?'

Kon een man liegen als hij stervende was?

'Elena, waar ben je gewond?'

'Verdomme, ik ben niet gewond. Het is niets.' Ze sprong overeind. 'Hij zei dat Barry hier was maar dat hij dood was. Hij moet gelogen hebben. Ik moet hem vinden. Hij moet –'

'Hij heeft gelogen.' Judd kwam te voorschijn van achter de bomen. 'Barry is achter die eikenboom. Ik heb hem verdoofd, maar hij zal nu wel snel bijkomen. Ik zou hem voor het zover is, van deze berg af zien te krijgen. Er is hier nogal een slachting aangericht die hij maar beter niet kan zien.'

'Die boom?' Elena rende er al naartoe.

God, laat het waar zijn. Laat hem veilig zijn.

Daar was hij. Maar hij was zo stil...

Ze viel op haar knieën en trok hem tegen zich aan.

Hij ademde. Hij sliep, zoals Judd had gezegd.

Ze wiegde hem heen en weer in pure vreugde.

Het komt goed met hem. Hoor je me, Dominic? Onze jongen is veilig.

'Is hij niet gewond?' vroeg Galen aan Judd.

'Welnee. Hij wordt misschien wakker met een piepklein hoofd-pijntje, maar ik ben tamelijk goed met verdovingsmiddelen. Hij zal volgens mij geen last van nawerkingen hebben.'

'Dat is te hopen. Als Elena je keel niet doorsnijdt doe ik het.'

'En jullie zijn op dat gebied zeer getalenteerd. Nadat ik mijn za-ken met Chavez had geregeld ben ik in die populier daar bij de open plek geklommen en heb ik jullie aan het werk gezien.'

'Waarom?'

Hij haalde zijn schouders op. 'Ik moest het kind in de gaten hou-den om er zeker van te zijn dat Chavez niets onverwachts zou doen. En ik dacht dat ik me net zo goed meteen kon amuseren. Er is niets waar ik meer van hou dan zien hoe die schoften hun schepper ontmoeten.'

Galens ogen vernauwden zich. 'En er zelf ook een paar op weg helpen? Op weg naar boven liep ik tegen twee lijken op waar ik niet verantwoordelijk voor was. Ik dacht dat Elena misschien... maar ze hoorde niet in de buurt van dat pad te zijn.'

'Het wachten begon me een beetje te vervelen.'

'Waarom heb je dan niet iets constructiefs gedaan en Chavez uit-geschakeld?'

'Dat was Elena's werk. Ze had het nodig dat zelf te doen.'

Galen begon te vloeken.

'We kijken op een verschillende manier naar de dingen. Jij bent beschermend. Ik bekijk alles van buitenaf.'

'Je kwam van buiten en ontvoerde Barry, verdomme.'

'Ik had het geld nodig,' zei Judd eenvoudigweg. 'Het speet me dat ik hem moest gebruiken, maar ik stond onder druk.'

'Je hebt niet alleen hem gebruikt, maar mij ook. Ik bracht Elena en Barry naar de ranch en ik vertrouwde je.'

'Ik heb nooit gezegd dat je me kon vertrouwen. Je wilde niet ge-loven dat ik in staat ben dingen te doen waarvan jij niet eens zou dromen. Maar je zou in aanmerking kunnen nemen dat de jongen geen slechte herinneringen aan deze episode zal overhouden. Hij

heeft een avontuur gehad waar hij nog een tijdje aan zal denken.'
'En Elena is door een hel gegaan.'
Judd knikte ernstig. 'En ik wist precies wat ik haar aandeed toen
ik Barry meenam. Ik vraag niet om vergeving. Ik weet dat dat
niet mogelijk is.'
'Gelijk heb je.'
'Dan stap ik nu maar eens op. Ik wilde er alleen zeker van zijn
dat ze niet naar Barry hoefde te zoeken.' Hij draaide zich om.
'Adieu Galen. Veel geluk.'
'En waar ga jij naartoe?'
'Washington. Ik heb wat ingewikkelde omkoperij te doen.'
'Je bent gek. Ze zullen je pakken en je laten hangen.'
'Wat kan jou dat schelen?' Hij glimlachte zwakjes en liep naar de
bomen. 'Ik ben jouw probleem niet meer.'
Het zou hem niets moeten kunnen schelen. Niets. Met wat Judd
had gedaan was hij over de schreef gegaan. De klootzak.
Toen hij de rand van de open plek bereikte trok Judd zijn zwar-
te windjack uit en liet het op de grond vallen. 'Zeg tegen Elena
dat ze mijn jack aan moet trekken. Ze zit onder het bloed van
Chavez en ze zal het kind toch niet bang willen maken.'
Hij verdween tussen de bomen.
Galen staarde hem na, boos en gefrustreerd en... met spijt.
De hufter.

'Geef hem maar aan mij.' Galen stak zijn armen uit en nam Bar-
ry van haar over. 'Hoe is het met hem?'
'Hij slaapt. Maar hij bewoog net even.'
'Goed. Ik heb Hughes gebeld om zijn mannen naar boven te sturen en onze weg te beveiligen als we naar beneden gaan. Hij kan
ieder ogenblik hier zijn.'
Ze keek over de open plek. 'Waar is Judd?'
'Hij is weggegaan. Hij was blijkbaar bang de toorn van een moeder onder ogen te zien.'
'Daar heeft hij alle reden voor,' zei ze grimmig. 'Misschien ga ik
toch nog achter hem aan en vermoord de schoft.'
'Hij zou het je niet kwalijk nemen.' Hij gaf haar het jack dat hij
over zijn arm had. 'Hij liet dit voor je achter. Hij zei dat je Barry niet bang moest maken.'

'Ik doe wat ik –' Ze keek omlaag naar haar met bloed bevlekte kleren. 'Shit.' Ze greep het jack en trok het aan. 'Laten we hier weggaan. Ik weet niet of jouw schot de een of andere boswachter of kampeerder heeft gealarmeerd, maar daar wil ik niet achter komen.'

'Ik heb dat schot niet afgevuurd. Ik had het te druk om me van Gomez te ontdoen. Hij was beter dan ik had verwacht.'

'Judd?'

'Zeer waarschijnlijk. Hij zat verborgen in een boom als een engel des doods.'

Ze keek om naar Chavez. 'Het was een benauwd moment. Ik ving zijn aanval op, maar ik was misschien niet snel genoeg geweest. Hij leidde Chavez af.'

'Maar het schakelde hem niet uit. Hij zei dat jij het nodig had dat zelf te doen.'

Zoveel doden. Dominic, Luís, Forbes... Chavez had jarenlang haar leven vergiftigd en haar kind bedreigd. Ja, het was voor haar een noodzaak geweest het zelf te doen. Maar ze stoorde zich aan het feit dat Judd dat in haar had herkend. 'Ik wil geen gunsten van hem.'

'Deze zul je van hem moeten accepteren. Het is waarschijnlijk de enige reden waarom ik hem niet gewurgd heb.'

Ze schudde haar hoofd. 'Jij mag hem graag. Ondanks alles mag je hem. Je hebt dat excuus aangegrepen.'

Hij trok een berouwvol gezicht. 'Misschien.'

'Ik kan hem niet vergeven. Hij heeft mijn kind gestolen.'

'Niemand verwacht dat van je.' Zijn armen sloten zich steviger om de kleine jongen. 'Daar komt Hughes. Laten we gaan. Ik geloof dat Barry bezig is wakker te worden.'

Barry werd pas wakker toen ze nog maar een paar kilometer van de bungalow verwijderd waren. 'Mama?'

'Ja, schat. Voel je je goed?'

'Slaperig.' Hij geeuwde. 'Ik heb je gemist.'

'Ik heb jou ook gemist.'

Hij keek naar Galen. 'Hoi, Galen. Ik heb zoveel gezien. Zoveel geweldige dingen...'

'Dat is fijn, Barry.'

'Waar is Judd?'

'Hij moest weg voor zaken. Ik moest je gedagzeggen van hem.'

'O.' Barry's gezicht vertrok teleurgesteld. 'Wanneer komt hij terug?'

'Dat weet ik niet. We gaan zelf ook op reis.'

Elena keek hem aan. 'Is dat zo?'

'Het is voor je moeder ook een verrassing.' Galen keek Elena veelbetekenend aan. 'Er wordt hier storm verwacht. We moeten weggaan van hier tot het weer kalmer wordt.'

Elena knikte langzaam. Ze wisten niet wat voor soort gevolgen het doden van Chavez en zijn mannen kon hebben. Er was niet veel loyaliteit in de drugswereld, maar het zou verstandig zijn om voorzorgsmaatregelen te nemen.

'Ik denk dat we allemaal behoefte hebben aan een strand en ik weet een plek op de Bahama's die daar heel geschikt voor is,' zei Galen.

'Ik vind het leuk in de bungalow.' Barry fronste zijn wenkbrauwen. 'En ik heb een beetje genoeg van al dat rondreizen.'

'Dat kan ik me voorstellen.' Elena knuffelde hem. 'Maar de bungalow is niet van ons. We kunnen daar niet altijd blijven.'

'Gaat Dominic met ons mee?'

Ze was even stil. Hoelang kon ze nog wachten voor ze hem zou vertellen dat hij zijn Dominic nooit meer zou zien? Nu niet. Niet voordat hij veiliger was. 'Nee, Dominic gaat niet met ons mee.'

'Waarom niet? Hij zei dat hij me een keer zou meenemen naar het strand. Hij zei dat hij het strand van Miami echt leuk had gevonden.'

'Hij heeft iets anders te doen.' Elena vocht tegen haar tranen. 'Maar hij zou willen dat je plezier hebt. Hij ziet je graag gelukkig.'

Barry knikte. 'Misschien komt hij later. Hij heeft een keer gezegd dat hij altijd bij ons zou zijn.'

Ze voelde hoe Galen even haar arm pakte en toen weer losliet. Ze voelde zich getroost door die stille ondersteuning.

'Dat is waar. Hij zal nooit echt weggaan.' Ze schraapte haar keel. 'Je zult het strand leuk vinden. Wist je dat je kastelen kunt bouwen in het zand?'

Epiloog

Nassau, Bahama's
Twee maanden later

De zon op haar rug was heet. Elena draaide zich om en kroop verder onder de grote strandparasol.

'Je zult nog verbranden.' Galen viel neer op het strandlaken naast haar. Hij gooide een handdoek over haar benen. 'Je zou op deze tijd van de dag niet naar buiten moeten gaan.'

'Ik hou van de warmte en ik verbrand bijna nooit. Dat is het voordeel van een olijfkleurige huid.' Ze draaide zich op haar zij om naar hem te kijken. 'Waar is Barry? De laatste keer dat ik hem zag reden jullie over het strand op die zielige ezel.'

'Niks zieligs aan dat verrekte beest. Hij bleef staan en toen moest ik hem helemaal terugtrekken naar het hotel.' Hij knikte naar een groep kinderen een paar meter verderop. 'Barry is daar met de kindersteward.'

'Barry heeft je de laatste twee maanden vaker gezien dan ik. Waar ben je geweest?'

'Zo hier en daar. Ik dacht dat je er behoefte aan had om lekker in de zon te liggen en alleen te zijn met je zoon. Je was behoorlijk gestrest toen we weggingen uit Georgia.'

Dat was een understatement. Ze was zo gespannen als een vioolsnaar geweest, vervuld van verdriet en berouw, en volkomen afgepeigerd. De eerste week was ze bijna verdoofd geweest, maar daarna was ze geleidelijk gaan herstellen. 'Gestrest is niet het juiste woord.'

'Je ziet er nu beter uit.' Hij staarde over de oceaan. 'Ik heb vandaag Logan gebeld. Hij zei dat we veilig terug kunnen naar de vs. De DEA spant zich niet echt in om de dood van Chavez en zijn mannen te onderzoeken. Ze zijn gewoon blij dat ze van hem af zijn. Manero zegt dat er geen geruchten zijn over enige druk in onze richting vanuit de drugswereld. Ze hebben het te druk met het verdelen van Chavez' territorium.'

'Het is dus voorbij?'

'Daar ziet het naar uit. We gaan terug naar de vs en zorgen ervoor dat je ergens, met de benodigde papieren, kunt gaan wonen. Dat is toch wat je wilt, hè?'

'Dat is wat ik wil.'

'Mooi.' Hij kwam overeind. 'Dan zal ik er maar eens aan beginnen. We kunnen waarschijnlijk over een paar dagen vertrekken.'

Ze keek hem na toen hij terugliep naar het hotel. De zon scheen op zijn kortgeknipte, donkere haar en hij liep met zijn gebruikelijke ruteloze energie. Duidelijk een man met een missie.

Op weg om losse eindjes aan elkaar te knopen en een groot satijnen lint om een goed uitgevoerde klus te strikken.

Vergeet het maar, Galen.

Ze haalde diep adem toen ze voor de deur van Galens kamer stond.

Doe het nou maar.

Ze opende de deur. De kamer was donker. 'Galen.'

'Hier buiten op het balkon. Problemen?'

'O, ja.' Ze liep door de kamer en voegde zich bij hem. 'Grote.'

'Barry?'

'Niet alles hoeft over Barry te gaan.'

'O, ik dacht van wel'

'Omdat je blind bent. Ik hou van mijn zoon, maar dat betekent niet dat hij de enige in mijn leven moet zijn. Als je niet zo verdomd kies was geweest had je me ten minste een maand geleden terug in je bed kunnen nemen. In plaats daarvan liet je me wachten.' Ze kwam een stap dichterbij. 'Ik ben me daardoor onzeker gaan voelen en daar hou ik niet van.'

Hij glimlachte flauwtjes. 'En wat ga je nu doen?'

'Ik ga je vertellen dat ik van je hou en dat ik denk dat jij van mij houdt. Ik geef je een beetje tijd om erover na te denken, maar het is alleen maar eerlijk om je te laten weten dat ik een voorstander ben van het huwelijk.'

'En wanneer besloot je dat je die grenzeloze affectie voor me hebt?'

'Ik denk vlak voordat ik mijn wapens weggooide en op het punt stond met Chavez te gaan vechten.'

Zijn ogen knipperden. 'Wat?'

'Ik wist dat er een sluipschutter in de bomen kon zijn, maar ik gooide ze toch weg omdat ik erop vertrouwde dat jij er voor me zou zijn.'

Hij gooide zijn hoofd achterover en lachte. 'Mijn god, dat moet de origineelste liefdesverklaring zijn die ik ooit heb gehoord'

'Hou op met lachen.' Ze probeerde haar stem onder controle te houden. 'Het betekende iets voor me. Het is voor mij niet gemakkelijk om op iemand anders te steunen, iemand anders te vertrouwen. Je hebt gezegd dat ik niet alleen was, dat ik niet alleen hoefde te zijn. Nou, daar ga ik je aan houden.' Ze stopte. 'Dus neem er een besluit over.'

'En als ik dat niet doe?'

'Dan doe ik het voor je.' Ze kwam dichterbij en legde haar hoofd op zijn borst. Ze hoorde het kloppen van zijn hart. 'Ik zal je over de hele wereld volgen tot je er genoeg van krijgt mij en Barry achter je aan te hebben. Je zult niet in staat zijn naar een andere vrouw te kijken want die zal ik afschrikken.'

'Wil je de weg naar mij vrijmaken?'

'Overal. Altijd.'

'Ik denk dat ik dan geen keus heb. Omdat ik zo'n vredelievende man ben zou ik niet willen dat er geweld wordt gebruikt tegen een onschuldige – au. Je schopt me.'

'Ik ga ergere dingen doen als je niet –'

'Sst. Geen dreigementen. Weet je wel wat het van me heeft gevergd om te wachten tot je naar mij toe kwam?' Hij nam haar gezicht in zijn handen en keek haar in de ogen.

Ze haalde heftig adem bij wat ze in de zijne zag. 'Dat is dan je verdiende loon. Er is niets mis met een beetje agressie.'

'Wel als het om jou gaat. Je hebt in het verleden zowel mijn persoon als mijn mannelijkheid bedreigd.'

'Dat was wat anders.'

'Alles tussen ons is anders. Daarom moest het helemaal goed zijn of helemaal niet.'

'En is het nu goed?'

Zijn gezicht kwam dichterbij en zijn stem was niet meer dan een zucht. 'Zeg jij het maar...'